D0590257

RAYMOND POINCARÉ

DU MEME AUTEUR

Du Sénat constitué en Cour de justice.
William Pitt (ouvrage couronné par l'Académie française).
Godoï, prince de la Paix.
Wellington.
Vingt ans d'histoire diplomatique 1919-1939.
Les Grandes Heures de la Guyenne.
Le Parlement d'Angleterre.
Le Siècle de Victoria.

Raymond Poincaré

JACQUES CHASTENET
DE L'INSTITUT

RAYMOND POINCARÉ

RENE JULLIARD
sequana
22 *bis*, passage Dauphine
PARIS

IL A ÉTÉ TIRÉ DE CET
OUVRAGE TRENTE EXEMPLAIRES
SUR VELIN ÉDITA DES PAPETERIES
PRIOUX PLUS QUELQUES
EXEMPLAIRES D'AUTEUR

« Le caractère des Français demande du sérieux dans le souverain. »

La Bruyère.

CHRONOLOGIE DE RAYMOND POINCARE

1860, 20 août. — Naissance à Bar-le-Duc.
1870 — Voit l'invasion.
1871 — Première communion.
1876-1877 — Interne à Louis-le-Grand.
1879-1880 — Service militaire.
1880 — Stagiaire au Barreau de Paris.
1886 — Chef de cabinet du Ministre de l'Agriculture. — Conseiller général de la Meuse.
1887 — Député de la Meuse.
1892 — Rapporteur général du budget.
1893 — Ministre de l'Instruction publique.
1894 — Ministre des Finances.
1895 — De nouveau Ministre de l'Instruction publique.
1898 — « Libération de sa conscience » dans l'affaire Dreyfus.
1899 — Refus de la Présidence du Conseil.
1903 — Sénateur.
1904 — Mariage civil avec Henriette Benucci.
1906 — Pour la deuxième fois Ministre des Finances.
1907 — Membre du Conseil de l'Ordre des Avocats.
1909 — Election à l'Académie française.
1911 — Mort de M. Poincaré, père.
1912-1913 — Président du Conseil, Ministre des Affaires Etrangères. — La crise balkanique.
1913-1920 — Président de la République. — La guerre. — La victoire.

1913 — Mort de Mme Poincaré mère. — Mariage religieux.
1920 — « A bien mérité de la Patrie ». — De nouveau sénateur de la Meuse. — Président de la Commission des Réparations.
1921 — Président de la Commission sénatoriale des Affaires étrangères.
1922-1924 — De nouveau président du Conseil et ministre des Affaires étrangères. — Les Réparations et la Ruhr.
1926-1928 — Pour la troisième fois, président du Conseil, avec le portefeuille des Finances. — Le sauvetage du franc.
1928-1929 — Président du Conseil sans portefeuille.
1929 — Maladie. — Retraite politique.
1931 — Bâtonnier de l'Ordre des Avocats.
1934, 15 octobre — Mort de Poincaré.

NOTE LIMINAIRE

LA vie de Raymond Poincaré ayant été essentiellement publique, il a été impossible, dans ce livre, de ne pas faire une large place aux événements politiques auxquels le personnage a été mêlé non plus qu'au « climat » intellectuel et social qui a conditionné ces événements.

On y trouvera donc, en voulant bien excuser les lacunes inévitables, un raccourci de l'Histoire de France entre 1885 et 1930. C'est un grand honneur pour un homme qu'on ne puisse dissocier sa biographie des fastes de son pays.

Un Aperçu bibliographique *mentionnera* in fine *les principaux ouvrages et sources, dont je me suis servi pour rédiger cette biographie. Je n'ai pas cru devoir la charger d'un appareil de notes et de références, mais on voudra bien se tenir assuré qu'aucun fait n'y a été présenté qui ne soit appuyé sur un document certain ou un témoignage sûr.*

Mon travail a été grandement facilité par les parents, amis et collaborateurs de mon héros qui ont eu la bonne grâce, soit de me faire part de leurs souvenirs personnels, soit de me communiquer des pièces inédites. Qu'il me soit permis de citer, entre autres, Mmes F. Guionic et Tortat, nièces de Mme R. Poincaré, MM. Léon Daum et Frébillot, petits-cousins par alliance de Poincaré, MM. Maurice Colrat, Louis Marin, Germain-Martin et Charles Reibel, anciens ministres, M. Robert David, ancien sous-secrétaire d'Etat, MM. Emile Moreau, Pierre Fournier et Jacques Rueff, gouverneurs et sous-gouverneur honoraires de la Banque de France, M. Adolphe Pi-

chon, ancien secrétaire-général civil de l'Elysée, MM. François-Poncet, Hermite, Laroche, ambassadeurs de France, et Bressy ministre plénipotentiaire, qui, à des titres divers, furent les collaborateurs diplomatiques de Poincaré, M. Grignon, qui fut directeur de son cabinet, et, tout spécialement, M. Marcel Ribière, directeur adjoint du même cabinet.

Avec l'autorisation du bâtonnier Poignard, M. Boucher, conservateur de la Bibliothèque de l'Ordre des avocats de Paris, a mis à ma disposition les « Cahiers de jeunesse » qui s'y trouvent déposés.

A tous et à chacun, j'adresse l'expression de ma gratitude.

CHAPITRE PREMIER

ENFANCE STUDIEUSE, STUDIEUSE JEUNESSE

Un élève laborieux. — « Journal » d'enfance. — Le fils de la Lorraine. — Ascendance de Raymond Poincaré. — Traditions bourgeoises, traditions libérales et laïques, traditions politiques. — Premières études. — La guerre de 1870. — Impressions qu'elle laisse sur le jeune Poincaré. — Le Lycée de Bar-le-Duc. — Succès scolaires. — L'internat au lycée Louis-le-Grand. — Découverte de la pensée pure. — Les baccalauréats. — Réflexions stoïciennes. — L'Ecole de Droit. — Mélancolie et inquiétude. — Poincaré poète et romancier. — La pension Laveur. — Le service militaire à Nancy. — Un soldat consciencieux. — Poincaré se résout à être avocat.

« *Samedi 20 février 1875.* — Je l'avais bien prévu ; je suis seulement sixième ! Et Rouillier est second ! Mais que dire ? S'il a aujourd'hui sept points de plus que moi et si, par conséquent, il est presque assuré d'avoir le prix d'excellence, à qui la faute en revient-elle ? *A moi et à moi seul.* Je n'ai donc qu'à me taire...

« *Mars 1875, lundi 15.* — C'est aujourd'hui qu'a lieu le dernier combat, celui qui causera la victoire certaine de l'un des concurrents et la défaite irréparable de l'autre...

« *Jeudi 18.* — Dans quelle anxiété sommes-nous, Rouillier et moi !...

« *Vendredi 19.* — Enfin je sais que je suis premier !... »

Quand, dans le journal qu'il tient depuis l'âge de onze ans, Raymond Poincaré écrit ces lignes, il a quatorze ans et est élève de seconde au lycée de Bar-le-Duc. Elles le peignent presque entier, tel qu'il sera toujours, avec sa volonté raidie, sa passion pour le travail, son goût des compétitions, sa foi dans la valeur des consécrations officielles, son amour-propre aussi et sa parfaite honnêteté intellectuelle (1).

Les portraits qu'on a de lui le montrent alors petit, râblé, large d'épaules, avec un front bombé, des pommettes saillantes, des yeux gris perçants, un nez rond et un menton prognathique. Tout, dans ses traits, respire l'intelligence avec on ne sait quoi de concentré et de tendu. La barbe pourra pousser, le cheveu grisonner, la joue s'empâter, la silhouette s'alourdir : jusqu'au bout, physiquement aussi bien qu'intellectuellement, l'homme mûr restera semblable à l'adolescent, l'homme d'Etat semblable au potache.

A sept ans, il jouait à présider une assemblée parlementaire enfantine ; à treize, il traduisait en vers latins *La mort de Jeanne d'Arc* par Casimir Delavigne. Le voici maintenant qui

---

(1) Le journal quotidien commence le 4 juin 1871. Avec des interruptions plus ou moins longues, Poincaré le tiendra pendant presque toute sa vie. Voici la première journée :

« Jour de la Trinité. — *7 h.* : Je me levai et fis mes prières ; *7 h. 30* : Je déjeunai du pain et de la confiture ; *8 h.* : J'étudiai du catéchisme ; *9 h. 30* : J'allai à la messe ; *11 h.* : Nous déjeunâmes. Nous avions du veau, puis des cerises ; *11 h. 30* : Je jouai un peu. *2 h. 30* :J'allai aux vêpres ; *4 h.* : Maman me dit d'aller faire une petite promenade avec Bonne-Maman. Nous sortîmes malgré la pluie. Le chien de Bonne-Maman appelé Pompon vint avec nous ; *4 h. 20* : Nous étions auprès du petit pré qui était alors peuplé de marguerites et de boutons d'or ; *4 h. 25* : Nous entrâmes dans un sentier auprès d'un ruisseau et entre deux haies. Il pleuvait plus fort ; *4 h. 30* : Il plut tout à coup très fort et à cause de la pluie Bonne-Maman me dit qu'il fallait rentrer ; *5 h.* : Nous rentrâmes chez nous ; *5 h. 5* : Je m'amusai et je fis ce journal ; *6 h. 30* : Nous mangeâmes. Nous avions du filet ; *7 h. 15* : Je m'amusai ; *8 h.* : Je dis mes prières ; 8 *h. 10* : Je me couchai. »

Noter l'emploi exact que cet enfant de dix ans fait du parfait défini.

cumule tous les prix, dans toutes les matières, comme il les cumulera tout le long de son existence.

Tant de succès dus à tant de dons naturels et à tant d'application excitent l'admiration de ses camarades — l'élève Poincaré en a de forts bons dont plusieurs seront des amis auxquels il restera constamment fidèle, tels Robineau qui sera gouverneur de la Banque de France, Edouard Paillot, futur conseiller à la Cour de Cassation, Allizé, futur Ambassadeur à Berne, d'autres encore. Mais à cette admiration se joint parfois une pointe d'agacement. Il est toujours trop prêt à répondre, et à répondre impertubablement, aux questions des maîtres. « Je me souviens » écrira le professeur de troisième, le père Mélèze, « qu'un jour des murmures s'élevèrent dans la classe et je les interprétai comme signifiant : Toujours lui ! Il n'y en a que pour lui ! Il veut briller au détriment des autres. »

Ces murmures sont pénibles au garçon qui, sous l'âpreté de la surface, cache un cœur aimant et une frémissante sensibilité. « A qui la faute ? » murmure-t-il sans doute, « A moi, à moi seul. » Il se redresse et tente une aigre réplique. « Allons, taisez-vous, *Poinpointu !* » finit par dire le maître. Vexé, Poincaré, se tait et s'enfonce dans le *Thesaurus* ou dans un traité d'Algèbre.

Plus penser que dire : n'est-ce point là la devise de sa ville natale, de son cher Bar-le-Duc ?

Quand on parle de Raymond Poincaré, point n'est possible d'oublier la Lorraine.

Depuis Hippolyte Taine et Maurice Barrès, on a quelque peu abusé des « racines », de l' « influence du milieu » et de l' « appel des morts. » L'Autriche ne suffit pas à expliquer Hitler, ni la Romagne Mussolini, ni la Géorgie Staline et non plus la Flandre le Général de Gaulle. Pourtant, quand il s'agit de Poincaré, l'évocation s'impose du sol lorrain et plus spécialement du sol meusien.

Sol austère, avec parfois des sourires, sol sans dissonance, sans précipices, sans chaos, où les plaines s'incurvent en vallons, où la forêt ne succède que lentement aux boqueteaux, où rivières et canaux coulent paisiblement entre des rangées de peupliers, mais qu'à l'horizon sud-est, la crête bleue des Vosges cerne pourtant d'une ligne altière. Sol médiocrement ensoleillé, fréquemment recouvert de brouillards, sec, peu plantureux, ravagé périodiquement par les invasions et comme replié sur lui-même dans ses souvenirs et ses méfiances. Une race résolue y vit, froide, sans imagination et dont les rares emballements demeurent tempérés de raison. « Le Lorrain est réfléchi, ordonné, calculateur », dit Onésime Reclus. Une seule passion chez lui, une passion de tête : le patriotisme. Le mysticisme même de Jeanne d'Arc est resté merveilleusement équilibré de bon sens et d'ironie.

La Lorraine est une pépinière de soldats, de praticiens consciencieux et de probes administrateurs. On en trouve en abondance dans l'ascendance de Raymond Poincaré.

Sa famille paternelle était originaire des environs de Neufchâteau, en pleine terre vosgienne. Dès le XVIe siècle on en voit différentes branches établies qui à Fréville, qui à Bazoille, qui à Noncourt. A la fin du XVIIe siècle, un Poincaré est conseiller en l'Hôtel de ville de Neufchâteau. Cent ans plus tard, un autre s'engage dans les armées de la République, se bat contre les Impériaux et perd une jambe à la bataille. Un troisième, sous la Restauration, se fixe comme pharmacien à Nancy.

Celui-ci a deux fils : l'aîné, Léon, docteur en médecine, devient doyen de la Faculté et, de lui, naissent un garçon qui sera l'illustre mathématicien Henri Poincaré et une fille qui épousera le philosophe Boutroux ; quant au cadet, Antony, il entre à l'École Polytechnique, puis devient ingénieur des Ponts et Chaussées, s'unit à une demoiselle Nanine Ficatier-Gillon, de Bar-le-Duc, et obtient d'être affecté à cette ville.

C'est là, dans une maison assez vaste mais sans caractère, sise au 35 de la paisible rue des Tanneurs, (1) non loin du petit bras de l'Ornain, que voient le jour ses deux enfants :

---

(1) Aujourd'hui rue Nève.

Raymond, le futur président de la République, et Lucien, qui deviendra recteur de l'Académie de Paris.

Les Poincaré sont de bourgeoisie ancienne, mais modeste et peu fortunée. Les Ficatier et les Gillon, eux, jouissent d'une large aisance et ont été assez étroitement mêlés aux affaires publiques : le Ficatier, beau-père d'Antony Poincaré, après avoir gagné beaucoup d'argent dans le commerce des bois, s'est consacré à la chasse et est mort lieutenant de louveterie ; en 1789, un Gillon a été député du bailliage de Verdun aux Etats Généraux ; son frère a siégé, en 1815, à la Chambre des Cent Jours ; un autre Gillon, Jean Landry, bisaïeul maternel de Raymond Poincaré, a été conseiller à la Cour de Cassation et, pendant la monarchie de Juillet, a représenté la Meuse au Palais-Bourbon ; le neveu de celui-ci, Paulin, maire de Bar-le-Duc, a été membre de l'Assemblée nationale de 1848 et le sera de celle de 1871.

Si les Poincaré, purs Lorrains, sont de tradition républicaine — un républicanisme libéral, mais fortement teinté d'anticléricalisme — par contre, les Ficatier et les Gillon, ressortissants du duché de Bar, se révèlent plutôt orléanistes, parfois légitimistes, et, en tous cas, fermement attachés à la religion.

Des premiers, Raymond Poincaré tiendra sans doute son austérité de manières, son esprit positif, son goût des sciences exactes, son tempérament batailleur, enfin son républicanisme et son laïcisme fonciers ; aux seconds il sera vraisemblablement redevable de sa hauteur de vues, de sa juste ambition, de l'attrait qu'auront pour lui les femmes spirituelles et les beaux animaux, de son sens de l'ordre et surtout de sa passion pour la chose publique. Mais à tout cela il ajoutera deux dons qu'on ne trouve signalés, à un tel degré, chez aucun de ses ascendants et qui le feront ce qu'il sera : une prodigieuse agilité intellectuelle, une mémoire stupéfiante.

***

C'est le 20 août 1860 qu'est né le petit Raymond. Quand il a vu le jour, les cloches de la ville sonnaient à l'occasion d'une élection législative et l'accoucheur s'est écrié : « Voilà un futur député. » Sa première enfance s'est écoulée paisiblement dans la maison de la rue des Tanneurs, entre sa mère, femme affable, réfléchie, belle d'une beauté grave, et sa grand-mère Ficatier dont il n'oubliera jamais ni le bon sens, ni la belle humeur, ni les innombrables chats. Son père, fort tendre mais absorbé par son travail, lui est plus lointain : « Je pourrai » écrira-t-il enfant encore, « le comparer à la chouette, cet oiseau de la science qui ne se montre que la nuit... »

A quatre ans, Raymond est confié à une vieille et dévote personne, Mademoiselle Maré, qui lui apprend, sans nulle peine, à lire et à écrire mais qui le juge loquace et indocile. A six ans, il est confié aux soins d'un sieur Forget lequel tient une école préparatoire. A neuf ans enfin, il entre au lycée : en dépit des adjurations de la grand-mère Ficatier, son père s'est catégoriquement refusé à lui faire fréquenter un établissement religieux.

Nous voici au mois d'août 1870 ; le potache novice va avoir dix ans quand éclate un coup de tonnerre : le Prussien est aux portes de Bar-le-Duc.

Affolement général. Antony Poincaré ne peut ni ne veut quitter son poste administratif, mais il embarque sa femme et ses deux fils dans le dernier train qui quitte la ville.

Refuge provisoire à Dieppe. Le petit Raymond narrera un peu plus tard le voyage d'une plume singulièrement adroite pour un enfant.

« Je voudrais bien raconter ce voyage. Pour le faire, je ne vois qu'un moyen ; c'est d'être simple, tout en essayant d'être correct.... Nous n'étions pas d'une tristesse extrême. Nous étions affligés du malheur de la France, pas de ce petit voyage forcé. Comme nous attendions toujours l'heure de la revanche, l'heure des représailles, nous avions des instants de bonheur... »

Mais l'heure de la revanche tarde à sonner et, en octobre, les Prussiens tiennent toujours Bar-le-Duc. Madame Poincaré obtient un sauf-conduit pour y retourner — cette guerre est encore douce — et, suivie de ses deux fils, elle y arrive après être passée par la Belgique. « Si l'on n'a pas quitté la France pour la retrouver vaincue » va écrire Raymond, « on ne peut juger de ce que nous ressentions en traversant la frontière. Quelle rentrée ! Dieu ! Quand j'y pense encore !... »

De nouveau le lycée. Et la Première Communion. Mais l'occupation pèse lourdement sur les cœurs, et l'enfant en reçoit une impression qui ne s'effacera jamais. Quand au bout de trois ans l'heure de la libération a enfin sonné, c'est avec transport qu'il note dans son journal : « Qu'il fut donc beau le jour où les cloches, en volée, nous annoncèrent que le dernier soldat avait quitté la ville, se jour où tous les drapeaux flottaient aux maisons réjouies. » « J'ai toujours devant les yeux, écrira-t-il plus tard à Ernest Lavisse, la vision de ces troupes allemandes manœuvrant dans les rues et sur les places de ma ville natale. »

Sans le souvenir de cette vision — hélas ! renouvelée depuis — on ne saurait bien comprendre Raymond Poincaré.

***

En 1876, le « fort en thème » du lycée de Bar-le-Duc passe brillamment son baccalauréat de rhétorique. Il lui faut maintenant s'orienter. Suivra-t-il, pour préparer la seconde partie de l'examen, la classe de Mathématiques comme le souhaite son père qui rêve d'en faire un polytechnicien ? Ou bien ira-t-il en Philosophie, se destinant ainsi à une carrière libérale ?

Les deux voies lui sont ouvertes car il est également doué pour les sciences et pour les lettres. Mais celles-ci l'attirent davantage et, aussi volontiers qu'en prose, il écrit maintenant en vers — des vers d'ailleurs dénués de folâtrerie (dans l'un d'eux ne parle-t-il pas du « hideux loisir. »)

Avant tout respectueux de la liberté individuelle, Antony Poincaré n'insiste pas et renonce à voir le prestigieux bicorne, qui le coiffa lui-même, coiffer aussi son fils. Raymond sera donc, selon son vœu, philosophe.

Mais il se trouve que le professeur de philosophie au lycée de Bar-le-Duc est un ecclésiastique. Or, Antony n'aime pas beaucoup les curés. D'autre part son garçon possède des talents qu'il serait dommage de laisser s'étioler en une cité de province. La Ville Lumière jouit, en ces débuts de la IIIe République, d'un grand prestige aux yeux du Corps des Ponts et Chaussées... Finalement, après un conseil de famille quelque peu orageux, il est décidé que Raymond ira faire à Paris sa philosophie.

Paris. Le Lycée Louis-le-Grand. L'Internat. Quel changement après le douillet confort de la maison grand'maternelle, après les aimables facilités de l'externat ! Le soir de la rentrée l'adolescent a eu beau, pour tenter de se consoler, lire « trente ou quarante pages du *De Offciis* » il n'est pas sûr qu'une fois étendu dans son étroite couchette, au milieu d'un dortoir glacé, il ne se soit pas mis à sangloter.

Il se reprend vite car il n'est pas de ceux qui affichent leur désarroi intime mais il gardera assez longtemps la nostalgie de Bar-le-Duc et ne s'habituera que difficilement à Paris : « Les plus ignobles êtres, » écrit-il — peut-être après avoir lu du Victor Hugo — « y grouillent à côté des plus nobles. Le terre à terre frôle le sublime. La débauche heurte la pureté. »

Il reconnaît pourtant qu' « il y a ici un véritable *Gulf Stream* intellectuel » et il ne tarde pas à s'y plonger avec ravissement.

Ivresse des premières découvertes de la pensée pure ! Griseries des premières discussions philosophiques poursuivies entre pairs ! Fringale de tout apprendre, de tout connaître ! Raymond Poincaré, entre les murs crasseux de Louis-le-Grand, éprouve tout cela jusqu'à en chanceler. Il feuillette des bibliothèques entières, argumente à perte de vue, écrit en latin, écrit en allemand, compose de longs poèmes, prend des leçons de piano, s'essaie à la graphologie (1). Les études régulières n'en souffrent point et il donne tort à l'opinion selon laquelle les « as » de province se révèlent à Paris médiocres élèves : quand approche la fin de l'année scolaire il est déjà

(1) Peut-être applique-t-il cette science à l'étude de sa propre écriture. Celle-ci, tôt formée, ne changera guère avec l'âge et voici

assuré des prix d'excellence, de philosophie, de mathématiques, de physique et d'histoire naturelle.

Au terme de ces mois de surmenage intellectuel, il peut inscrire en gain, outre son diplôme de bachelier complet, l'acquisition de quelques solides amitiés — celle en particulier de Paléologue, celle d'André Hallys, celle de Baudrillard. Au passifs, il lui faut porter l'ébranlement de sa santé et aussi la perte de sa foi religieuse. Celle-ci, en effet, formée aux leçons maternelles et grand'maternelles, n'a pas résisté à l'enseignement des professeurs de philosophie et d'histoire naturelle : « Je ne me suis pas volontairement affranchi de la foi catholique », écrira-t-il plus tard, « j'en ai été brutalement et douloureusement arraché par mes études. » Incrédule, il l'est désormais et le restera.

Quelques semaines de repos sous les ombrages de Bar-le-Duc ont suffi, car sa nature est singulièrement vigoureuse, à rétablir son équilibre physique. Repos relatif car Poincaré trouve le temps de remplir de réflexions et de maximes stoï-

---

l'analyse qu'en donnera, en 1913, une graphologue connue, Marthe Desbarolles :

« D'abord clarté d'esprit, désir de comprendre et surtout d'être compris.

Bienveillance n'excluant pas le sens critique qui analyse, observation, déduction.

Impatience, vivacité (d'esprit, gestes, paroles). Pas agressif, mais défensif, combatif. Indépendance d'idées. Esprit simplificateur.

Tout en ayant une possession de soi très grande, est un sensitif, impulsif, ne détestant pas la discussion surtout quand il s'agit de défendre, de faire prédominer des idées belles, utiles.

Simple et pourtant conscient de sa valeur personnelle.

Parfois, hésitation, suivie bientôt de décision ferme, rapide. Volonté acquise mais n'en étant pas moins ferme pour cela.

Sentiment du devoir assumé, accepté. Fera tout ce qu'il est possible de faire pour mener à bien une chose commencée, mise debout par lui.

Ecriture énergique sans rudesse, ferme tout en étant souple.

Entêtement. Caractère entier. Froideur un peu distante dans les relations banales... »

ciennes un gros cahier cartonné de rouge, le temps aussi de préparer un nouvel examen : bachelier ès-lettres depuis le mois de juin, il passe en octobre, comme par divertissement, son baccalauréat ès-sciences.

Mais voici que, derechef, il lui faut faire un choix, et un choix grave car ce n'est rien de moins que celui d'une carrière.

Ses maîtres lui conseillent de s'aiguiller vers l'Ecole Normale et il n'y répugnerait nullement ne serait la perspective d'un nouvel internat... Mais il garde du régime de Louis-le-Grand un souvenir matériellement trop pénible pour qu'il accepte d'affronter une nouvelle expérience. Polytechnique et Normale-Lettres écartées, que reste-t-il donc ? L'Ecole des Sciences politiques ? Mais, de fondation toute récente, elle est encore peu connue. D'autre part ce jeune bourgeois intellectuel, ce fils de fonctionnaire, cet arrière-neveu de parlementaire ne saurait envisager un instant l'éventualité de « faire des affaires. » Il reste l'Ecole de Droit — celle de Paris, bien entendu.

C'est sans enthousiasme que Raymond Poincaré décide de s'y inscrire. Les études qu'elle propose lui semblent à la fois trop vagues et trop aisées et il ne soupçonne pas encore le champ merveilleux que les problèmes juridiques ouvriront à son ingéniosité comme à sa perspicacité. « Comptes-tu toujours faire ton droit ? », écrit-il à un camarade, « c'est une carrière facile mais qui rarement conduit à bonne fin. »

Il prend pourtant, en novembre 1877, chambre à Paris, dans un petit hôtel du boulevard Saint-Germain où réside déjà son cousin germain et aîné de six ans, Henri Poincaré, élève à l'Ecole des Mines, et il se met à suivre assiduement, encore que sans grand plaisir, les cours de l'Ecole de Droit. Mais comme il lui suffit d'avoir écouté une leçon en prenant des notes pour pouvoir la répéter mot à mot, il a des loisirs et il les emploie à préparer une licence ès-lettres.

Il ne lui vient pas encore à la pensée de les utiliser à des fins plus libertines et il écrit, avec mépris, d'un condisciple : « G. ne se contente pas aller tous les jours dans les cafés du quartier. J'ai brusquement rompu avec lui, soupçonnant sa conduite... C'est un esprit terre à terre, sans amour du beau, sans respect pour la science, sans goût pour la littérature. »

Ce rigorisme fléchira et Poincaré montrera, par son exemple, qu'on peut aimer le beau, respecter la science et goûter la littérature sans faire pour cela le vœu de chasteté. Aussi bien son sang est-il vif et n'a t-il rien d'un demi-impuissant. Seulement, il est assez timide et puis, comme il arrive à beaucoup de jeunes intellectuels, l'ivresse de la connaissance le prend tout entier et le détourne de se laisser aller précocement à celle des sens.

Il n'en connaît pas moins, comme tout adolescent, une période de mélancolie et d'inquiétude trouble. Dans son désarroi il évoque de plus en plus fréquemment son cher Bar-le-Duc, sa tendre famille. Regrette-t-il surtout la vie de collège ? Non apparemment car il a écrit dans son cahier rouge : « L'internat est loin d'être chose agréable. On se résigne parce qu'il le faut. Mais se résigner ce n'est pas approuver : le devoir peut-être dur, s'il est toujours devoir. » Pourtant, cette vie claustrale, sans responsabilités, sans tentations, vouée à l'étude désintéressée, si agréablement jalonnée par ces compositions, ces joutes pacifiques où il était délicieux d'être toujours premier, peut-être en garde-t-il à son insu quelque nostalgie.

Quo non ascendam ? murmurait parfois l'élève Poincaré à l'annonce d'une note particulièrement brillante. Maintenant que le voilà lancé dans la vie, il commence à constater que le succès n'est pas uniquement affaire de savoir, d'intelligence et d'application (cette constation ne cessera jamais de le scandaliser un peu) et des appréhensions neuves lui viennent. Quel est l'enfant chéri des Muses scolaires qui, au sortir de leurs bras, ne les a éprouvées ?

Elles déterminent, chez notre garçon, des propos désabusés, de longues promenades solitaires à travers les bois, un *flirt* avec une vague cousine et aussi un insatiable besoin de s'épancher sur le papier.

Il rime interminablement sur un ton assez gauchement galant :

Comme au vieux Faubourg Saint-Germain
Je saluerais une comtesse,
J'ai baisé, plein de politesse,
Le dos fluet de votre main...

Aussi il rédige un roman allégorique dans lequel on voit un jeune homme renoncer à la Gloire parce qu'il a rencontré la Douceur. Tous les personnages portent des noms grecs...

C'est la « phase romantique ». Elle ne sera pas longue ; la combativité de Raymond reprendra vite le dessus et c'est un regard assuré qu'il va de nouveau porter sur l'avenir.

D'autres succès universitaires arrivent d'ailleurs à point pour le « doper » : en août 1878, il est reçu à son premier examen de droit avec toutes boules blanches et, en novembre suivant, à la licence ès-lettres avec la mention « très bien ».

Encore un hiver parisien ! Poincaré s'assouplit à l'existence du libre étudiant. Il fait toujours beaucoup de méchants vers, écrit un second roman, bourré de péripéties celui-là, et qui paraîtra en feuilleton dans l'*Echo de l'Est*, puis un troisième, « *John Nelson* », destiné à rester inédit et dans lequel, Dieu me pardonne ! l'inceste est frôlé (1). Mais il mêle quelques plaisirs à des études de plus en plus approfondies. L'excitant intellectuel qui lui est indispensable, il le trouve copieux, en même temps qu'une moins copieuse pitance, à la pension Laveur où l'a introduit son cousin Henri et où fréquentent des jeunes gens qui ont nom Gabriel Hanotaux, Alexandre Millerand, Henri Lavertujon, Georges Payelle, Paul Révoil — convives riches d'avenir et à qui le patron n'a pas tort de faire crédit.

Autour de la table d'hôtes on raisonne à perte de vue *de omni re scibili, et de quibusdam aliis* et les verres vibrent au bruit des disputes subtiles et des controverses passionnées. Toutes les questions sont posées, toutes discutées avec acharnement, toutes résolues, quitte à être reposées le lendemain...

---

(1) Le héros n'est point cynique : il se voit « déshonoré, honni de la société, rejeté de son sein comme un rameau pourri, comme un rebut vil et méprisable. » A la fin, la morale est d'ailleurs sauvée.

Raymond Poincaré est un des plus rudes jouteurs ; sans doute parle-t-il moins que la plupart des autres, mais quand, de sa voix un peu sèche, il prend la parole, c'est comme un trait de lumière qui jaillit ou comme une flèche qui part.

⁂

Hélas ! le second examen de Droit brillamment passé, il faut interrompre ces fêtes de l'esprit et songer à remplir son devoir militaire.

La législation de l'époque facilite ce devoir aux jeunes bourgeois : alors que la durée normale du service est de cinq années, ils sont, sous condition de payer quinze cents francs et de passer un examen, admis à s'engager pour un an seulement. Il leur est de plus loisible de choisir leur arme et leur corps.

Poincaré n'a que dix-neuf ans, mais il est robuste et les longues marches ne lui font pas peur : c'est dans l'infanterie qu'il s'engage et, en bon Lorrain et bon patriote, il fait élection d'un régiment de la « division de fer », le 26e de ligne, à Nancy.

Cet intellectuel pur, passionné des livres et de la libre discussion, va-t-il être meurtri par l'inflexibilité de la discipline, écœuré par la vulgarité des camarades, choqué par la brutalité ou la sottise de certains chefs, lassé par le caractère fastidieux des exercices quotidiens ? Un peu. Point trop. Quelque tâche qu'on leur propose, si rebutante paraisse-t-elle, les hommes de son tempérament y prennent goût et mettent leur point d'honneur à l'accomplir du mieux possible. C'est presque joyeusement que, par un froid atroce qui lui gèle les mains, le soldat Poincaré s'exerce au maniement d'armes. Tout au plus, dans les lettres à sa famille se plaint-il de son isolement moral.

Aussi bien sa brève carrière militaire lui apporte-t-elle les consécrations officielles auxquelles il est sensible : caporal au bout de peu de mois, il ne tarde pas à être promu sergent et, à sa libération, il est nommé sous-lieutenant de réserve. Il n'avait d'ailleurs pas encore dépouillé l'uniforme quand il a revêtu la toge pour passer — toujours avec toutes boules blanches — son dernier examen de licence en droit. Accessoirement, il a écrit un long poème sentimentalo-patriotique à la gloire des francs-tireurs.

Agé de vingt ans, bachelier ès-sciences, licencié ès-lettres, licencié en droit, sous-lieutenant de réserve, auteur déjà publié, objet de la tendresse de ses parents, de l'estime de ses maîtres et de l'admiration de ses égaux, la tête pleine des connaissances les plus étendues comme les plus solides, le cœur gonflé d'une juste ambition, il reste au jeune Poincaré à se colleter avec l'existence.

Un instant il pense à préparer l'agrégation de Droit. Mais encore des examens, des concours en perspective... Il se sent mûr et veut agir. La littérature exerce sur lui un vif attrait. Mais bourgeois dans l'âme, il se dit que « ce n'est pas une carrière ». Aussi bien le seul homme de lettres qu'il connaisse, André Theuriet, tout en le félicitant de ses premiers essais romanesques, lui conseille-t-il de « prendre une position. »

Le 20 décembre 1880, après avoir tout pesé, Raymond Poincaré prête serment d'avocat au barreau de Paris.

Sans le savoir encore, il a trouvé sa vraie voie. Toute sa vie il sera d'abord un avocat.

CHAPITRE II

ENTREE DANS LA VIE PUBLIQUE

Paris au début de 1881. — Affermissement de la IIIe République. — Le nouveau personnel politique. — Son laïcisme, son patriotisme. — Clemenceau et le programme de Ménilmontant. — Le monde, les salons, les milieux littéraires, artistiques et scientifiques. — Positivisme et Foi dans la Science. — Une société encore hiérarchisée. — Vêtements et systèmes pileux. — Poincaré stagiaire au Barreau de Paris. — Il est élu premier secrétaire de la Conférence ou Stage. — Il s'essaie au journalisme. — Il devient chef de Cabinet du Ministre de l'Agriculture. — Agitation de la vie politique. — Le Boulangisme. — Poincaré conseiller général de la Meuse. — Il est élu député. — Ampleur de sa jeune expérience.

Paris, début 1881.

Bien qu'encore en butte aux attaques d'une puissante opposition monarchiste, la IIIe République est solidement fondée. Les « ducs » ont du quitter le pouvoir, les « notables » rentrent dans l'ombre. A leur place, c'est une race nouvelle qui occupe les grands postes de l'Etat, race de moyens bourgeois, provinciaux pour la plupart, gens de loi presque tous, se méfiant du prolétariat presque autant que de l'aristocratie, mais fils de la Révolution, inébranlablement attachés aux principes de 1789, croyant à la Science et au Progrès, hostiles à l'Eglise et rompus, par les luttes qu'ils ont menées contre l'Empire, aux pratiques du forum.

Depuis deux ans, le Jurassien Jules Grévy est chef de l'Etat ; depuis quelques mois, le Vosgien Jules Ferry est président du Conseil. A la fois plus jeune et plus illustre, le Cadurcien Léon Gambetta occupe, comme un siège d'attente, le fauteuil de président de la Chambre et, avec une apparente nonchalance, prépare en sous-main son « grand ministère ». Dans les préfectures, dans la magistrature, dans l'Etat-Major, les épurations ont commencé et le personnel dévoué aux régimes déchus se voit peu à peu remplacé par un personnel rallié à l'ordre nouveau.

Une loi vient d'amnistier les condamnés de la Commune, une autre va consacrer la liberté de réunion, une troisième celle de la presse ; on songe — vaguement encore — à instituer la liberté syndicale. Mais c'est d'abord par sa volonté de briser l'influence de l'Eglise sur la jeunesse que s'affirme la « République des républicains. » Le clergé — et surtout le clergé régulier — paie cher la partialité dont il a fait preuve en faveur des partis dynastiques. L'année précédente, la Compagnie de Jésus a été dissoute par décret et l'enseignement secondaire public des jeunes filles a été institué ; une législation est en voie d'élaboration qui instaurera la gratuité, l'obligation, puis la laïcité de l'enseignement primaire. « Le Cléricalisme, voilà l'ennemi ! » s'est écrié Gambetta : maintenant qu'avec l'affermissement de la Constitution de 1875 la question « République ou Monarchie » a perdu beaucoup de son actualité, c'est la « Laïcité » qui devient — et pour longtemps — la pierre de touche des « vrais républicains ».

Mais ces farouches laïques sont aussi de fervents patriotes. La blessure portée à leur cœur par le traité de Francfort saigne toujours et aucun d'eux n'a renoncé à l'espoir de la Revanche. Les plus avancés politiquement sont aussi les plus impatients et Georges Clemenceau, qui en tant que chef des *Intransigeants* (on commence à dire des *Radicaux*) siège à l'extrême-gauche, combat âprement toute entreprise lointaine qui pourrait, même temporairement, détourner de la frontière de l'Est les yeux des Français.

Aussi national, mais plus opportuniste, Gambetta estime que « les grandes réparations doivent sortir du Droit » et il met sa confiance dans « la Justice immanente ». Quant à Ferry, sans pour cela oublier « la ligne bleue des Vosges », il pense que la France peut retrouver force et prestige dans une action vigoureusement poursuivie hors d'Europe et il est sur le point de placer, aux moindres frais, la Tunisie sous le protectorat français.

L'œuvre coloniale ainsi amorcée restera la gloire de la IIIe République mais elle n'ira pas sans valoir à son initiateur les plus sanglantes injures comme les plus implacables inimitiés.

Question constitutionnelle, question religieuse, question coloniale : voilà ce qui passionne alors l'opinion publique et qui est quotidiennement débattu dans une presse où les talents abondent. Les problèmes économiques et sociaux, eux, sont assez négligés : en dépit des progrès sournois d'un protectionnisme empirique, le libéralisme économique n'est pas, doctrinalement, mis encore en question ; d'autre part, la dure répression de la Commune a imposé silence aux porte-paroles des revendications populaires ; ceux d'entre eux qui n'ont pas été fusillés reviennent à peine d'exil et se cantonnent dans un silence prudent. Pourtant, dans son « programme de Ménilmontant » Clemenceau va, au nom du parti radical, réclamer l'impôt progressif sur le revenu, la réduction de la durée légale du travail, la responsabilité des patrons en cas d'accident, la nationalisation des chemins de fer et des mines, enfin le divorce. Mais dans les milieux dirigeants, ce programme est jugé chimérique ou, en tous cas, dangereusement inopportun.

En face du monde politique, le « Monde » tout court a gardé, sinon tout son ascendant, au moins beaucoup de son prestige. Dans une Europe restée presque entièrement monarchiste, on lui reconnaît une vocation naturelle à assurer les liaisons internationales et le haut personnel diplomatique continue d'y être recruté.

Le *Jockey Club*, le *Cercle de la rue Royale* où fréquente le prince de Galles, *l'Union*, le *Cercle agricole*, restent des centres influents et il en va de même de plusieurs salons, tel celui où la princesse Mathilde Bonaparte réunit gens du monde, hommes d'Etat chevronnés ou en herbe et artistes de renom ; tel celui, incliné à gauche, où règne la pétulante Juliette Adam, tels enfin ceux, plus purement littéraires, que tiennent deux hôtesses rivales, Madame Aubernon et Madame de Loynes.

C'est encore le temps des équipages et c'est aussi celui où un homme ne rougit pas de se dire simplement « rentier » ou « propriétaire ». La stabilité de la monnaie est depuis si longtemps acquise que l'on n'imagine point qu'elle puisse être remise en question et elle assure la stabilité des conditions sociales. La lutte pour la vie n'est pas très âpre et, du moins dans les classes aisées, les loisirs abondent ; boulevards, jardins publics et cafés sont peuplés d'oisifs que le dernier mot « bien parisien », lancé à Tortoni et colporté de bouche en bouche, suffit à enchanter une après-midi entière.

Epoque aimable qui, bien qu'assombrie par la défaite de 1870 garde encore un reflet de la frivolité du Second Empire : Offenbach vient de mourir, mais il a, en Hervé et Lecocq, des successeurs plaisants à souhait ; l'*Hérodiade* de Massenet enchante les mélomanes tandis que la musique wagnérienne est toujours jugée cacophonique. Au théâtre on applaudit *Divorçons de* Sardou et *Le Monde où l'on s'ennuie* de Pailleron ; au contraire, les *Honnêtes femmes* de Becque ne connaissent guère de succès. Les romans dont on parle sont les *Enchantements de la forêt* par André Theuriet, l'*Histoire d'une Parisienne* par Octave Feuillet et *Numa Roumestan* par Alphonse Daudet ; les chasseurs de talents signalent deux auteurs nouveaux, Loti et Anatole France, qui viennent de faire paraître l'un *le Roman d'un Spahi,* l'autre *Le Crime de Silvestre Bonnard* ; les *Soirées de Médan,* véritable manifeste que vient de lancer l'école naturaliste, choquent beaucoup de chastes oreilles et il en va de même pour *Nana,* le dernier roman de Zola ; quant au livre posthume de Flaubert, *Bouvard et Pécuchet,* il semble étrange et reste peu compris.

En poésie on lit toujours le vieil Hugo, devenu monument national et qui vient de donner ses *Quatre Vents de l'Esprit.* Mais la faveur des lettrés va aux Parnassiens dont l'olympien protagoniste est Leconte de Lisle et auxquels on rattache

Sully-Prudhomme et aussi Verlaine qui publie *Sagesse.* Seuls quelques initiés connaissent l'existence de Rimbaud, maintenant tapi dans le Harrar, et celle de Mallarmé, qui enseigne l'anglais.

Le Salon annuel des Artistes français est la Mecque de la peinture et son vernissage un événement ; l'académisme y règne et l'on y admire les derniers envois de Paul Baudry, de Bouguereau, de Meissonier, d'Alphonse de Neuville, de Léon Gerôme et de Puvis de Chavannes ; on s'y extasie devant les portraits dus au sombre pinceau de Bonnat et à celui, empanaché, de Carolus Duran. Par contre les « impressionnistes » n'y sont guère admis « Les toiles de MM. Monet et Cézanne » écrit *La Chronique des Arts et de la Curiosité,* « provoquent le rire et sont cependant lamentables... Quand les enfants s'amusent avec du papier et de la couleur, ils font mieux. » Degas, Pissarro, Renoir ne sont estimés que dans d'étroits cénacles ; seul Manet atteint une sorte de notoriété. En sculpture, les animaliers sont à la mode et chacun loue le *Lion de Belfort* de Bartholdi ; en revanche, fait scandale l'acquisition par l'Etat de l'*Age d'Airain* de Rodin. En architecture, rien depuis l'inauguration de l'Opéra. En ameublement le faux Renaissance a succédé au faux Louis XV cher au Second Empire ; on y joint, chez les délicats, les « Japoneries » mises en faveur par les Goncourt ; les « intérieurs artistes » se multiplient à grand renfort de tentures d'Orient, d'armes exotiques et de verres de couleurs.

Que si l'époque présente un côté facile, elle n'en a pas moins le culte de l'Intelligence et elle ne manque ni de solides penseurs, ni de grands historiens, ni d'illustres savants : quand Poincaré prête serment d'avocat, Taine vient de publier le deuxième volume des *Origines de la France contemporaine,* Renan va faire paraître le dernier tome des *Origines du Christianisme,* Renouvier élabore son *Esquisse d'une classification systématique des doctrines philosophiques,* Pasteur annonce à l'Académie des Sciences sa découverte de la vaccination charbonneuse, Marcelin Berthelot met au point la Thermochimie... On peut saluer.

Dans cette France des débuts de la IIIe République où

la démocratie n'est qu'en gestation, le sens des hiérarchies sociales n'est pas perdu et le costume différencie encore les conditions : au paysan la blouse, à l'ouvrier la casquette, au bourgeois la redingote boutonnée et le « tuyau de poële », au « cercleux » le « pet-en-l'air » et le pantalon en damier. Les femmes de la campagne portent bonnet, les ouvrières sont en cheveux et les « horizontales » se distingnent des honnêtes femmes par la générosité de leur « tournure » — cette héritière localisée de la crinoline — et par le rouge dont elles sont seules à aviver leurs lèvres et leurs joues.

Chez les hommes les professions, voire les opinions politiques, se reconnaissent à la disposition du système pileux : les militaires arborent « l'impériale » à laquelle restent fidèles aussi les bonapartistes ; aux marins est réservé le collier ; les professeurs, gens de loi, médecins, hauts fonctionnaires et notables commerçants portent le plus souvent des favoris, lesquels ont comme un vague parfum d'orléanisme ; quant à la barbe, si — telle celle du Comte de Chambord — elle est soignée, calamistrée et sommée de moustaches « gauloises », elle révèle le gentilhomme légitimiste ; que si au contraire — comme celle de Gambetta — elle s'embroussaille et s'accompagne d'une léonine crinière, elle dénonce l'artiste, l'intellectuel libre de préjugés, l'ouvrier conscient et aussi le ferme républicain.

Raymond Poincaré est un intellectuel voltairien en même temps qu'un ferme républicain. Donc il porte la barbe. Mais le voici maintenant avocat stagiaire, c'est-à-dire homme de loi. Aussi, cette barbe, ne l'affiche-t-il qu'avec discrétion et, si l'on peut dire, avec modération ; elle reste chez lui courte et légère ; juste suffisante pour masquer la proéminence du menton et équilibrée par un fin toupet de cheveux, elle apparaît en somme rassurante.

Aussi les anciens du Barreau parisien n'en tiennent-ils pas rigueur au jeune avocat et ils l'admettent sans difficulté à la Conférence du stage. Vénérable institution encore florissante de nos jours ; un concours d'éloquence judiciaire y a lieu annuellement, dont les vainqeurs reçoivent pour un an le titre de « secrétaire de la Conférence » et sont marqués comme futurs maîtres du barreau. Beaucoup, à vrai dire, déçoivent cette espérance...

Poincaré, qui ne sera jamais impatient des honneurs, ne se hâte pas d'affronter l'épreuve. Pour s'initier aux mystères de la procédure, il s'attache, comme clerc, à une étude d'avoué et, en même temps, il prépare son doctorat en droit.

Année paisible. Antony Poincaré, nommé inspecteur général de l'hydraulique agricole, a quitté Bar-le-Duc pour Paris, où il s'est installé, en même temps que sa femme, au numéro 4 du carrefour de l'Odéon et c'est chez lui que demeure désormais son fils aine.

Celui-ci, tout en poursuivant ses études juridiques, ne renonce pas aux lettres ; il commet encore de petits vers, écrit un dernier roman et, sous le pseudonyme de Jacques Aubertin, publie dans le *Voltaire,* journal gambettiste, des *Chroniques du Palais* assez galamment troussées et volontiers piquées d'une note anticléricale. Il fréquente beaucoup les salles de rédaction, un peu les cafés littéraires et commence à se mêler, timidement encore, à la vie parisienne.

En 1882, il se décide à concourir pour le titre de secrétaire de la Conférence du stage. La question à débattre est celle de savoir si les titres de noblesse se peuvent transmettre aux enfants naturels reconnus. Raymond Poincaré s'est fait inscrire pour la négative. Il a étudié son sujet avec soin, a sans nul effort appris son discours par cœur et, quand il le prononce, à peine sa voix trahit-elle au début un peu d'émotion : la diction est nette, la langue châtiée, l'argumentation impeccable, les idées s'enchaînent dans une suite élégante que vient çà et là relever un trait d'esprit... Les auditeurs sont conquis. « Nous eûmes tous, » écrira le bâtonnier Barboux qui présidait, « l'impression que nous entendions celui qui serait, dans la carrière où il entrait inconnu, le maître de sa génération. »

A la suite d'une seconde épreuve, celle-là sur un sujet de

droit commercial, c'est tout d'une voix que Poincaré est élu premier secrétaire de la Conférence.

Comme tel, et selon la tradition, il lui appartient, l'année suivante, de prononcer, lors de la séance de rentrée, l'éloge d'un grand avocat récemment disparu : il choisit Armand Dufaure.

Dufaure, ancien bâtonnier de l'Ordre des avocats de Paris et membre de l'Académie française, après avoir été ministre sous Louis-Philippe, l'est redevenu sous Thiers, a été deux fois président du Conseil sous Mac-Mahon et est mort sénateur inamovible. C'était un grand bourgeois foncièrement libéral, passé insensiblement de l'orléanisme au républicanisme et dont la rudesse de manières cachait un cœur sensible et dévoué au bien public. L'éloge que fait de lui Poincaré restera comme un modèle de ce genre artificiel.

Si le titre de premier secrétaire de la Conférence est, au Palais, environné de prestige, il ne suffit pas à attirer le client et, en attendant que ce dernier paraisse, notre jeune maître se voit conduit à rechercher le patronage d'un éminent ancien. Sur les conseils de Barboux, il devient l'un des collaborateurs d'Henry Du Buit, grand avocat d'affaires et futur bâtonnier. C'est d'abord sans vif plaisir que Poincaré se lance dans les labyrinthes des procès de sociétés, mais il n'est jamais long à prendre goût à une besogne difficile et, sa clarté d'esprit, son application et sa mémoire aidant, il devient vite expert dans l'art de débroussailler les plus épineux dossiers

Cela ne l'empêche pas de jeter un regard nostalgique du côté du jardin des Muses. Sa veine poétique se tarit mais il est de plus en plus attiré par le journalisme. A côté de ses comptes rendus judiciaires, il donne maintenant au *Voltaire*, sous la signature de Sergines, des chroniques sur les sujets les plus divers, la Mode féminine comprise. Il écrit dans le XIXe *siècle* d'Edmont About, dans la *Revue libérale* d'Ernest Gay. Tant et si bien que Du Buit, qui ne s'intéresse qu'à ses dossiers, finit par lui reprocher amicalement « de garder une fâcheuse tendance à la littérature. »

A dire vrai, Poincaré a l'impression de piétiner. Sa facilité de travail comme sa mémoire lui permettent de mener rapidement à bien les tâches qui lui confie son patron, et ni son violon d'Ingres journalistique, ni la thèse de doctorat qu'il achève (sur la *Possession des meubles en droit romain*), ni deux voyages qu'il fait en Italie ne suffisent à satisfaire son besoin d'activité créatrice.

Les années 1883, 1884 et 1885 s'écoulent, sinon stérilement — car le jeune homme apprend beaucoup et se crée d'utiles amitiés — au moins lentement. Mais voici qu'en janvier 1886 une orientation nouvelle s'ouvre à lui qui infléchira toute sa carrière : on lui offre la direction du cabinet d'un ministre.

Ce ministre est Jules Develle qui, dans le troisième gouvernement Freycinet, vient de recevoir le portefeuille de l'Agriculture. Député de la Meuse, Develle connait de longue date la famille Poincaré et il a été lui-même autrefois premier secrétaire de la Conférence des avocats : deux raisons pour lui de s'intéresser à son jeune compatriote. Ce dernier, tenté dès l'abord par la proposition qui lui est faite, ne l'accepte pourtant définitivement que lorsqu'il a reçu l'assurance que, bien que chef de cabinet, il demeurera inscrit au barreau. Puis, il se met à la besogne... Jules Develle est un charmant homme, très fin, mais un peu nonchalant : bientôt ce sera Poincaré qui, au nom de son patron, dirigera véritablement les services de l'Agriculture.

Depuis que le jeune homme a achevé son service militaire, la IIIe République a connu une vie politique tourmentée. Gambetta est mort sans avoir pu donner toute sa mesure et, sous les yeux hostiles d'une droite puissante et d'une extrême-gauche acerbe, ses épigones ont alterné au pouvoir dans une cascade assez désordonnée de ministères éphémères. Sous les coups furieux de Clemenceau, Freycinet, puis Jules Ferry sont tombés, l'un pour avoir voulu associer la France à l'occupation britannique de l'Egypte, l'autre pour avoir préparé la conquête de Madagascar et réalisé celle du Tonkin. On a vu passer, silhouettes fugitives, un Cabinet Duclerc, un Cabinet Fallières, un Cabinet Henri Brisson. Cette agitation, au sein de laquelle les gauches sont apparues profondément divisées, a abouti aux élections d'octobre 1885 dans lesquelles la Droite a emporté un succès qui eut pu s'affirmer en triomphe si, lors du second tour de scrutin, la « discipline républicaine » n'avait tardivement joué.

La Chambre des députés compte maintenant deux cent-un conservateurs contre trois cent-quatre-vingt-trois républicains ; mais l'aile radicale de ceux-ci est plus étoffée qu'au cours de la précédente législature et le gouvernement formé par Freycinet, l'adroite « souris blanche », est une formation de « concentration à gauche » qui jouit de la bienveillance, au moins provisoire, des radicaux.

Parmi ses membres figure, avec le portefeuille de la Guerre, un militaire de prestigieuse prestance, ayant de beaux états de services, sympathique aux milieux de gauche et évidemment ambitieux : le général Georges Boulanger.

C'est sur la recommandation de Clemenceau que Boulanger a été nommé. De Clemenceau, c'est-à-dire du parti radical, qui est à la fois celui de l'extrême-gauche et celui de la Revanche. Le général ne l'oublie pas : il interdit aux officiers de cavalerie de suivre les chasses à courre « réactionnaires », prive de leur grade les princes de la famille d'Orléans qui servaient dans l'armée, améliore l'ordinaire de la troupe, décide l'adoption du fusil Lebel, se répand en discours cocardiers et ne manque pas une occasion de parader sur un cheval noir qui devient bientôt fameux.

Tout cela plaît profondément au peuple parisien chez lequel la vieille tradition chauvino-révolutionnaire est encore très vivante. Quand le « brav' général » passe dans les rues de la capitale au pas de son cheval noir, il y est acclamé et la chanson « *En revenant de la Revue* », lancée par Paulus, idole du caf' conc', devient pour les Parision une seconde *Marseillaise*.

Ardent patriote et républicain décidé, mais aussi peu démagogue que possible, Poincaré n'est à aucun degré conquis par les piaffements du ministre de la guerre et de sa monture. Pourtant les remous populaires ne sauraient le laisser indifférent car le voici maintenant élu du suffrage universel.

Il n'occupait pas en effet depuis quatre mois les fonctions de chef de cabinet de Develle que, le siège de conseiller général du canton de Pierrefitte, dans la Meuse, étant devenu vacant, il lui fut demandé de s'y présenter.

Il s'agissait de combattre la candidature « réactionnaire » d'un riche propriétaire foncier, d'un comte. Qui pouvait être mieux qualifié que le brillant enfant du pays, le descendant d'une lignée de démocrates, le collaborateur du bon républicain Jules Develle ? Le Comité cantonal de l' « Union des gauches » (c'est-à-dire des républicains modérés) n'hésita pas.

Poincaré, lui, hésita un moment. Tout en ayant fréquenté, comme tous ses camarades, la Conférence Molé-Tocqueville, « parlotte » politique alors fameuse, il n'avait point songé à briguer un mandat électif et la vie publique ne l'attirait guère... Il se décida pourtant et, son parti pris, il se tendit tout entier, selon son habitude, vers le but fixé. « Vous n'avez jamais, » lui dira plus tard Lavisse en le recevant à l'Académie française, « entendu le commandement net d'une vocation. Il semble que vous n'ayez pas vous-même conduit votre vie. Toutes les occasions vous ont trouvé prêt : vous êtes, en vos diverses professions, un professionnel éminent par l'esprit et par la conscience. »

Une élection au Conseil général est le chef-d'œuvre de la politique provinciale. Plus dégagée des intérêts de clocher qu'une élection municipale, elle est aussi moins sensible aux grands courants nationaux qu'une élection législative. Elle se prépare entre experts chevronnés et se mijote, si l'on ose dire, à l'instar d'un plat compliqué et savoureux.

Le jeune candidat — il avait vingt-six ans, un an de plus seulement que l'âge légal — suivit scrupuleusement tous les préceptes de la recette : conciliabules avec les chefs du Comité, visites aux électeurs influents, réunion publique tenue dans chacune des vingt-huit communes du canton : il ne négligea rien et alla, pour prouver sa compétence en matière agricole, jusqu'à aider au chargement d'une charette de foin.

Le succès récompensa son application et, à une assez belle majorité, il fut élu conseiller général de la Meuse. Il devait le rester jusqu'à sa mort.

Ce mandat départemental ne l'empêche pas de demeurer à la tête du cabinet de Develle, lequel conserve le portefeuille de l'Agriculture dans le ministère Goblet qui, à la fin de 1886, succède au ministère Freycinet. Boulanger, de son côté, est toujours ministre de la guerre et soigne de plus en plus sa popularité. Il la soigne même aux dépens de l'intérêt national quand, à propos de l'arrestation du commissaire de police Schnaebelé par des gendarmes allemands, il pousse à une guerre qui, vu l'infériorité des armements français, ne pourrait qu'être désastreuse. Le président de la République Jules Grévy et la majorité du Parlement s'inquiètent de tant de turbulence et comme Goblet, par crainte des radicaux, se déclare solitaire de son bouillant collaborateur, le ministère est renversé. Le modéré Rouvier est chargé de former le nouveau gouvernement. Develle cesse d'être ministre et Poincaré, du même coup, d'être chef de cabinet.

C'est allégrement qu'il reprend sa toge d'avocat, sa place auprès de Me Du Buit et sa plume de rédacteur au *Voltaire*. Mais la politique l'a mordu et, quelques semaines ne se sont pas écoulées, qu'on le voit de nouveau candidat, mais cette fois à un siège législatif.

Henry Liouville, député républicain de la Meuse, vient en effet de mourir. Qui élèvera à sa place la bannière de l'« Union des gauches ? » Le congrès du parti s'assemble à Saint-Mihiel et, après avoir entendu la profession de foi de Poincaré, le désigne presqu'unanimement. On lui a reproché d'être trop jeune mais, a-t-il victorieusement répliqué : « c'est un défaut dont je me corrigerai tous les jours. »

L'élection a lieu, au scrutin de liste, en juin 1887. Poincaré est élu par trente quatre mille neuf cent quatre-vingt-quatre voix contre trois mille quatre cent quatre-vingt quatre au candidat réactionnaire et douze cent quatre-vingt-sept au radical. Boulanger, non candidat, en a recueilli six cent-quatre-vingt-quatre. Et le *Temps* de souligner le « remarquable empressement du corps électoral meusien autour du représentant de la politique modérée et gouvernementale. »

L'esprit façonné par la discipline classique et par la discipline mathématique, rompu déjà à la science des lois, ayant, grâce à son passage au ministère de l'Agriculture, acquis la pratique de l'Administration, connaissant, à la suite de deux campagnes électorales, tous les ressorts de la politique locale, servi d'ailleurs par son intelligence aiguë et sa prodigieuse mémoire, le jeune député présente déjà l'étoffe d'un homme d'Etat. Une lacune toutefois : il connait mal l'étranger et les problèmes internationaux lui apparaissent davantage sous leur angle juridique que sous leur aspect humain. Cette lacune-là, en dépit de son talent et de son application, Poincaré jamais complètement ne la comblera.

CHAPITRE III

LE JEUNE HOMME D'ETAT

Le Palais-Bourbon quand Poincaré y pénètre. — Tenue des débats. — Développement du Boulangisme. — Evolution de la droite vers le nationalisme pourtant venu de gauche. — Poincaré se réserve. — Il est nommé rapporteur du budget des Finances et aborde la tribune. — Son succès. — Poincaré rapporteur général du budget. — Scandale du Panama. — On recherche des hommes nouveaux. — Poincaré reçoit dans le premier ministère Dupuy le portefeuille de l'Instruction publique. — Œuvre administrative, discours publics. — Poincaré ministre des finances. — Sa doctrine fiscale. — L'impôt sur les revenus et la taxe progressive sur les successions. — Poincaré de nouveau rue de Grenelle. — Ses triomphes oratoires. — Alors que toutes les ambitions lui semblent permises, il déclare qu'il n'acceptera plus, pendant dix ans, de faire partie d'un ministère.

Cette Chambre des députés où Poincaré prend séance est fort différente, par sa composition comme par sa tenue, de notre moderne Assemblée nationale. Elle compte un assez grand nombre de gentilshommes, point d'ouvriers et une majorité massive de bourgeois. On n'y paraît guère qu'en redingote ; les discours y sont étudiés, volontiers apprêtés, l'orateur, pour désigner le député qui l'a précédé à la tribune, dit souvent « l'honorable préopinant », on cite quelquefois du latin et l'on ne craint pas les longs développements.

Les fonctions de l'Etat étant encore circonscrites, le domaine législatif relativement restreint et l'ordre du jour assez peu chargé, les discussions sont approfondies et beaucoup de temps est réservé aux interpellations politiques. La discipline des groupes est faible, les indépendants sont nombreux et un discours bien venu peut suffire à changer le sens d'un scrutin. C'est encore le règne de l'individualisme, et d'un individualisme ombrageux.

Sérieux, les débats n'en sont pas moins passionnés et, si les injures sont peu fréquentes, les traits blessants s'entrecroisent. Ils sont souvent suivis d'un échange de cartes et un parlementaire d'avenir doit savoir manier l'épée et le pistolet comme la parole et la plume.

C'est bien entendu le cas de Poincaré. Aussi bien, tout jeune soit-il, nul ne songe à lui manquer : l'œil vif, le sourire mince, le pas rapide, la voix un peu sèche, la poignée de main économe, le tutoiement plus économe encore, le nouvel élu inspire à ses collègues une sorte de déférence exclusive de toute familiarité. C'est bien à lui que semble songer Maurice Barrès quand, dans son premier roman : *Sous l'œil des Barbares,* il campe le portrait du député Suret-Lefort qui « dès l'âge de seize ans terminait déjà toutes ses phrases » et qui, ensuite, ne pouvait agir sans se demander : « qu'en dira-t-on dans la Meuse ? »

Il se fait d'ailleurs modeste et cela sans contrainte car son principe est que l'action doit être précédée d'une longue réflexion. Assidu aux séances, hantant peu les couloirs, il demeure silencieux à son banc, enregistrant dans son imperturbable mémoire tous les arguments échangés et sondant aussi, derrière le voile des phrases, le tuf des mobiles secrets. Il avoue que la Tribune « l'effraye terriblement » et ce n'est que deux ans après son élection, en 1889, qu'il y monte pour la première fois. Encore est-ce à un assez mince sujet : une proposition frappant d'un impôt les titres de noblesse. Le discours solidement documenté, ironique et nuancé, du jeune orateur, ne remporte qu'un succès d'estime.

Dans l'intervalle, les événements politiques se sont précipités : écarté du ministère de la guerre, le général Boulanger a vu sa popularité prodigieusement gradir et, lorsque, pour l'éloigner, le gouvernement l'a nommé commandant du XIIIe

Corps d'armée à Clermont-Ferrand, une foule immense s'est portée à la gare de Lyon et a tenté d'empêcher son départ. Clemenceau, inquiet un peu tard, a eu beau blâmer ces manifestations « contraires à l'esprit républicain », Ferry a eu beau stigmatiser le « Saint-Arnaud de café-concert », le « brav' général », devenu le syndic des mécontents, n'en a pas moins pris figure d'idole nationale.

Sur ces entrefaites, un épisode est venu ajouter au discrédit du haut personnel gouvernemental : Daniel Wilson, gendre du président Grévy et logé avec lui à l'Elysée, a été convaincu de trafic d'influence. Le scandale a rejailli sur son beau-père. « *Ah ! Quel malheur d'avoir un gendre !* » a-t-on chanté dans les rues.

Sous les coups de Clemenceau, le ministère Rouvier est tombé, Grévy n'est pas parvenu à en constituer un autre et, après bien des tergiversations, s'est résigné à la démission. Sa succession a donné lieu à des intrigues compliquées à l'occasion desquelles Boulanger, tout en conservant beaucoup d'amis chez les radicaux, a pris d'étroits contacts avec la droite monarchiste.

Il s'agissait d'abord de barrer la route à Ferry, tout ensemble bête noire de Clemenceau, adversaire personnel de Boulanger et odieux aux cléricaux. Finalement, ce fut l'honnête et mélancolique Sadi Carnot qui fut élu président de la République, son principal titre de gloire étant de se trouver le petit-fils de Lazare Carnot, l'Organisateur de la Victoire.

Boulanger multipliant absences irrégulières et conciliabules secrets, le gouvernement le mit à la retraite d'office. C'était lui donner pleine liberté d'action politique et le « brav' général » en profita pour fonder le « parti révisionniste » qui groupa tous ceux qui, pour des raisons opposées, étaient hostiles à la Constitution de 1875. Groupement hétéroclite mais qui, sous le signe de la « Revanche » n'en connut pas moins une immense faveur.

Le Boulangisme culmina dans la nuit du 27 janvier 1889 quand, le général venant d'être élu à une écrasante majorité député de Paris, une foule en délire voulut le porter à l'Elysée. L'armée était acquise, la police passive, rien ne s'opposait à l'entreprise. Mais Boulanger était, au fond, un indécis ; il hésita, balança et laissa passer sa chance : « Minuit cinq ! » s'écria un de ses amis en consultant sa montre. « Depuis cinq minutes le Boulangisme est en baisse. »

Cette chute allait rapidement s'accélérer. Trois mois après, le général, redoutant une arrestation, s'enfuyait à Bruxelles ; c'est là qu'il devait, deux ans plus tard, se suicider sur la tombe de sa maîtresse, la vicomtesse de Bonnemain.

De l'aventure, la IIIe République sortait renforcée et le succès de l'Exposition universelle de 1889 allait symboliser son triomphe... La Tour Eiffel, la Galerie des Machines, la rue du Caire : pour les contemporains elle restera « l'Exposition » par excellence.

Pourtant le Boulangisme aura eu une conséquence durable : l'évolution de la Droite vers le nationalisme. Pendant tout le cours du XIXe siècle, le parti de l'Ordre avait été aussi le parti de la Paix tandis que la Gauche apparaissait volontiers belliciste. Mais à la suite de la collusion du « Brav' général » et des monarchistes, cette double tendance s'est inversée ; il faudra attendre 1938 et Munich avant qu'on voie de nouveau les conservateurs, renouant le fil de leur ancienne tradition, incliner en majorité vers la paix tandis que les avancés, les hommes du Mouvement, pousseront à la guerre.

Poincaré s'est tenu dédaigneusement à l'écart d'une agitation qui répugnait à sa nature et sans doute faut-il trouver là la cause principale de son long mutisme parlementaire. Il s'est réservé, développant sa clientèle d'avocat, écrivant dans la *République française* et dans le *Siècle*, fréquentant les dîners périodiques où se réunit la jeune élite parlementaire (la « Bombe », la « Grimpette », d'autres encore) et ne négligeant point les dames. Il n'en ronge pas moins son frein, dans ce curieux complexe d'orgueil et de timidité qui est le sien depuis le collège : « L'attente, lui arrive-t-il d'écrire, me prend tout entier, corps et âme. Elle brise ma volonté. Elle m'enlève la faculté de penser. »

Aux élections générales qui interviennent en septembre 1889 — le scrutin d'arrondissement ayant remplacé le scrutin de liste — il se présente dans l'arrondissement de Commercy et, après une lutte très vive, se voit réélu député.

Dans la nouvelle Chambre, seuls une quarantaine de sièges sont échus à des boulangistes, la droite en occupe quelque cent soixante-dix, les radicaux grossis — fait nouveau — de quelques socialistes en ont une centaine et les républicains modérés plus de deux cents.

Ces derniers (ils commencent à prendre le nom de « progressistes ») dominent incontestablement l'assemblée et Poincaré, qui est un des leurs, est nommé membre de la commission du Budget avec charge de rapporter le budget des Finances ainsi que celui de l'Administration des Monnaies et Médailles.

Tâche austère, mais cette austérité n'est point pour rebuter notre homme qui se plonge, avec une application soutenue, dans un océan de documents et de statistiques. Bientôt il a tout dépouillé, tout filtré, tout classé dans son esprit et les questions financières lui sont devenues familières.

Avant les vacances il donne une première fois la preuve de sa nouvelle compétence en intervenant à la tribune à propos d'un projet de conversion de la rente 4 1/2 %. Mais son véritable début date de la séance du 24 octobre 1890 où, défendant le budget en discussion, il étonne les plus avertis par la profondeur de ses connaissances, la lucidité de son argumentation et la vivacité de ses réparties. Sous ses traits, Léon Say lui-même, maître éminent ès-sciences financières, doit s'avouer touché.

Dans la chevalerie parlementaire, le jeune rapporteur a conquis ses éperons d'or.

Nouvelle période de silence. Nouveau travail acharné. C'est le temps où Freycinet, chef du gouvernement pour la quatrième fois, préside à l'assainissement des finances publiques, à la mise en rigueur d'un tarif douanier protecteur de l'agriculture et surtout à l'élaboration de l'alliance franco-russe. La France prospère, économiquement équilibrée, dotée d'une armée solide, ne sera désormais plus isolée en Europe. Elle a retrouvé son poids de grande puissance ; quant à la République, elle est de moins en moins discutée et le pape Léon XIII vient d'inviter les catholiques français à s'y rallier. En vérité l'horizon est serein et une facile carrière semble ouverte aux jeunes ambitions servies par le talent.

Le 28 mars 1892, Poincaré gravit de nouveau les degrés de la tribune.

Il a adroitement choisi son terrain — les dépassements de crédits dont se sont rendus coupables plusieurs départements ministériels — et le discours qu'il prononce, documenté, vigoureux, sarcastique, suscite, dans un milieu où le goût de l'éloquence solide est encore vivace, l'admiration générale. Réélu membre de la Commission du Budget, Poincaré se voit chargé par elle du rapport général.

Le voici occupant déjà des fonctions qui, dans la hiérarchie parlementaire, équivalent à celle de ministre. Sans en être grisé, il les prend fort au sérieux et se trouvant, à propos d'un article de loi des finances, en désaccord avec la majorité de la Commission, il n'hésite pas à donner sa démission.

Le Parlement et le public sont alors profondément secoués par le scandale dit de Panama. Quelques années auparavant, la Compagnie formée par Ferdinand de Lesseps pour réaliser le percement du canal interocéanique s'est laissé aller à « financer » quelques députés et sénateurs. L'entreprise étant tombée ensuite en déconfiture et une instruction judiciaire ayant été ordonnée, le pot-aux-roses a été découvert. Ce genre de scandale était alors dans sa nouveauté ; belle occasion pour les vaincus du Boulangisme de reprendre à fond leurs attaques contre le parlementarisme. Ils ne s'en privent pas et, sous leurs coups, le Cabinet Loubet (qui a remplacé le ministère Freycinet), puis le Cabinet Ribot mordent successivement la poussière. C'est à un député modéré et relativement peu connu, à l'ancien universitaire Charles Dupuy, qu'en avril 1893 le président de la République confie le soin de former un gouvernement.

Homme nouveau et sentant que l'affaire de Panama a discrédité les vieilles équipes politiciennes, Charles Dupuy cherche à s'adjoindre des hommes nouveaux. Parmi ceux qui percent à la Chambre, le plus prometteur lui semble être le jeune rapporteur général du Budget et il lui offre le portefeuille des Finances.

Mais le goût des lettres est encore plus vif chez Poincaré que le goût des chiffres et c'est le ministère de l'Instruction Publique et des Beaux-Arts qu'il sollicite. (Peut-être aussi estime-t-il, en sa prudence, que la rue de Grenelle présente, pour un débutant, moins de traquenards que la rue de Rivoli). Satisfaction lui est donnée.

Il n'a pas encore trente-trois ans et quand Madame Poincaré mère apprend l'élévation de son fils, elle soupire : « Ministre, ce n'est pas une situation pour un jeune homme ! »

Le premier ministère Charles Dupuy ne durera que huit mois, mais les journées de cette brève période, Poincaré les emploiera sans perdre une seconde.

Il a refusé de quitter son petit appartement de la rue Las Cases et d'emménager rue de Grenelle (« Je serai bientôt dégommé », a-t-il déclaré, « je ne veux pas avoir à faire constater que je n'ai pas abîmé les meubles »). Très tôt levé, il arrive tous les jours dès huit heures au Ministère et aussitôt il se met à la besogne, étonnant les vieux chefs de service par la prodigieuse aisance avec laquelle il lit et signe son courrier, assimile les dossiers les plus touffus, débrouille les affaires les plus compliquées, prend les décisions les plus délicates, reçoit et congédie les visiteurs les plus importuns.

Loin de s'en tenir à l'expédition, même attentive, des affaires courantes, il entend que son passage au ministère soit marqué par des réformes profondes. De plusieurs qu'il médite, il n'en est point qui lui tienne autant à cœur que celle de l'Enseignement supérieur public.

Cet enseignement est alors donné dans de multiples Facultés sans aucun lien entre elles et souvent languissantes. Poincaré voudrait en supprimer beaucoup et grouper les autres en quelques Universités fortement constituées, jouissant d'une large autonomie et destinées à devenir autant de rayonnants foyers intellectuels. Après enquête approfondie et avec l'aide de Louis Liard, le clairvoyant directeur de l'Enseignement supérieur, il rédige un projet, le fait adopter par le Conseil des ministres et le soumet au Parlement. Malheureusement, des préventions doctrinales et surtout des susceptibilités d'ordre local en font ajourner l'adoption qui n'interviendra, et encore incomplètement, que plusieurs années plus tard... Au moins Poincaré a-t-il la satisfaction de mettre au point une réforme de l'enseignement médical.

Mais, autant qu'homme de cabinet, il est homme de tribune. Deux jours après sa nomination, il a prononcé un grand discours à la séance générale du Congrès des Sociétés savantes ; peu de semaines après, le voici qui parle à Marseille, puis à Tunis ; de retour à Paris, il inaugure la statue de François Arago ; autre discours à l'occasion des fêtes en l'honneur de La Fontaine, autre à l'inauguration d'une nouvelle salle de l'Ecole Normale Supérieure, autre au Salon des Artistes français, autre au Musée des Arts décoratifs, autre à la distribution des prix du Concours général, autre au Conservatoire, plusieurs discours à Bar-le-Duc, un dernier à Vaucouleurs... Partout c'est la même élégance, la même précision, le même équilibre, les mêmes traits piquants, la même abondance de faits et de dates. Visiblement Poincaré se plaît à ces exercices qui ne lui coûtent guère d'efforts : après s'être complètement mais rapidement documenté, il écrit d'un trait son morceau d'éloquence : c'est fini, il ne regarde plus son papier, n'y songe plus et, l'instant venu, son invraisemblable mémoire visuelle aidant, il en débite le contenu sans une défaillance, sans une altération. C'est de la magie...

Tout entier absorbé par ses fonctions ministérielles, le jeune Grand maître de l'Université a un peu négligé la politique. Mais la politique, elle, n'a pas chômé. Au mois d'août, des élections générales sont intervenues qui ont révélé une assez forte orientation à gauche du corps électoral. Poincaré a été réélu sans concurrent ; mais les conservateurs ont subi un très grave échec et les républicains modérés eux-mêmes se sont vus touchés. Bien que Clemenceau, que ses adversaires ont réussi à compromettre dans l'affaire de Panama, ait été battu, les radicaux sont en progrès sensible. Mais ils ne sont plus à l'extrême-gauche : en effet la nouvelle Chambre, fait capital, compte une trentaine de socialistes. En novembre, à la suite de la démission de ses trois membres radicaux, le Cabinet Charles Dupuy se disloque et Poincaré cesse d'être ministre.

Pas pour longtemps.

Dès le mois de mai 1894, le gouvernement qu'a constitué Casimir Périer, un grand bourgeois sélectionné, tombe à son tour sous les attaques véhémentes de la gauche. Les radicaux ne sont cependant pas assez nombreux pour prendre le pouvoir et c'est de nouveau à Charles Dupuy que le chef de l'Etat fait appel.

Développant sa formule, il s'entoure d'hommes jeunes : la seconde génération des hommes d'Etat de la IIIe République apparaît, celle des « fils de la Louve » qui n'ont pas combattu aux temps héroïques mais dont les dents n'en sont pas moins aiguisées. Georges Leygues, qui n'a que trois ans de plus que Poincaré devient ministre de l'Instruction Publique ; Louis Barthou, qui a deux ans de moins, reçoit le portefeuille des Travaux Publics ; Théodore Delcassé, un peu leur aîné mais nouveau à la Chambre, est placé à la tête du ministère des Colonies ; Gabriel Hanotaux, qui n'est même pas parlementaire, est chargé des Affaires Etrangères.

Quant à Poincaré, le ministère des Finances lui est cette fois imposé.

La rue de Rivoli : Le département ministériel sans doute le plus difficile à bien gérer, le plus absorbant, le plus technique aussi et le plus pénétré de traditions. Ce n'est pas sans quelque émotion que Poincaré s'installe dans le vaste cabinet qui a vu se succéder tant d'éminents financiers. Mais il se reprend vite. Le paragraphe de la déclaration ministérielle relatif aux finances publiques porte sa griffe :

— « Les réformes fiscales sont, à n'en pas douter, l'objet principal de toute la législature. Elles sont à nos yeux les premières et les plus essentielles des réformes sociales... Les Républicains peuvent différer de méthodes ; ils ne peuvent ni ne doivent différer sur le but... »

Il y a là, dans le langage gouvernemental, une note inédite qui répond à des inquiétudes neuves. Le développement de l'industrie a, au cours de la dernière décade, fortement augmenté les effectifs de la classe ouvrière ; la loi votée en 1884 et qui a reconnu la légalité des syndicats a permis à cette classe de commencer à s'organiser ; les souvenirs des excès de la Commune ont été s'atténuant ; le Boulangisme enfin et le scandale de Panama ont ébranlé, dans beaucoup de milieux populaires, la confiance en une République jugée désormais trop bourgeoise. De là, les progrès du socialisme, une agitation latente, des grèves bruyantes et une aspiration vers plus de justice sociale. « Vous avez interrompu la vieille chanson qui berçait la misère humaine, » s'est écrié Jaurès, un modéré passé au socialisme, en s'adressant aux bourgeois anticléricaux, « et la misère humaine s'est réveillée, poussant des cris, et elle a réclamé sa place, sa large place au grand soleil du monde naturel, le seul qui n'ait jamais été terni ! » Manifestations extrêmes de ce trouble, les attentats anarchistes se multiplient : une bombe vient d'être jetée en pleine Chambre des députés et bientôt le président de la République, Sadi Carnot, va tomber à Lyon sous le couteau d'un libertaire.

Poincaré, homme d'ordre par tempérament, ne s'oppose nullement aux lois répressives qu'élabore son président du Conseil. Mais sa raison lui dit qu'elles ne sauraient suffire. Il y faut joindre des mesures qui , en corrigeant certains abus manifestes, prouveront que les pouvoirs publics ne restent pas insensibles aux revendications — au moins aux revendications jugées raisonnables — des déshérités.

A cette date, la France vit encore sous un régime fiscal datant des débuts du XIXe siècle. En fait de contributions directes, elle ne connaît guère que les « quatre vieilles » et le plus clair des ressources budgétaires est fourni par les impôts indirects lesquels pèsent proportionnellement plus sur les pauvres que sur les riches.

Pour corriger cette injustice, les gauches réclament l'institution d'un impôt général et progressif sur le revenu. Poincaré ne va pas jusque-là — il sait d'ailleurs que la majorité ne le suivrait pas — mais il propose un impôt proportionnel sur chacun des éléments du revenu. Même ainsi limitée, la réforme n'est pas encore mûre et elle ne tarde pas à s'enliser dans les cartons d'une commission extra-parlementaire...

C'est avec plus d'énergie que le jeune ministre des Finances défend un projet de taxe successorale. La grande nouveauté de ce projet est d'introduire dans la législation fiscale la notion de progressivité. Cette notion est considérée alors comme quasi-socialiste et elle suscite, chez les doctrinaires du libéralisme, une oppposition passionnée. Dans un grand discours, modèle d'éloquence lumineuse et mordante, Poincaré répond à toutes les objections et il enlève de haute lutte l'adoption de son texte par la Chambre des députés.

« Je me résigne à être socialiste avec M. Poincaré, » soupire un modéré ! Et Jaurès de prophétiser : « Il y a là un principe qui nous conduira à appliquer la même idée de justice à l'impôt général sur le revenu... »

Pourtant Poincaré, s'il a fait ce qu'il estimait à la fois équitable et habile, est bien loin d'évoluer vers le collectivisme et tout étatisme lui demeure en abomination : « Il faut », déclare-t-il à la tribune, « modérer le mouvement d'apparence irrésistible qui porte les forces vives d'un pays à se grouper au centre sous la direction de l'Etat ; il faut chercher à réveiller les initiatives privées et à stimuler la liberté individuelle. C'est une question de politique et de mœurs. »

Les mœurs, il faut du temps pour les corriger. Quant à la politique, en ce début de 1895, elle s'attache bien plus aux questions de personnes qu'aux vastes desseins.

Le 14 janvier, à propos des conventions avec les Compagnies de Chemin de fer, le Cabinet Charles Dupuy est renversé ; le lendemain le successeur de Carnot à la présidence de la République. Casimir Périer, donne sa démission, n'ayant rempli ses fonctions que pendant six mois ; deux jours après, l'Assemblée nationale réunie à Versailles élit à sa place le modéré Félix Faure. Une semaine plus tard, un gouvernement « d'union républicaine » est constitué sous la présidence d'Alexandre Ribot, grand parlementaire, grand libéral, fameux pour avoir été, comme ministre des Affaires Etrangères dans le quatrième Cabinet Freycinet, le négociateur de l'alliance russe.

Ribot eut souhaité que le portefeuille des Finances fût gardé par Poincaré. Mais celui-ci a craint de se trouver en désaccord, à propos de l'impôt sur les successions, avec l'orthodoxie libérale de son nouveau chef. Aussi a-t-il insisté pour reprendre la direction du ministère de l'Instruction Publique et des Beaux-Arts ; satisfaction lui a été accordée.

Son premier passage rue de Grenelle a duré huit mois ; le second va en durer neuf.

Dix mois, en régime parlementaire, c'est peu pour élaborer et faire aboutir des réformes, même lorsqu'on a la puissance de travail et la volonté de Poincaré. Aussi ne faut-il pas s'étonner si, cette fois, son œuvre ministérielle se borne au dépôt d'un nouveau et plus modeste projet de loi sur les Universités, à la création d'une Caisse des Musées, à l'institution du doctorat ès-sciences politiques, enfin à l'extension des Bourses d'études destinées aux sujets pauvres mais bien doués... Ce qui marque surtout ce deuxième ministère, ce sont les occasions qu'il fournit à Poincaré de manifester sa maîtrise oratoire : les discours qu'il prononce à propos du centenaire de l'Ecole Navale, à propos de l'Assemblée des Sociétés astronomiques et surtout à propos des obsèques nationales de Pasteur émerveillent les auditeurs par la richesse de leur documentation, le ferme dessin de leur composition et l'élégance de leur forme. « L'écho de votre succès, » lui télégraphie Ribot, le président du Conseil, « m'est arrivé jusqu'ici. Tout le monde est d'avis que vous avez fait un chef-d'œuvre. »

Désormais Poincaré, déjà réputé comme infatigable travailleur et administrateur hors ligne, se voit sacré grand orateur. Sans qu'il ait encore atteint l'ample popularité, il est déjà de ceux auxquels, du consentement général, toutes les ambitions semblent permises. Ses collègues l'écoutent avec déférence, ses amis sollicitent ses conseils, ses adversaires le ménagent, les maîtresses de maison se le disputent, les mères de filles à marier jettent sur lui des regards de convoitise, les jolies femmes se font, dans son voisinage, câlines et une sémillante pensionnaire de la Comédie Française a pour lui des bontés officielles...

Brusque changement : sans que l'autorité du jeune homme d'Etat soit pour cela atteinte, sa carrière gouvernementale va connaître une longue interruption.

En octobre, à la suite d'une interpellation sur un nouveau « scandale », celui des chemins de fer du Sud, le Cabinet Ribot est renversé et se voit remplacé par un ministère Léon Bourgeois, purement radical dans sa composition. A la tête de l'Instruction publique, c'est Emile Combes, un ancien séminariste passé à l'anticléricalisme militant, qui remplace le très laïque mais très tolérant Poincaré et celui-ci déclare à qui veut l'entendre qu'il n'acceptera plus, pendant dix ans, d'être ministre et qu'il entend, d'ici là, se consacrer au Palais.

CHAPITRE IV

« FIN DE SIECLE », PALAIS ET AFFAIRE DREYFUS

Raison de la semi retraite de Poincaré. — Son défaut de fortune. — Son dégoût de l'agitation parlementaire. — La vie publique en France à la fin du XIXe siècle. — Paralysie des gouvernements. — Mécontentement ou lassitude des gouvernés. — L'esprit « fin de siècle » : scepticisme, mysticisme, critique des anciennes valeurs. — Les milieux littéraires et l'anarchie. — Indifférence de l'opinion à l'égard de l'œuvre coloniale de la IIIe République. — Poincaré au Palais. — Sa technique, ses succès. — Articles littéraires et conférences politiques. — L'affaire Dreyfus va catalyser les passions éparses. — Ses origines. — Les élections de 1898. — Poincaré refuse de faire partie d'un nouveau Cabinet Dupuy. — Il « libère sa conscience » et se range dans le camp dreyfusard. — Il fonde le groupe des « républicains de gauche ». — Il est chargé de constituer un ministère. — Raisons de son peu d'empressement : les exigences des socialistes, les difficultés de la situation générale, son propre tempérament. — Il passe la main à Waldeck-Rousseau.

Pourquoi Poincaré, en pleine ascension de son étoile politique a-t-il pris la décision de se retirer dans sa tente, décision à la sincérité de laquelle ses meilleurs amis ne veulent point croire mais dont l'événement prouvera le sérieux ?

D'abord parce que, n'ayant aucune fortune personnelle et étant résolu à ne pas trafiquer de son mandat, il doit songer à gagner sa vie. Et quel plus honorable gagne-pain que ce métier d'avocat pour lequel il se sent tant d'aptitudes ?

Ensuite et surtout, parce qu'il éprouve — il ne se fait pas faute de le répéter — une sorte de détachement, voire de dégoût, à l'égard de la vie publique.

Pour un esprit cartésien, cette vie publique, en effet, offre un spectacle assez affligeant.

Depuis huit ans que Poincaré siège à la Chambre, celle-ci a subi, dans sa composition comme dans sa tenue, des altérations sensibles. Le scrutin d'arrondissement, joint au progrès du socialisme, y a fait pénétrer des hommes auxquels les traditions du parlementarisme classique sont étrangères. Disparus sont les survivants des Chambres de Louis-Philippe, bien rares ceux de l'Assemblée nationale de 1871. Le débraillé gagne et la redingote tend à n'être plus portée que par quelques anciens ainsi que par les représentants qui se proposent de monter à la tribune. Le député ouvrier Thivrier vient au Palais-Bourbon en blouse et le député « musulman » Grenier (il n'est pourtant que l'élu de Pontarlier) y vient en burnous. Si les orateurs de classe sont encore nombreux — il s'en est récemment révélé deux, Jaurès et Albert de Mun, qui comptent parmi les plus grands — du moins les débats ont-ils perdu quelque chose du solide de naguère ; les interpellations de collègue à collègue se sont faites plus véhémentes et l'appel sur le terrain a cessé d'être la seule sanction des insultes échangées : dans l'hémicycle même, les scènes de violence, voire de pugilat, se multiplient.

Les gouvernements tombent comme châteaux de carte et, pendant leur bref passage au pouvoir, les ministres n'ont pas le loisir, si même ils en ont le goût, de s'occuper sérieusement des affaires de leur ministère. Harcelés sans cesse en séance publique, continuellement convoqués devant les commissions, tenus de ne pas négliger les couloirs, ils sont obligés de consacrer les brèves heures qu'ils passent dans leur cabinet à recevoir sénateurs, députés, journalistes, quémandeurs de tout plumage et à tenter de débrouiller les fils des intrigues tissés autour d'eux. Tandis qu'il était ministre, Poincaré a profondément souffert de cette situation et ce n'est pas sans amertume qu'il parle des « déviations que subit le régime parlementaire. »

A la turbulence du Parlement correspond dans le pays une sorte de malaise. Le commerce est pourtant florissant, l'industrie est en plein progrès, l'agriculture prospère, les budgets sont équilibrés, le fisc est peu vorace et il n'est question ni de contrôle des changes, ni de ravitaillement dirigé. Mais on se rattrape sur la politique pure et celle-ci se révèle d'autant plus virulente que ses objets sont moins précis.

Le long gouvernement des modérés a irrité la classe ouvrière dont le mécontentement se traduit par des grèves constantes. Dans les campagnes, par réaction contre l'influence souvent indiscrète du presbytère et du château, le radicalisme fait des progrès. La bourgeoisie, que le scandale de Panama a profondément choquée, devient frondeuse. En dépit du « ralliement » prôné par le pape Léon XIII, l'élite mondaine garde la nostalgie des régimes déchus. Quant à l'élite intellectuelle, ou bien elle se réfugie dans sa « tour d'ivoire », ou bien elle coquette avec l'anarchie.

« *Fin de siècle* » : singulier mélange de scepticisme agressif, d'idéalisme presque mystique et de nervosité inquiète. On réagit contre le positivisme des décades précédentes et on commence à parler de la « faillite de la Science ». Bien que la bicyclette, « petite reine d'acier », soit déjà populaire et que des « voitures à pétrole » viennent de parcourir l'étape Paris-Rouen à la vitesse foudroyante de vingt et un kilomètres à l'heure, le sport n'est pas encore à la mode — sauf peut-être le démocratique canotage et l'aristocratique équitation. Il est de bon ton de se dire dyspepsique, blasé, « vanné », voire « crevé ». Les « gommeux » en vestons boudinés et femmes « v'lan » porteuses d'énormes manches gigot vont, entre deux « raouts », s'encanailler sur la Butte. Les amants accueillent leurs maîtresses dans des « bonbonnières ». Commis et ouvriers passent le plus clair de leurs loisirs au café ou à l' « assommoir ».

Ce sont les cafés qui sont les foyers de la vie littéraire. Il en est de « symbolistes », de « décadents », de « naturalistes » et des uns aux autres s'échangent des apostrophes homériques. Au *Théâtre libre* d'Antoine s'oppose l'*Œuvre* de Lugné Poë. Les auteurs étrangers connaissent la vogue en même temps que les chrysoprases, les chrysobéryls et les antiphonaires. Il faut être ibsénien, nietzschéen ou au moins tolstoïsant. On peut, à la suite d'Huysmans, être catholico-satanique, voire mystagogue avec le Sâr Péladan et le Mage Papus ; on peut aussi être libertaire : à aucun prix, il ne convient d'avouer un goût pour la clarté, le bon sens et la santé.

Bien entendu, il convient aussi de mépriser ou au moins d'ignorer le Régime. On oublie — et pas seulement dans les cafés littéraires — ses incomparables réalisations : les finances restaurées, l'armée et la marine ressuscitées, la situation internationale affermie et surtout, réussite suprême, un splendide Empire colonial fondé.

Après la Tunisie, après l'Indochine, Madagascar a été conquise ; la plus grande partie du bassin du Niger et une fraction importante du bassin du Congo ont été placées sous drapeau français ; le gouvernement général de l'Afrique occidentale vient d'être organisé et déjà notre action s'infiltre, aux confins sahariens, en direction du Maroc. Tout cela a été l'œuvre concertée d'une poignée d'officiers, d'explorateurs, de géographes et d'hommes d'affaires qu'ont soutenus de rares hommes d'Etat à la vue pénétrante, quelques fonctionnaires tenaces et un petit nombre de publicistes clairvoyants. Et tout cela a dû se faire à demi furtivement, par « petits paquets » et presque sans l'aveu de la nation qui n'a semblé s'intéresser à la grande entreprise que pour crier au scandale, voire au crime, à propos du moindre échec temporaire.

Quand Poincaré, à la fin de 1895, cesse d'être ministre, le pays reste, dans son ensemble et en dépit de certaines manifestations sans échos, profondément patriote : il n'a pas encore — l'aura-t-il jamais ? — le sens de l'Empire.

Tout dégoûté qu'il se dise de la politique, notre jeune homme d'Etat se laisse pourtant élire vice-président de la Chambre. Quand il lui arrive, comme tel, de diriger les débats, il le fait avec une autorité à laquelle chacun rend hommage, mais aussi une raideur qui ne va pas sans lui attirer de solides inimitiés. A sa froideur native se mêle maintenant une sorte de causticité et presque d'amertume.

Il reste d'ailleurs fidèle à son vœu et quand, devant l'hostilité persistante du Sénat, le ministère radical Léon Bourgeois doit se démettre et qu'un nouveau ministère modéré est constitué sous la présidence de Jules Méline, il n'accepte pas d'en faire partie.

Là où il se détend un peu, là où il lui arrive de badiner, c'est au sein des dîners d'amis, et c'est aussi au Palais.

Loin de l'agitation stérile du Parlement, loin des clameurs de la rue, il trouve dans l'enceinte judiciaire ce qui convient essentiellement à ses aptitudes comme à son tempérament : des problèmes difficiles à la solution desquels il peut appliquer à la fois son esprit de finesse et son esprit de géométrie ; des traditions de confraternité où la courtoisie n'exclut pas la « rosserie », le goût des argumentations poussées à fond ; le goût aussi des répliques complètes et promptes ; un auditoire enfin — celui des magistrats — attentif, compétent et jamais lassé.

Aussi son succès d'avocat est-il vite éclatant et, encore qu'il se refuse obstinément à s'occuper de toute affaire à propos de laquelle son influence politique pourrait être soupçonnée d'intervenir, son cabinet ne tarde pas à devenir l'un des plus achalandés de Paris.

Il prend deux secrétaires et il en aura bientôt trois, puis quatre. Après leur avoir donné quelques indications nettes mais sommaires, il leur laisse une large initiative dans l'élaboration du dossier. Celui-ci une fois prêt, il s'en empare, assimile en peu d'instants son contenu entier, le nourrit encore, puis, de son écriture fine et rapide, il rédige sa plaidoirie... Maintenant, l'affaire peut être appelée quand on voudra, être remise de huitaine à huitaine, être renvoyée après vacations... Au jour pris, Poincaré se dressera à la barre et, sans cesser de fixer les juges, récitera d'un bout à l'autre cette plaidoirie. Et quand, avec les yeux de la mémoire, il arrivera au bas d'une page, il la tournera sans daigner la regarder... Cela ne l'empêchera pas au besoin d'improviser, en pleine audience, de foudroyantes répliques.

A l'instar de son maître Du Buit, il plaide surtout des affaires commerciales et financières. Mais les causes auxquelles va son cœur d'écrivain refoulé, ce sont celles qui intéressent le monde des lettres. Avocat bénévole de la Société des auteurs dramatiques, il apporte, à en soutenir les intérêts, le meilleur de ses soins. Bientôt il défendra victorieusement l'Académie Goncourt à laquelle les héritiers naturels d'Edmond de Goncourt voudraient arracher le legs fameux et ce sera une des plus belles plaidoiries de sa carrière. « L'Académie Goncourt » dira Alphonse Daudet, « c'est mon pauvre ami qui l'a fondée, c'est Poincaré qui l'a bâtie. »

N'acceptant de défendre que les causes qui lui paraissent saines, les disséquant à fond, ne négligeant aucun argument propre à en démontrer la justice, il n'aime pas que les tribunaux lui donnent tort : « Perdre un procès », rage-t-il un jour, « c'est presque pour moi recevoir un soufflet... » Boutade qui ne traduit pas seulement la vanité du professionnel mais aussi l'irritation d'une raison sûre d'elle-même en face de ce qui lui apparaît faiblesse d'esprit ou mauvaise foi. Poincaré gardera jusqu'au bout cette passion de convaincre et ceux qui ne s'inclineront pas devant sa dialectique seront toujours pour lui soit des sots, soit des perfides.

Tout capté qu'il soit par le Palais, il ne renonce pas pour cela à la plume et, dans la *Revue des Deux Mondes,* dans la *Revue de Paris,* dans le *Temps,* dans le *Figaro,* de nombreux articles, sur les sujets les plus variés paraissent sous sa signature. De plus, bien que silencieux à la Chambre, il ne renonce point à faire connaître publiquement son sentiment sur les affaires publiques : d'août 1896 jusqu'à décembre 1998, on le voit prononcer en province toute une série de discours et de conférences dans lesquelles il dénonce les perversions du régime parlementaire, ironise aux dépens des politiciens de profession, raille leur « peur de l'électeur », met en lumière les illusions du socialisme, réclame un gouvernement fort et esquisse un programme positif basé sur le respect de la liberté individuelle et de la propriété privée, les économies, la justice fiscale, la laïcité et la solidarité.

Rien là de bien original et les balancements faciles abondent (« Ni réaction, ni révolution... » « Le progrès ne doit pas bouleverser, mais améliorer... », etc...). Poincaré se soucie peu de paraître original, il préfère avoir raison.

Ce n'est point qu'à son réalisme ne se mêle une part d'idéalisme : fidèle aux *credo* de son adolescence il professe une foi aveugle en un certain nombre d'abstractions : la Science, la Liberté, la Justice, la Perfectibilité de l'espèce humaine, la Patrie. A la fin du XIXe siècle la valeur de ces abstractions commence à être discutée et Poincaré, en tant qu'homme de pensée, est déjà dépassé.

Cependant, un événement va surgir qui catalysera les courants latents au sein de la France inquiète, cristallisera les forces éparses, jettera les Français dans deux camps farouchement opposés et finalement forcera Poincaré lui-même, en dépit de toute sa prudence, à sortir de sa réserve et à prendre parti : cet événement, dont les conséquences ne sont pas de nos jours encore épuisées, c'est l'affaire Dreyfus.

A l'origine, un fait divers : en décembre 1894, alors que Poincaré était ministre des Finances dans le deuxième Cabinet Charles Dupuy, un officier israélite, le capitaine d'Artillerie Alfred Dreyfus, stagiaire au deuxième bureau de l'Etat-Major de l'Armée, a été impliqué dans une affaire de livraison de documents militaires à une puissance étrangère et s'est vu condamné, par un Conseil de Guerre, à la déportation dans une enceinte fortifiée ; dégradé, il a été expédié à l'île du Diable, sur les côtes de Guyane.

Le « traître » n'a jamais cessé de proclamer son innocence. Quelques-uns de ses coréligionnaires se sont intéressés à son cas ; de son côté, un autre officier du deuxième bureau, le commandant Picquart, en examinant le dossier, s'est avisé que la pièce essentielle du procès, le « bordereau » non signé remis à l'ambassade d'Allemagne, pourrait bien ne point avoir été écrit par Dreyfus et qu'il faudrait plus vraisemblablement l'attribuer au commandant Esterhazy, d'origine hongroise et suspect à bien des titres. Saisi de la question, un des vice-présidents du Sénat, Scheurer-Kestner, alsacien comme Dreyfus et Picquart, après avoir en vain tenté d'obtenir du gouvernement la révision du procès, en a appelé à l'opinion par une lettre adressée au grand journal de la République, au *Temps*.

Nous sommes à la fin de 1897. L'affaire est sur la place publique et tant à la Chambre qu'au Sénat, plusieurs demandes d'interpellation sont déposées. Par réaction, l'Etat-Major se raidit et Picquart est expédié en disgrâce dans le Sud tunisien ; un journaliste, Edouard Drumont, faisant retentir une cloche qu'on n'avait pas souvent entendu sonner en France, déclenche dans sa *Libre Parole* une violente campagne antisémite et dénonce le « syndicat de trahison ». Le 10 janvier 1898, Esterhazy est acquitté par le Conseil de guerre devant lequel il a été traduit. Impressionné, le président du Conseil, Jules Méline, se range dans le camp des antirévisionistes et déclare à la tribune : « Il n'y a pas d'affaire Dreyfus. »

Il y en a une cependant pour laquelle les intellectuels, sortant de leur tour d'ivoire commencent à se passionner, et comme on le dira cinquante ans plus tard, à « s'engager ». Clemenceau, écarté de la vie publique depuis Panama et qui cherche une occasion d'y rentrer, donne, dans son journal *l'Aurore*, l'hospitalité à une lettre ouverte d'Emile Zola (« *J'accuse* »), fulminant réquisitoire contre les Conseils de guerre. Les cafés se scindent ; il n'y est plus question de « naturalistes » et de « symbolistes », mais de « dreyfusards » et d' « anti-dreyfusards ». Le sceptique Anatole France et Péguy le croyant se rangent parmi les premiers ; Jules Lemaître combat avec les seconds en compagnie de Maurice Barrès, naguère candidat « socialiste-boulangiste ».

Le pays est encore calme et les élections qui interviennent au mois de mai ne se font pas sur l'affaire Dreyfus. Elles donnent quelques sièges supplémentaires aux conservateurs mais surtout elles marquent un glissement vers la gauche de l'axe du parti républicain. Poincaré lui-même, réélu sans concurrent, s'éloigne de Méline qu'il juge trop favorable aux « cléricaux » et songe à créer, entre les progressistes et les radicaux, un tiers-parti.

Voyant sa majorité vaciller, le ministère Méline se retire le 28 juin et à sa place est constitué un cabinet radical sous la présidence de l'austère Henri Brisson.

L'affaire Dreyfus rebondit. Le nouveau ministre de la Guerre, Godefroy Cavaignac, qui a affirmé la culpabilité du condamné en se basant sur un document vite reconnu faux, donne sa démission et la Cour de Cassation est saisie, par le gouvernement, d'une demande de révision.

Nouvelle crise ministérielle. Le 3 novembre, Charles Dupuy forme un Cabinet de concentration dans lequel Poincaré refuse de figurer. Les passions sont maintenant surexcitées. Non pas seulement dans les milieux politiques et intellectuels, mais dans le monde, dans la rue et jusqu'au sein des familles, « dreyfusards » et « anti-dreyfusards » en viennent aux injures, voire aux coups. C'est le moment où Caran d'Ache publie ses deux fameux dessins : dans le premier (« On n'*en* parlera pas ! »), on voit une table autour de laquelle sont rangés des convives tranquilles, calmes et souriants ; dans le second, la même table est jonchée de verres brisés, les même convives sont échevelés, dépoitraillés, vociférants (« On *en* a parlé ! »).

Les anti-freyfusards prétendent — et c'est là un de leurs grands arguments — que, lorsqu'en 1894 Dreyfus a été condamné, le ministère d'alors a eu connaissance d'un dossier secret ne laissant aucun doute sur l'infamie du « traître ». Or, Poincaré, qui faisait parti de ce ministère, et qui est intimement convaincu de l'innocence de Dreyfus, sait que jamais un tel dossier n'a été communiqué. Pressé par ses amis et non sans avoir longuement hésité, il monte, le 28 novembre à la tribune et il jette : « Le silence de quelques-uns d'entre nous serait une véritable lâcheté... », puis il révèle que ni lui, ni aucun de ses collègues de 1894 n'ont jamais connu d'autre pièce chargeant Dreyfus que le « bordereau » controuvé. Et il conclut : « En faisant ici ces déclarations, j'ai le sentiment d'accomplir un acte de patriotisme éclairé. Oui, Messieurs, un acte de patriotisme, car le patriotisme consisterait, en temps de guerre, à nous battre à côté des officiers de l'armée active. L'armée n'est pas une caste dans la nation ; c'est la nation tout entière. Mais, en temps de paix, que serait donc le patriotisme, s'il ne résidait essentiellement dans les respect de nos traditions nationales de justice et de liberté ? »

Le lendemain, la presse anti-dreyfusarde se déchaîne contre l'orateur et son courrier est rempli de lettres de menaces. Par contre la Ligue des Droits de l'Homme fait afficher son discours dans toutes les communes. Dans la bataille qui secoue la France, Poincaré, le prudent Poincaré, a pris parti et il écrit à son frère : « Je savais bien, mon cher Lucien, qu'en parlant, je ferais plaisir à toi ainsi qu'à papa. Et cette pensée n'a pas été étrangère à ma décision. »

Il est maintenant passé dans l'opposition et il vote contre le ministère quand celui-ci propose une loi qui dessaisit la Chambre criminelle de la Cour de Cassation, (suspecte de dreyfusisme), du privilège de statuer seule sur les pourvois en révision ; le 9 février 1899 il fonde, avec une trentaine de députés, le groupe des « républicains de gauche. »

Quelques jours après, le président de la République, Félix Faure, anti-dreyfusard avéré, meurt subitement dans les bras de Mme Steinheil. A sa place l'Assemblée Nationale élit Emile Loubet, républicain modéré mais dreyfusard. En juin le Cabinet Dupuy est renversé et le nouveau chef de l'Etat invite Poincaré à former un gouvernement.

En dépit de la promesse qu'il s'est faite en 1895 de demeurer dix ans éloigné du pouvoir, le *leader* des républicains de gauche ne se dérobe pas immédiatement.

Mais il se heurte vite aux prétentions des socialistes qui, Millerand en tête, exigent au moins un portefeuille. Or, si Poincaré déclare volontiers que le danger réactionnaire lui paraît plus pressant que le péril collectiviste et, s'il s'affirme favorable à certaines réformes sociales, du moins entend-il que, de ces réformes, ce soient les partis bourgeois qui aient l'honneur... A son ami Millerand, il oppose un refus catégorique.

Aussi bien ne désire-t-il pas vraiment aboutir. Il n'aime

entreprendre une tâche que lorsqu'il est assuré de la mener à bien et les circonstances sont loin de permettre une telle assurance...

Un vent de folie semble souffler sur Paris, l'effervescence des Ligues nationalistes anti-dreyfusardes a créé une situation quasi-révolutionnaire. Le cas Dreyfus n'est plus, à vrai dire, qu'un prétexte à la faveur duquel deux idéologies se dressent l'une contre l'autre. Lutte d'autant plus furieuse qu'il ne s'agit point d'intérêts mais d'abstractions : l'armée nationaliste compte force petites gens et les gros capitalistes abondent dans le camp opposé. D'un côté, c'est le patriotisme poussé jusqu'au chauvinisme, l'idolâtrie de l'armée, le culte de la tradition, l'attachement aveugle au principe d'autorité ; de l'autre, c'est l'amour abstrait de la Justice et de la Vérité, la critique glissant au dénigrement systématique, l'esprit revendicateur et parfois destructif.

Le clivage s'opère selon des lignes neuves : les nationalistes, venus originairement de gauche ont fait définitivement cause commune avec les cléricaux naguère abhorrés ; par contre, les bourgeois libéraux se sont alliés avec les socialistes ennemis de l'ordre établi. Les moines se sont faits ligueurs et la presse qui leur appartient voue les dreyfusards au couperet et la République à la poubelle ; les professeurs se sont mués en inquisiteurs et enverraient volontiers anti-dreyfusards et cléricaux au bûcher.

C'est avec ironie que l'étranger assiste à ces déchirements : la Russie, alliée, mais surtout emprunteuse, traite de haut cette démocratie qui lui semble anarchique ; l'Angleterre vient, à Fachoda, de nous infliger une pénible humiliation ; quant à l'Allemagne, avec laquelle un rapprochement a pourtant été esquissé au temps du ministère Méline, elle observe et se réjouit...

Pour être tenté par le pouvoir dans ces conditions, il faudrait une intrépidité et un esprit de décision qui ne sont pas dans le tempérament de Poincaré.

Non point qu'il manque de courage : mais son intelligence analytique, en lui faisant distinguer toutes les difficultés de chaque problème, tend à le pousser, presque malgré lui, à l'abstention. Aussi soupire-t-il de soulagement quand, prétextant des exigences socialistes et aussi de l'exclusive dont les radicaux frappent son ami Barthou, il remet au président de la République le mandat que celui-ci lui a confié.

Après quelques jours d'agitation éperdue, c'est un Cabinet Waldeck-Rousseau qui est constitué. Il faudra que de longues années se passent et que son expérience se soit encore enrichie avant que Poincaré accepte de devenir, sur le plan politique, ce qu'au collège et sur un autre plan il souhaitait pourtant si vivement être — le « Premier ».

CHAPITRE V

DES « CONGREGATIONS » AU « COUP DE TANGER »

Waldeck-Rousseau, homme d'Etat glacé et habile. — Il fait entrer Millerand et Galliffet dans son ministère. — Liquidation de l'affaire Dreyfus. — Le général André et l'épuration de l'Etat-Major. — L'inertie en matière sociale est compensée par une vigoureuse action anticléricale. — La loi sur les associations met les Congrégations religieuses hors du droit commun. — Elections de 1902. — Poincaré est réélu après avoir été combattu par les « réactionnaires ». — Les deux «Blocs ». — Combes succède à Waldeck-Rousseau. — Exaspération de l'anticléricalisme : le « Combisme ». — Réserve et abstention de Poincaré. — Il est élu sénateur. — Il épouse Henriette Benucci.— Fin du « régime abject ». — Le ministère Rouvier. — Le « coup de Tanger » et ses antécédents diplomatiques. — Le choix de la France. — Delcassé sacrifié à l'Allemagne et à la paix. — Poincaré sort de sa réserve. — Chute de Rouvier. — Sarrien, « Sphinx à tête de veau, » forme un Cabinet dans lequel Poincaré accepte le portefeuille des Finances.

René Waldeck-Rousseau, sénateur « républicain modéré, mais non pas modérément républicain », ancien collaborateur de Gambetta, est un avocat illustre. Dédaigneux, froid jusqu'à la glace, le visage impassible, les traits creusés, le geste rare, il laisse de haut tomber sur ses auditeurs saisis et comme hypnotisés les nappes translucides de son éloquence dépouillée. Aussi précis, aussi mordant que Poincaré, il est peut-être plus pénétrant et Poincaré, qui bien souvent l'a eu pour adversaire à la barre, l'admire tout en le craignant : « La première fois » déclare-t-il, « que j'ai plaidé contre lui, je me faisais l'effet d'un caniche aboyant après une statue. »

Mais cet homme de marbre ne manque pas d'adresse. Résolu à la fois à défendre la République, à liquider l'affaire Dreyfus et à ramener le calme dans le pays, il forme, le 22 juin 1899, un ministère dont la composition étonne d'abord : à côté d'une majorité de républicains de gauche et de quelques radicaux, on y voit — innovation effrayante — le socialiste Millerand avec le portefeuille du Commerce et de l'Industrie ; mais on y trouve aussi, avec le portefeuille de la Guerre, le général marquis de Galliffet, l'ancien beau sabreur des dernières campagnes du Second Empire, l'ancien « bourreau de la Commune ». Waldeck n'a pas fait ces désignations à la légère : Millerand apportera au Cabinet le concours de l'extrême-gauche ; Galliffet rassurera l'Armée.

Aussitôt, tandis que des mesures sont prises pour ramener la discipline dans l'Etat-Major, les principaux dirigeants des Ligues nationalistes se voient traduits en Haute-Cour. Déroulède et Buffet sont condamnés à dix ans de bannissement, Guérin à dix ans de détention et cette énergie n'est pas sans porter effet.

L' « Affaire » connaît un dernier rebondissement quand Dreyfus, dont la condamnation a été cassée et qui a été rappelé de l'Ile du Diable, comparait devant un nouveau Conseil de guerre siégeant à Rennes.

A la suite d'une série d'audiences orageuses et en dépit de l'inexistence de toute preuve, les juges militaires déclarent encore, par cinq voix contre deux, l'accusé coupable. Mais le gouvernement « dans un intérêt politique supérieur » fait au condamné remise de sa peine. Et bientôt l'Exposition universelle de 1900 va fournir, à la badauderie parisienne, un dérivatif opportun.

Les gauches toutefois et spécialement les socialistes entendent exploiter leur victoire à fond. L'épuration de l'Etat-Major est réclamée à grands cris en même temps que des réformes sociales et une énergique action anticléricale.

L'épuration de l'Etat-Major, Waldeck l'accepte volontiers et, Galliffet s'étant inopinément démis, il le remplace à la tête du ministère de la Guerre, par le général André, un artilleur intelligent, ennemi des routines, mais qui pousse le « républicanisme » jusqu'au sectarisme. Révocations, déplacements, rétrogadations, mises à la retraite d'office se succèdent sur un rythme accéléré et, le but légitime étant vite dépassé, un lourd malaise ne tarde pas à s'abattre sur le corps des officiers. Bientôt Forain va dessiner un hilare huissier en train de s'esclaffer : « Ah ! c'que j'rigole. V'là le frotteur qui engueule l'officier de service ! »

Désormais, et pour longtemps, l'antimilitarisme sera un sentiment de « gauche » et on le verra professé dans ces écoles publiques que leurs fondateurs avaient pourtant vouées au culte de l'armée et de la patrie. Les bévues des antidreyfusards ne sont pas la seule cause de cette nouveauté : il y faut joindre les progrès du marxisme, internationaliste par essence, et dont la vogue, chez les masses ouvrières, tend à supplanter celle du vieux socialisme français, volontiers chauvin.

Quant aux réformes sociales, le président du Conseil ne leur est point systématiquement hostile. Il a fait, en 1884, voter la loi reconnaissant la légalité des syndicats et il a pris Millerand dans son Cabinet. Mais, grand bourgeois, il estime que ces réformes ne sauraient être réalisées que lentement, sagement, en périodes calmes et dans le cadre du libéralisme. Aussi bien sait-il qu'il serait pratiquement impossible de mettre d'accord, sur un programme social positif, les individualistes intransigeants et les collectivistes qui figurent côte à côte dans la majorité.

Par contre, cet accord peut se réaliser sans dissonances sur un programme d' « action anticléricale ». En dépit des directives du Saint-Siège, les Congrégations de religieux ne viennent-elles pas, à l'occasion de l'affaire Dreyfus, de montrer qu'elles restaient sourdement hostiles à la République et à l'Etat laïque ? Voilà, pour les coffres-forts menacés un paratonnerre tout désigné.

En octobre 1900, dans un discours prononcé à Toulouse, Waldeck invective véhémentement contre les Congrégations, affirme que la valeur de leurs immeubles dépasse le milliard et reproche à leurs maisons d'enseignement d'être cause que « deux jeunesses » grandissent en France sans se connaître. Peu après il dépose sur le bureau de la Chambre un projet de loi réglementant le droit d'association et soumettant les associations dirigées par des étrangers — c'est-à-dire les Congrégations — à la nécessité d'une autorisation donnée par décret.

Projet encore libéral mais dont les commissions parlementaires qui en sont saisies aggravent les dispositions : ce ne sera plus un décret mais une loi qui sera indispensable à l'autorisation de toute Congrégation religieuse ; d'autre part l'enseignement se verra interdit à tout membre d'une Congrégation non autorisée. Le gouvernement se rallie à ces amendements et, le 2 juillet 1901, après avoir été adoptée par la Chambre et par le Sénat, la loi est promulguée.

⁂

Poincaré, avec les républicains de gauche, a voté au début pour le Cabinet Waldeck, mais il s'en est séparé à propos de texte sur les Congrégations : tout laïque soit-il, il est choqué de constater qu'alors qu'on proclame en principe la liberté d'association, on la refuse en fait à une catégorie de citoyens et qu'on lui refuse aussi un droit aussi imprescriptible que les autres : celui d'enseigner. Il s'est expliqué sur son attitude dans un grand discours qu'il a prononcé à Nancy, discours au cours duquel, s'élevant contre la « politique de combat », il a pris à son compte les paroles prononcées par Lamartine en 1849 : « Le seul moyen de fonder une République durable en France, je vais vous le dire en un seul mot ; c'est qu'elle appartienne à tout le monde et non à quelques-uns, à la nation et non à un parti. » C'est déjà la formule de l' « Union sacrée ».

Cela n'empêche point Poincaré de se voir, dans son département, l'objet de vives attaques menées aussi bien par les conservateurs que par les modérés restés fidèles à l'antidreyfusisme. Aux élections législatives qui ont lieu en mars 1902, les uns et les autres suscitent contre lui un candidat

Il n'en est pas moins réélu au premier tour de scrutin et le voici classé — heureusement pour son avenir politique — « homme de gauche ».

La nouvelle Chambre est coupée en deux blocs opposés : d'un côté siègent deux cent vingt conservateurs, nationalistes et anciens modérés confondus, par leurs adversaires, sous l'épithète de « réactionnaires » ; de l'autre — du côté du « bloc républicain » — on trouve cent républicains de gauche, deux cent vingt radicaux ou radicaux socialistes et quatre-vingt-dix socialistes. Majorité hétérogène mais que l'anticléricalisme va, pour un temps, solidement cimenter.

En mai, Waldeck-Rousseau malade et effrayé par le triomphe même de sa politique de « défense républicaine », donne sa démission. Il est remplacé, à la présidence du Conseil, par le radical Emile Combes qui fut jadis le successeur de Poincaré à l'Instruction publique et qui est un vrai maniaque de la lutte contre les « curés ». Nullement social avec cela, il ne fait dans son Cabinet aucune place aux collectivistes et met Rouvier, dont les attaches avec la banque sont connues, à la tête du ministère des Finances.

Dès le mois de juillet, Combes fait fermer un certain nombre d'écoles tenues par des sœurs, puis il pousse la Chambre à refuser en bloc toutes les demandes d'autorisation qui sont présentées, conformément à la loi, d'abord par les Congrégations d'hommes, ensuite par les Congrégations de femmes. « D'une loi de contrôle, on a fait une loi d'exclusion », déclare au Sénat Waldeck lui-même. Bientôt le gouvernement fera adopter un texte prescrivant, dans le délai de dix ans, la suppression des Congrégations enseignantes antérieurement autorisées, il entrera volontairement en conflit avec le Saint-Siège, rappelera l'ambassadeur auprès du Vatican et enfin déposera un projet de loi rompant le Concordat et séparant l'Eglise de l'État.

Règne des Comités et des Loges ; délation élevée à la hauteur d'un principe de gouvernement ; ostracisme jeté sur les fonctionnaires et les officiers qui vont à la messe ; « la justice pour tous et les faveurs pour nos amis » ; régime des Fiches : Combes fait peser sur la France une dictature rabougrie. L'aile modérée de sa majorité rechigne parfois mais la « Délégation des gauches », où l'action du socialiste Jaurès est prépondérante, ramène vite les hésitants à la discipline : « Regardez du côté de vos circonscriptions ! »

Plus que tout autre, Poincaré souffre de cette mesquinerie et de ce sectarisme. Mais les attaques dont il a été l'objet lors des élections lui interdisent de se rapprocher de la Droite et de rompre ouvertement avec ceux qui ont été vainqueurs en même temps que lui. Refusant d'intervenir à la tribune, il se réfugie dans une abstention de plus en plus fréquente. Et un jour qu'on le voit quitter précipitamment le Palais pour la Chambre, le bâtonnier Martini de s'exclamer malicieusement : « Il court s'abstenir ! »

En janvier 1903, un siège de sénateur devient vacant dans la Meuse. Poincaré n'a que quarante-deux ans, deux de plus seulement que l'âge légal et son dynamisme physique est intact. Il monte régulièrement à cheval et, quand il accomplit, dans un bataillon de chasseurs à pied, ses périodes d'officier de réserve, son endurance fait l'admiration de chacun. Mais il se sent moralement un peu las et il lui arrive de soupirer, lui pourtant si peu sceptique : « Pourquoi préférer la politique au Barreau ? Et pourquoi le barreau plutôt que le jardin de Candide ? L'objet de l'activité importe peu. »

Il se présente donc aux suffrages des électeurs sénatoriaux et est élu par sept cent soixante-quatorze voix sur huit cent huit votants : le Luxembourg où, parmi de lourdes tentures et sur l'épais tapis, le Génie de la IIIe République a dressé son autel, c'est, pour beaucoup de parlementaires un hâvre de semi-retraite, mais c'est aussi un admirable poste de guet et ce peut-être un poste de commandement.

Fidèle à sa méthode, Poincaré se fait discret parmi ses nouveaux collègues, parle peu et reste assidu au Palais. Sa réputation d'avocat grandit encore et les dossiers — dossiers d'affaires littéraires surtout — affluent à son cabinet. Déjà conseil de la Socité des Auteurs dramatiques, il le devient de la Société des Auteurs et Compositeurs de musique, du Syndicat de la Presse parisienne, de l'Œuvre des trente ans de théâtre, de la Société des Artistes français... Et plusieurs hommes de lettres, tel Paul Hervieu, songent à le faire entrer à l'Académie française.

Toujours dévoué à ses vieux camarades, toujours convive cordial à leurs dîners périodiques, il a maintenant une vie intime dans laquelle il trouve chaleur et amour.

Il y a de cela déjà longtemps, il a fait, autour d'une table amie, connaissance d'une aimable personne par la grâce, l'esprit et la douceur de laquelle il s'est senti aussitôt attiré.

Henriette Benucci, d'origine italienne, appartenait à une famille honorable mais peu fortunée. Au sortir du couvent, elle avait épousé un Irlando-Américain, Dominique Kiloran, qui, vulgaire, dépensier et dissipé, ne l'avait pas rendue heureuse.

Divorce, disparition du mari. La jeune femme a dû, pour vivre, donner des leçons d'italien. Mais sa beauté brune, à la fois touchante et éclatante, a touché le cœur d'un homme du monde, M. Bazire, beaucoup plus âgé qu'elle, riche et de grandes manières. Elle est devenue Madame Bazire.

Un an après, la voici veuve. Assez à son aise désormais, elle tient un petit salon où fréquentent des hommes intelligents, étend le cercle de ses relations, rend des services... C'est ainsi qu'elle prie Poincaré, lors de leur première rencontre, de l'aider à placer une vieille femme dans une maison de retraite.

Plusieurs années se passent pendant lesquelles Poincaré ne voit que rarement Madame Bazire. Mais, en 1901, l'un et l'autre partent ensemble en croisière en compagnie d'un groupe d'amis, dont Coquelin Cadet. Croisière manquée du point de vue voyage, car un cas de peste qui s'est déclaré à bord oblige le bateau à regagner Marseille et les touristes à y faire une quarantaine au lazaret. Mais réussie du point de vue sentimental, car une étroite intimité s'est nouée entre la veuve encore jeune et l'homme politique. L'idylle se prolonge, pousse des racines et, le 17 août 1904, Poincaré, à la mairie du XVIIIe arrondissement, épouse son amie.

Son existence est maintenant changée. On le trouve moins clos, moins absorbé, moins distant. Il s'intéresse, plus que par le passé, au décor de la vie et son appartement de l'avenue des Champs-Elysées s'égaye de fleurs, se peuple de beaux chiens, de chats câlins, se fait accueillant aux amis. En même temps il décide de se faire construire une maison de campagne à Sampigny, dans la Meuse, où il est propriétaire d'un terrain. Ce sera « le Clos » qui deviendra vite cher à son cœur.... Dans tout cela transparaît l'influence de la souriante et spirituelle Henriette à laquelle son mari restera jusqu'au bout profondément reconnaissant du calme bonheur qu'elle lui apportera (1).

En dépit de l'éloquente protection de Jaurès, le ministère Combes agonise. Il a désormais des adversaires à gauche même et des fissures s'élargissent dans le « Bloc républicain ». Millerand qui s'est séparé des marxistes maintenant « unifiés », mais est resté socialiste indépendant, se révèle l'un des plus décidés. Il a déjà véhémentement reproché au gouvernement son inertie en matière sociale et l'indifférence qu'il témoigne au vote de la loi sur les retraites ouvrières ; maintenant il s'en prend au système des « Fiches » qui a organisé la délation dans l'Armée : « Régime abject ! » jette-t-il et le mot fait fortune.

Le 19 janvier 1905, Combes, voyant sa majorité s'effriter de plus en plus, remet entre les mains du président de la République la démission du Cabinet. A sa place, c'est à Rouvier, habile financier et politicien réaliste, qu'est confié le soin de former un ministère de détente. Poincaré s'y voit offrir le portefeuille de l'Instruction Publique ; il le refuse mais, le 19 juin, sortant de sa réserve, il prononce, à l'occasion du

---

(1) Madame Poincaré mère, fort religieuse, s'est d'abord opposée au mariage purement civil de son fils. Elle a fini par y consentir en posant cette condition : « Ça se passera à Paris et les bonnes n'en sauront rien. »

La « bonne bourgeoisie » meusienne fera longtemps grise mine à la femme de son éminent compatriote, cette « divorcée », et Poincaré ne laissera pas d'en souffrir. Cette blessure, portée en un point sensible, contribuera peut-être à accentuer son « refoulement ».

banquet annuel de l'Alliance démocratique, un discours qui marque chez lui un renouveau de goût pour la vie publique.

« Si nous ne voulons pas » dit-il « glisser à l'anarchie administrative et sociale, préface ordinaire des révolutions et des dictatures, nous ne saurions défendre avec trop d'ardeur ces prérogatives gouvernementales qui, loin d'être incompatibles avec les libertés publiques, en sont, dans une démocratie républicaine, la sauvegarde indispensable. » Ce sont là paroles d'homme d'Etat.

Peut être cette attitude nouvelle est-elle due à l'expiration prochaine du délai de dix ans que Poincaré s'est fixé en 1895. Peut-être l'influence de sa femme y est-elle pour quelque chose. Peut-être aussi, en présence de la crise internationale qui vient d'éclater, estime-t-il qu'une force comme la sienne ne saurait, sans dommage pour le pays rester inemployée.

*
**

Cette crise, connue sous le nom de « coup de Tanger » a des antécédents lointains.

Après la défaite de 1870, la France avait d'abord vécu sur elle-même isolée, concentrée, ulcérée, pansant ses blessures, pleurant ses provinces perdues et rêvant à la Revanche. « Pensons y toujours et n'en parlons jamais », disait Gambetta ; un peu plus tard Boulanger allait devenir l'idole des foules en en parlant à tue-tête.

Au Congrès de Berlin, Bismarck, inquiet des conséquences possibles de cette nostalgie, avait discrètement montré du doigt la Tunisie à nos diplomates. Et cette indication avait suffi à rendre toute entreprise coloniale suspecte aux patriotes français.

Mais quelques hommes clairvoyants, Ferry en tête, avaient chez nous compris que la conquête d'un Empire, loin d'affaiblir le pays sur sa frontière de l'Est, devait lui apporter un surcroît de force pouvant, au besoin, être employé contre l'Allemagne. On a vu comment en dépit des criailleries du Parlement et de l'opinion, cette conquête fut avec tenacité poursuivie et menée à bien.

Simultanément, la France avait su acquérir une alliée : la Russie. Alliée un peu dédaigneuse, souvent coûteuse et parfois décevante, mais dont la présence à nos côtés nous affranchissait de ce complexe d'infériorité dont nous souffrions depuis nos désastres.

En 1898 un très grave incident se produisit qui amena notre diplomatie à reconsidérer ses objectifs : l'Angleterre qui tendait alors à regarder comme sien tout territoire vacant et qu'avait irritée notre expansion africaine mit brutalement le holà quand la colonne du commandant Marchand tenta de couper, à Fachoda, la route du Caire au Cap.

L'Allemagne, avec laquelle un rapprochement avait été récemment asquissé, nous poussait à la résistance. Mais résister, c'était risquer la guerre avec l'Angleterre et c'était aussi, comme contre-partie du concours allemand, renoncer à l'Alsace-Lorraine.

Théophile Delcassé, qui venait d'être placé à la tête du quai d'Orsay, choisit la paix. « Aussi longtemps », écrivit-il alors à un de nos ambassadeurs, « que les Allemands seront à Strasbourg et à Metz, la France n'aura qu'un ennemi permanent. »

Cette décision devait avoir des conséquences qui ne sont pas, de nos jours, encore épuisées. Immédiatement, elle rendit possible l'Entente Cordiale.

Celle-ci n'allait pourtant être conclue qu'en 1904. Dans l'intervalle, la Grande-Bretagne, instruite par les difficultés de la guerre du Transvaal, avait senti les dangers de l'isolement même « splendide », elle s'était inquiétée des programmes de constructions navales élaborés par l'empereur Guillaume II, elle avait vu enfin un souverain personnellement hostile à ce même Guillaume, le roi Edouard VII, succéder sur le trône à la reine Victoria. Tout cela, au terme d'une longue négociation, facilita un règlement général qui, entre la France et l'Angleterre, ne laissa plus subsister de questions litigieuses.

Delcassé, inamovible au Quai d'Orsay, s'était déjà utilement employé à détendre les relations franco-italiennes ; il allait maintenant s'attacher à opérer un rapprochement entre la Grande-Bretagne et la Russie, il allait enfin conclure avec le gouvernement de Madrid un accord délimitant les zônes d'influence française et espagnole au Maroc.

Tapi dans son cabinet, ce petit homme noiraud, binoclard, secret, sans prestance, mais infatigable travailleur et patriote passionné, tissait ainsi à travers l'Europe un réseau dont l'Allemagne, qui en était exclue, devait inévitablement finir par s'émouvoir. Alors que la France sort définitivement du « complexe d'isolement », l'Allemagne va, pour le malheur de l'Europe, tomber dans une « psychose d'encerclement ».

Delcassé cependant a commis une erreur : il a œuvré sans se soucier de l'état de nos forces militaires et navales ; or, à la suite des « épurations » auxquelles ont procédé le général André et son collègue de la Marine, Camille Pelletan, ces forces apparaissent, en 1905, quelque peu désorganisées ; d'autre part les désastres de la guerre contre le Japon et les troubles révolutionnaires qui en ont été la conséquence ont mis momentanément notre alliée russe hors de jeu ; l'amitié anglaise enfin, si elle peut être décisive sur mer, ne saurait, sur terre, n'être que d'une faible utilité immédiate. Bref, malgré les accords conclus, la France apparaît, en face de l'Allemagne, à la fois seule et mal armée.

L'Allemagne le sait. Le moment lui paraît propice pour jeter un *Quos ego* et, prétextant de l'action diplomatique esquissée alors par la France au Maroc, Guillaume II, débarqué brusquement à Tanger, y prononce le 31 mars 1905 un discours qui sonne en fanfare guerrière et dans lequel tout droit spécial de la France sur l'Empire chérifien est catégoriquement dénié.

Aussitôt après, le gouvernement de Berlin fait savoir à Paris qu'il exige la réunion d'une Conférence internationale pour régler le statut du Maroc. Le gouvernement de Londres, consulté, nous encourage au refus et nous promet son concours.

La situation de 1898 se trouve inversée. Pour agrandir notre Empire africain, allons-nous cette fois, non plus nous appuyer sur l'Allemagne et risquer une guerre contre l'Angleterre, mais nous appuyer sur l'Angleterre et risquer une guerre contre l'Allemagne ?

Dans son réalisme, Rouvier, le président du Conseil, estime l'aventure impossible. Le 12 juin, à la suite d'un dramatique Conseil des Ministre, Delcassé donne sa démission et Rouvier assume personnellement la charge des Affaires Etrangères.

L'humiliation est certaine et les Français qui, en proie à la lutte religieuse, avaient perdu l'habitude de regarder au delà des frontières, sont frappés de stupeur. C'est le moment où Poincaré prononce son discours au banquet de l'Alliance démocratique et, encore qu'il évite d'aborder directement un brûlant sujet, on perçoit dans ses paroles, l'écho de l'émotion générale.

La tenace habileté de Rouvier va, en partie, réparer le mal : la Conférence exigée par l'Allemagne se réunira bien mais seulement après que la « situation exceptionnelle » de la France au Maroc aura été reconnue par le gouvernement du Reich lui-même. Les fils noués par Delcassé tiendront bon ; l'Angleterre multipliera ses bons d'offices, la Russie se montrera fidèle, l'Italie sera bienveillante ; finalement, l'acte qui sera signé à Algésiras le 16 janvier 1906 nous laissera, dans l'Empire chérifien, une relative liberté d'action.

Mais l'alerte a été chaude et si elle n'a pas suffi à réveiller complètement la nation, du moins a-t-elle conduit les esprits réfléchis à se pencher sur les problèmes internationaux. On voit en particulier Poincaré, dans sa correspondance comme dans ses propos, manifester pour ces problèmes un intérêt assez nouveau chez lui.

La politique intérieure cependant n'a pas perdu ses droits et tandis que Rouvier lutte pied à pied pour, sans déshonorer la France, lui conserver la paix, la Chambre discute avec passion le projet de loi portant séparation de l'Eglise et de l'Etat.

C'est sur le rapporteur, Aristide Briand, que retombe le poids de cette discussion.

Avocat, journaliste, orateur de *meetings* révolutionnaires, Briand n'est entré au Parlement qu'en 1902. Il y siège parmi les socialistes et il s'y est déjà fait remarquer par la souplesse de son intelligence, par ses dons de conciliateur et par son talent oratoire, un talent que multiplie une voix chaude, prenante et dont les accents ont comme une résonance de violoncelle. C'est dans un esprit fort éloigné du « Combisme » qu'il fait adopter les articles du projet qui deviendra la loi du 11 février 1906.

Le Vatican n'a pas aperçu que la Séparation, en libérant l'Eglise de France de la tutelle de l'Etat, marquera pour elle le début d'une renaissance. Il ne voit que la « spoliation » et interdit aux catholiques de constituer les « Associations cultuelles » auxquelles devaient être transmis les biens des fabriques ainsi que la jouissance des édifices. Le gouvernement s'évertue à trouver un artifice juridique permettant de laisser les églises ouvertes aux fidèles. Mais en même temps il fait procéder à l'inventaire des objets du culte. Des bagarres s'ensuivent. Au cours de l'une d'elles, un manifestant est tué et le ministère, interpellé, est mis en minorité.

La Commission sénatoriale des Finances vient de confier le rapport général du budget à Poincaré : c'est dire que sa longue réserve n'a pas entamé son prestige. Aussi le président de la République (c'est depuis quelques semaines le très avisé Armand Fallières) songe-t-il d'abord à lui pour succéder à Rouvier.

Mais Poincaré se sent trop distant de la majorité radicale-socialiste pour accepter de former un gouvernement. Il déclare toutefois que « dans l'intérêt républicain », il est prêt à accepter un portefeuille.

Jean Sarrien est alors nommé président du Conseil. C'est un radical sans nul génie, sans grand talent, mais qui, député depuis 1876, connaît tous les détours du sérail parlementaire et possède, dans les couloirs, une influence exceptionnelle : « La borne à laquelle on attache le char de l'Etat quand les chevaux sont fatigués, » ironise Hébrard, le directeur du *Temps*. « Le sphinx à tête de veau, » enchérit Clemenceau.

Tel quel, il parvient à grouper, dans le Cabinet qu'il constitue le 13 mars 1906, un nombre impressionnant de vedettes : l'ancien président du Conseil Léon Bourgeois, un pontife du radicalisme et de la franc-maçonnerie, est ministre des Affaires Etrangères ; le modéré Louis Barthou, qui régna place Beauvau au temps de Méline, reçoit le portefeuille des Travaux publics ; Briand, pour prendre celui de l'Instruction publique et des Cultes, abandonne le parti socialiste ; Clemenceau, « tombeur » de tant de ministères, mais qui jamais jusqu'ici ne fut ministre, le devient de l'Intérieur (1) ; à Poincaré enfin échoit le portefeuille des Finances.

(1) Cette désignation satisfait peu Poincaré qui, le 16 mars, a noté dans son journal : « Sarrien — sur le conseil de Briand et sans me prévenir — s'est adressé à Clemenceau... J'ai insisté pour que Clemenceau, s'il entre, ne fut pas placé à l'Intérieur. » Il n'a pas été écouté.

CHAPITRE VI

RECUEILLEMENT

Poincaré reprend sans enthousiasme le portefeuille des Finances. — Ses démêlés avec les Commissions de la Chambre et avec Barthou. — Elections législatives de 1906. — Poincaré offre sa démission. — Le Cabinet Sarrien entier se démet. — Poincaré refuse un portefeuille dans le cabinet Clemenceau. — Opposition de tempérament entre les deux hommes. — Gouvernement et chute de Clemenceau. — Refus successifs de Poincaré d'entrer dans une équipe ministérielle. — Raisons de ces refus. — Dégoût des mœurs parlementaires. — Volonté de n'être plus un simple second. — Activités de Poincaré pendant cette période de recueillement : le Barreau, les Lettres, le Journalisme, l'Académie, les voyages, la famille. — Lettres de Poincaré à ses nièces et à sa belle-sœur. — Sa réserve même lui vaut un début de popularité.

C'est poussé par le sentiment du devoir que le sénateur de la Meuse rentre rue de Rivoli. Il lui en coûte d'abandonner, même temporairement, ce Palais de Justice qui lui vaut tant de satisfactions morales et matérielles. D'autre part, homme d'ordre dans les moelles, il s'inquiète de l'agitation qui commence à sévir parmi les fonctionnaires et craint que les rouages de la pesante machine qu'il est appelé à conduire n'obéissent pas bien à son impulsion. Enfin et surtout, il pressent que ses principes d'économie rigoureuse vont se heurter d'une part à l'humeur dépensière du Parlement, de l'autre au désir que manifestent plusieurs de ses brillants collègues de marquer leur passage au pouvoir par des mesures spectaculaires mais coûteuses.

De fait il ne tarde pas à entrer en conflit, à propos du budget comme de la réforme fiscale, avec les Commissions de la Chambre et, à propos du rachat du Chemin de fer de l'Ouest, avec Barthou, ministre des Travaux publics. Là-dessus, surviennent les élections législatives du mois de mai 1906 qui constituent un triomphe pour les radicaux et qui, en faisant gagner cinquante-six sièges au « Bloc », déplacent de nouveau vers la gauche l'axe de la majorité. C'est sur les travées du centre-droit que siègent désormais les « républicains de gauche. »

Dans un mouvement d'humeur, Poincaré présente sa démission. « Qu'est-ce qu'on peut faire », dira un peu plus tard Briand à Caillaux, « avec un gaillard comme ça : il a à peine pénétré dans la salle du Conseil des Ministres qu'il regarde la porte par où il s'évadera ». Sarrien refuse cette démission mais ne tarde cependant pas à comprendre que la composition du Cabinet ne correspond plus à celle de la Chambre. En octobre, après avoir été aux affaires pendant sept mois seulement, le gouvernement se retire et c'est Clemenceau qui est chargé d'en constituer un nouveau.

Poincaré se voit offrir soit le portefeuille des Finances soit celui des Affaires Etrangères. Il refuse en arguant de son hostilité à la politique financière de la majorité parlementaire. En réalité il ne saurait accepter de servir sous Clemenceau et il refuse.

C'est qu'entre les deux hommes, plus encore que la divergence des doctrimes, l'opposition des tempéraments creuse un fossé profond.

D'un côté individualisme forcené, fantaisie, don de sympathie curieusement allié à un profond mépris des hommes, orgueil, intrépidité, souvent ignorance, méchanceté quelquefois et volontiers incohérence. De l'autre respect des valeurs sociales, conformisme, gravité, sécheresse de manière sinon de cœur, croyance dans le Progrès et dans la perfectibilité de l'espèce humaine, quasi-timidité, grande prudence, connaissances presqu'universelles, souci de l'équité, culte de la Raison : on ne saurait guère imaginer de plus complet contraste.

Deux sentiments pourtant sont communs à Clemenceau et à Poincaré : ils sont l'un et l'autre patriotes ardents et laïques convaincus. Mais le patriotisme du premier est surtout affaire d'entrailles, celui du second affaire de cœur et de tête. Quant au laïcisme de Clemenceau, c'est celui du Jacobin ennemi juré des prêtres comme des rois ; celui de Poincaré au contraire l'apparente aux légistes de l'Ancien Régime qui ne souffraient point que l'Autel vînt porter ombrage au Trône.

Léon Bérard qui, depuis 1901, est le fidèle et spirituel secrétaire de Poincaré, dira : « Il y a deux sortes de républicains : les bonapartistes et les orléanistes. » D'une part la tradition révolutionnaire et autoritaire (les deux vont ensemble), de l'autre la tradition libérale et parlementaire : Clemenceau, Poincaré.

Durant trente-trois mois Clemenceau va gouverner, dans des circonstances souvent difficiles, avec un brio non exempt de saccades. Lui le « Tombeur » de tant de ministères, le défenseur patenté de toutes les libertés, voire de toutes les licences, il se trouve conduit à affirmer énergiquement la prérogative gouvernementale et à réprimer une révolte des vignerons du Midi, de multiples grèves à caractère révolutionnaire et l'agitation poursuivie par les syndicats — alors illégaux ! — de fonctionnaires. Tout cela le dresse, la soixantaine passée, contre beaucoup de ses vieux compagnons de lutte, en particulier contre les socialistes. A l'extrême-gauche, on crie au reniement, à la trahison. Mais ces clameurs ne font que rendre le « Tigre » — on commence à le nommer ainsi — plus combatif et plus provocant.

C'est un autre vieil enfant terrible du Parlement, Andrieux, qui a dit : « Je ne conçois la discipline que dans mes rapports avec mes subordonnés. » Clemenceau regrette que le mot ne soit pas de lui mais il en a de la même veine. Ses moins bons traits ne sont pas ceux qu'il décoche à ses collègues du ministère : « Qu'est-ce que vous voulez, » réplique-t-il un jour à quelqu'un qui lui reproche de ne réaliser aucun article de son programme, « qu'est-ce que vous voulez que je f.... entre Caillaux qui se prend pour Napoléon et Briand qui se prend pour Jésus-Christ ! » D'autres fois il élève le calembour à la hauteur d'un système de gouvernement : « Ah ! ce sous-préfet est nègre... Eh bien, je le nomme au Blanc ! »

Cette gouaille finit par lasser la Chambre qui, sous les coups de cravache du « dompteur », se montre de plus en plus rétive et cherche une occasion de se libérer. Elle la trouve, le 24 juillet 1909, quand le chef du gouvernement, interpellé par Delcassé, se montre envers celui-ci agressivement injuste et l'accuse d'avoir mené la France à la plus grande humiliation qu'elle ait subie depuis vingt ans.

Delcassé a pourtant pratiqué au Quai d'Orsay la politique de rapprochement avec l'Angleterre et de méfiance à l'égard de l'Allemagne qui est celle de Clemenceau. Mais il y a entre les deux hommes une rancune personnelle : le premier est l'intime d'un diplomate sans envergure, le comte d'Aunay, et de sa femme ; or le second s'est naguère obstinément refusé à réintégrer Aunay dans la Carrière...

On se croirait revenu aux jours où Clemenceau invectivait contre Jules Ferry, coupable d'avoir donné un Empire à la France. Cette fois, l'Assemblée se cabre et par deux cent-douze voix contre cent-soixante-seize le ministère est renversé.

Briand, l'intuitif, persuasif et caressant Briand, félin comme Clemenceau, mais du genre chat et non pas du genre tigre, devient alors, pour la première fois, président du Conseil et, naturellement, il propose un portefeuille à Poincaré.

Poincaré refuse, comme il refusera l'année suivante d'entrer dans le deuxième Cabinet Briand, comme il refusera, en mars 1911, d'être membre du ministère que constituera l'obscur Monis et, quelques mois plus tard, d'être membre de celui que formera Caillaux. Ces propositions, toujours renouvelées et toujours déclinées, semblent désormais faire partie du rituel de la IIIe République.

*
**

Ce n'est point que le sénateur de la Meuse méprise les honneurs : en 1907, il a éprouvé une satisfaction profonde à être élu membre du Conseil de l'Ordre des avocats et, au début de 1909, il n'a rien négligé pour assurer le succès de sa candidature à l'Académie française (1). Ce n'est point surtout qu'il se désintéresse de la chose publique : son assiduité aux commissions sénatoriales dont il fait partie et les discours qu'il prononce sont là pour prouver le contraire ainsi que le soin qu'il met à noter quotidiennement (souvent d'après le *Temps*) tous les faits, importants ou menu, de la vie parlementaire. Mais la conscience même qu'il a de sa valeur, jointe à la haute idée qu'il a de la fonction gouvernementale, fait que les apparences du pouvoir ne le tentent pas : il n'en estimerait que les réalités.

Or — et son deuxième passage rue de Rivoli l'a confirmé dans cette conviction — il pense que ces réalités resteront fictives tant que le gouvernement sera en présence de députés que les nuages qui montent à l'horizon diplomatique ne suffisent pas à rappeler au sérieux et qui paraissent beaucoup plus soucieux de leur réélection voire de leurs intérêts matériels (ils viennent de porter leur indemnité annuelle de neuf mille à quinze mille francs) que de l'intérêt national.

Le Parlement empiète sur l'Exécutif et ne fait pas son métier qui est de défendre les deniers des contribuables et d'étudier consciencieusement les projets de loi ; les ministres, harcelés, n'ont pas la liberté d'esprit nécessaire pour agir ; la Justice a perdu son indépendance et s'est mise au service des passions du moment. Pour redresser une situation qui va empirant sans cesse, pour mener à bien une œuvre de progrès et de justice, il faudrait une équipe d'hommes désintéressés, résolus et unis. Mais comment, dans les conditions de la vie parlementaire, constituer une telle équipe ?

C'est-là le thème du discours que Poincaré a prononcé en 1908 à l'occasion d'un banquet de l'Alliance démocratique et dans lequel on relève cette phrase caractéristique : « Toujours penser à la France, voilà le premier et le dernier mot de la politique, de la politique intérieure aussi bien que de la poli-

(1) Il y a été élu le 18 mars 1909, en remplacement de Gebhart et a prononcé son discours de réception le 9 décembre.

tique étrangère. » Et c'est aussi le thème de la plupart des articles qu'il donne au *Matin,* à l'*Echo de Paris*, au *Petit Journal*, à d'autres journaux encore, parisiens ou provinciaux.

Non pas qu'il soit devenu antiparlementaire. Mais il estime qu'en France le parlementarisme a été dévoyé par le scrutin d'arrondissement (quand Briand parle des « mares stagnantes, » il applaudit) et, avant de rentrer en scène, il attend qu'un redressement ait été opéré, soit par la vertu d'une réforme électorale, soit sous la pression du péril extérieur grandissant.

Et puis, doit-on ajouter pour expliquer pleinement la réserve de Poincaré pendant cette période, un simple portefeuille ne présente plus rien qui le puisse séduire, lui qui a déjà été quatre fois ministre. L'être de nouveau, ne saurait plus signifier pour lui qu'une chose : un appauvrissement, puisque cela l'obligerait à renoncer provisoirement à sa très lucrative profession. Ce n'est certes point qu'il soit avide : il reste tout prêt à sacrifier ses intérêts matériels au service de l'Etat, mais il faut que ce soit en un poste qui en vaille la peine.

Comme aux jours du lycée de Bar-le-Duc, ce à quoi il aspire — non par vanité mais parce qu'il s'en sent digne — c'est à la place de premier : or cette place, c'est désormais pour lui la Présidence du Conseil.

Il sait qu'elle lui écherra un jour. Mais il ne témoigne aucune hâte fébrile à l'occuper car il a le don de patience. Quand il a été élu membre de l'Académie française au premier tour de scrutin et à la très forte majorité de vingt voix sur trente-et-un votants, il a répondu à quelqu'un qui le félicitait de l'éclat de cette élection : « C'est qu'on m'a su gré d'avoir attendu. »

L'attente cependant ne saurait chez lui signifier paresse et les loisirs que lui laisse la politique, il les consacre à des activités multiples.

Le Barreau d'abord :

« Je suis » a-t-il déclaré dans un toast prononcé à l'issue d'un dîner d'avocats « comme ces maris qui trompent leur femme, mais qui l'aiment d'autant plus qu'il la trompent davantage. » Il a en effet trompé un moment sa profession avec le pouvoir mais il l'a ensuite retrouvée avec une tendresse accrue. Ses succès au Palais ne se comptent plus, les clients se disputent le privilège de lui confier leurs causes et il jouit désormais du grand luxe de pouvoir faire un choix entre ces causes, n'acceptant de défendre que celles qui lui paraissent à la fois intéressantes et justes. Il a une suprême ambition : le Bâtonnat et, en 1910, il y sera candidat ; ses confrères lui préféreront Fernand Labori, l'ancien avocat de Dreyfus, et ce sera un des seuls échecs de sa carrière. L'amertume qu'il en ressentira contribuera peut être à lui faire rechercher une compensation dans une participation plus active à la vie publique.

Les Lettres ensuite :

Depuis longtemps il n'écrit plus ni vers, ni romans, mais les articles qu'il publie et les conférences qu'il prononce ont souvent des sujets littéraires ou historiques traités avec une pertinence qui fait l'admiration des connaisseurs. Quand il a parlé à Bruxelles de la littérature belge, le poète Emile Verhaeren lui a écrit : « Je ne me doutais pas qu'un homme aussi absorbé que vous par la vie put trouver le loisir de pénétrer aussi sûrement dans une littérature qui n'est pas la française et qui n'est pas la classique.... » Et quand, dans son discours de réception à l'Académie française, il a prononcé l'éloge de son prédécesseur Gebhart, l'aimable et facile historien de l'Italie médiévale, il a trouvé, pour célébrer la Florence de Dante et l'Arezzo de Pétrarque des accents dont la netteté n'était exclusive ni de grâce ni d'harmonie. Ce discours a connu le plus mérité des succès ; tous les académiciens sans exception ont fait fête à leur nouveau confrère — même et surtout ceux qui n'avaient point voté pour lui — et lui, en retour, a mis désormais sa coquetterie à être assidu aux séances de la Compagnie et à s'associer, avec une exemplaire conscience, aux travaux du Dictionnaire. N'est-ce pas à lui qu'on doit l'introduction du mot « mirabellier », cet arbre lorrain par excellence ?

Les voyages aussi :

Soit à l'occasion de procès internationaux, soit qu'il profite des mois de vacances, Poincaré quitte de plus en plus fréquemment la France et s'en va recueillir hors des frontières des impressions nouvelles : on le voit accompagné de sa femme, en Algérie (1), en Allemagne, en Autriche, en Roumanie, en Espagne et surtout en Italie. Devant les paysages ses enthousiasmes restent un peu artificiels, apprêtés et alourdis de réminiscences classiques, mais il a, en présence des œuvres d'art, des réactions à la fois intelligentes et spontanées; les termes dans lesquels il parle des Vélasquez du Prado sont — c'est tout dire — dignes du sujet. Au cours de ces voyages il se révèle infatigable, curieux de tout, détendu, loquace, parfois badin. Ne se lie-t-il pas, en Kabylie, d'une sorte d'amitié avec un ménage de cantonniers ? Et ne lui arrive-t-il pas un jour de se faire, dans un couloir de wagon-lit, souffleter par une fille de service qu'il tente de lutiner ?

La famille enfin :

Le ménage Poincaré n'a pas d'enfants et c'est pour lui un sourd chagrin. Mais son potentiel d'affection paternelle, Poincaré le reporte sur les nièces de sa femme, les trois demoiselles Lannes. On le voit les inviter chaque été à Sampigny, les emmener en voyage, s'intéresser à leurs études, conseiller leurs lectures, leur faire faire des dictées, corriger leurs devoirs et mêler à des propos enjoués de judicieux avis.

On ne résiste pas au plaisir de citer la lettre qu'au début de 1911, il adresse à la seconde de ses nièces, Lysie :

« Mon cher petit Liseron... Marraine (2) prétend que je cours, de gaîté de cœur, à une mort prochaine, parce que je ne prends aucun repos, mais je n'arrive pas à me ménager des loisirs ni même à trouver le temps de faire avec toi de ces petites causeries qui me sont si agréables. J'avais gardé ta dernière lettre sur moi pour entretenir mes remords, elle s'est trouvée toute fanée sans que j'y aie répondu et, pendant que les jours passaient, je disais sans cesse à Marraine : Il faut pourtant que je trouve une minute pour écrire à Liseron... Je

(1) C'est là qu'il fait la connaissance d'André Maginot, alors directeur de l'Intérieur du gouvernement général et qui sera plus tard un de ses meilleurs collaborateurs.

(2) Madame Raymond Poincaré.

suis heureux que tu comprennes mieux La Fontaine qu'autrefois... C'est surtout le génie de La Fontaine qui passe par-dessus des têtes de douze ou treize ans, parce qu'il cache, sous une naïveté charmante, une profondeur où des enfants ne peuvent guère descendre... Je suis content que les deux livres de Barrès, *Colette Baudoche* et *Au service de l'Allemagne* te plaisent. J'ai justement à écrire aujourd'hui à l'auteur pour le remercier d'un envoi et je vais lui dire que j'ai une nièce fanatique, comme moi, de ces deux œuvres....

« Je trouve que tes compositions sont en progrès réel. Mais tes maîtresses ont raison de dire que tu n'écris pas lisiblement (tu me diras que, si je m'approprie ces reproches, je ressemble à Grosjean, lorsqu'il veut en remontrer à son curé), ton orthographe, elle aussi, laisse toujours à désirer. Et il est vrai que ton style continue à être terne et à manquer de relief. Il y faudrait plus de couleur et plus d'*Art*. Relis les exemples cités dans Lanson. J'aimerais mieux, dans ta façon d'écrire, un excès d'abondance que tant de sécheresse. On peut toujours, comme a dit un Latin, couper ce qui est en trop. On ne peut pas toujours gagner plus tard ce dont on a manqué dans sa jeunesse. Mieux vaut donc, à ton âge, un style trop riche qu'un style trop pauvre... Je t'embrasse de tout mon cœur, bien tendrement. »

Quand, en juin de la même année 1911, Poincaré perdra son père, il écrira à sa belle-sœur :

« Je voudrais que la douleur de Marraine et la mienne fussent pour Lysie et pour Yvonne la démonstration vivante de ce que les parents sont pour les enfants et le vide que laisse leur disparition. Toutes deux, sans doute, aiment bien leur papa et leur maman, mais elles ne savent pas, elles ne peuvent pas savoir à quelle profondeur de leur cœur descendent vraiment les racines et cet amour. Il n'y a que la mort, hélas ! qui permette de le mesurer... »

Et le 25 décembre, il mandera à Yvonne, la troisième nièce :

« J'ai profité du jour de Noël pour lire attentivement les deux compositions que je te retourne. Je trouve les observations de ton professeur très justes. Tu n'es pas encore à l'abri des fautes d'orthographe. Tu te contentes d'à-peu près et même de termes impropres, tu manques d'ordre dans la composition et, si Fénélon a dit que l'ordre est la plus difficile des opérations de l'esprit, n'oublie pas que c'est la plus nécessaire : dans toute œuvre littéraire ou artistique, l'ordre et l'harmonie sont les conditions essentielles de la beauté. »

Vit-on jamais oncle plus attentif ?

Ainsi s'écoulent ces années de demi-recueillement. Mais cette réserve même dont Poincaré fait preuve le sert aux yeux de l'opinion.

Lui si peu soucieux des suffrages du grand public, si compassé, si distant, si aigre parfois, le voici parvenu, au moins à Paris et dans les milieux avertis, à une sorte de popularité.

On vante son application, sa conscience, sa puissance de travail et surtout son désintéressement. On cite à son propos des anecdotes qui ravissent ceux qu'écœure la facilité des mœurs parlementaires : le tri qu'il opérait, étant ministre, entre sa correspondance officielle et ses missives personnelles, confiant la première à l'huissier de service et jetant lui-même les secondes à la poste après les avoir affranchies de ses deniers ; son refus de toucher, en tant qu'avocat, des honoraires pour une affaire importante qu'il avait longuement étudiée, mais qu'il n'avait pas eue à plaider ayant réussi à la régler, avant l'audience, par une transaction avantageuse pour son client ; son refus aussi de percevoir, comme officier de réserve, aucune indemnité de déplacement (car, représentait-il, son titre de sénateur lui donnait libre parcours sur les chemins de fer) ; la fin absolue de non recevoir qu'il oppose à toute demande de recommandation émanant d'un parent ; le coussin brodé renvoyé à une admiratrice qui lui en avait voulu faire cadeau. Bien d'autres anecdotes encore qui lui valent d'être surnommé au Palais « la blanche hermine », à la Chambre « le Chevalier Bayard »...

Discrètement une « légende Poincaré » tend peu à peu à se former qui néglige le côté tendre et le côté prudent mais emprunte d'ailleurs plusieurs traits à la réalité : la légende du Lorrain énergique et têtu, du patriote incorruptible, de l'infatigable chasseur à pied, de l'homme d'acier (« Un roseau peint en fer » murmurent ses adversaires, mais on ne les croit point).

Cette légende, jointe aux qualités intrisèques de l'homme, ne va pas peu contribuer, quand l'orage montera à l'horizon, à lui faire confier le gouvernail.

CHAPITRE VII

FIN DES TEMPS FACILES ET CRISE D'AGADIR

La France en 1911. — Fallières. — Développement des sports. — Les maîtres de la jeunesse. — Les lettres, le théâtre, les arts. — Les Ballets russes. -- Volonté général de renouvellement perceptible au sein du Parlement lui-même. — Briand et la politique d'apaisement. — Chute de Briand, bref ministère Monis. — L'avènement d'un cabinet Caillaux marque un redressement à gauche. — Caillaux, l'homme et le politique. — Ses rapports avec Poincaré. — L'Allemagne envoie la « Panther » en rade d'Agadir. — Antécédents de ce geste. — Pour laisser à la France les mains libres au Maroc, l'Allemagne exige des « compensations ». — Désir de Caillaux de parvenir à une liquidation du différend franço-allemand. — A l'insu de son ministre des Affaires Etrangères, il noue la négociation qui est ensuite poursuivie officiellement. — Nervosité des opinions publiques. — Le traité du 4 novembre 1911 laisse à la France la liberté d'établir son protectorat sur le Maroc moyennant l'abandon à l'Allemagne d'une fraction du Congo. — Poincaré rapporteur de la Commission Sénatoriale chargée d'examiner le traité. — Il est favorable à la ratification mais réprouve les méthodes employées par Caillaux. — La démission de de Selves oblige le Cabinet Caillaux à se retirer. — Fallières charge Poincaré de dénouer la crise. — Il accepte et forme un gouvernement.

1911. En dépit des remous de la vie publique, des crises ministérielles, des difficultés budgétaires, des grèves, de la mévente des vins, des foucades de Guillaume II et de la nervosité des peuples balkaniques, les Français vivent heureux dans une Europe encore équilibrée.

Armand Fallières règne à l'Elysée et sa panse rebondie, sa barbiche blanchissante, son toupet, sa fine bonhomie, son goût pour Montaigne et le vin qu'il récolte dans son domaine du Loupillon sont comme les symboles d'une République qui, sans être athénienne, apparaît cultivée, bourgeoise, confortable, souriante, avec ce qu'il faut de laisser-aller pour pouvoir se dire démocratique et ce qu'il faut de dignité pour susciter l'envie des monarchies faméliques.

Le pessimisme « décadent » et « fin de siècle » n'est plus qu'un souvenir. Le sport a acquis droit de cité et nos champions de tennis comme nos constructeurs d'automobiles triomphent dans les épreuves internationales. Les aviateurs français sont les premiers du monde : en 1909, Blériot a traversé la Manche ; en 1910, Chavez a franchi les Alpes.

La jeunesse a pris une importance nouvelle et les aînés se penchent anxieusement sur elle, se demandant ce qu'elle pense et où elle va. Elle a ses maîtres, inconnus ou peu connus de la génération précédente et qui, sauf exception, — André Gide est la plus notoire — l'orientent, loin des chemins du symbolisme, du naturalisme et de l'intellectualisme, vers un retour aux traditions et au spiritualisme : ce sont Maurice Barrès, plus que jamais adepte du culte de la Terre et des morts, Henri Bergson dont l'*Evolution créatrice* a été donnée en 1906, Péguy dont le *Mystère de la Charité de Jeanne d'Arc* a paru en 1910, Paul Claudel qui vient de publier l'*Otage* et aussi Charles Maurras qui, depuis 1908, mène dans l'*Action française* une lutte quotidienne en faveur du nationaliste intégral et contre tous les principes dont s'est nourri ce que son associé Léon Daudet nomme le « stupide XIXe siècle ». Pour Marcel Proust, que son état de santé a éloigné du monde brillant où il évoluait, nul ne soupçonne encore l'influence qu'il exercera.

La poésie est en baisse, Albert Samain, Paul Fort et même Henri de Régnier ne font que d'agréables exercices. C'est encore dans le mystère que Paul Valéry, silencieux depuis 1895, agence les nombres d'or de ses poèmes savamment hermétiques. Quant à Guillaume Apollinaire, sa réputation de charmant extravagant est confinée en de bien étroits cénacles, sans doute inconnus à Poincaré.

Le théâtre, par contre, connaît une faveur inouïe. Ce n'est pas que les œuvres des auteurs en vogue — Hervieu, l'ami intime de Poincaré, Brieux, Rostand, Bataille, Donnay, Capus, Flers et Caillavet, Tristan Bernard, Porto-Riche, le jeune Bernstein — soient destinées à passer à une lointaine postérité, mais c'est que ces œuvres sont interprétées par des acteurs hors ligne, tels qu'on n'en a jamais vus d'aussi nombreux et de tant de talent à la même époque : la vieille Sarah Bernhardt, Bartet, Mounet-Sully, des deux Coquelin, Réjane, Lucien Guitry, Gémier, de Max, Le Bargy, Eve Lavallière, Max Dearly, d'autres encore... Les salles de spectacles sont bien vraiment le cœur de Paris, le cœur peut-être de l'Europe, et les critiques influents sont des rois. Le cinéma, en dépit de Max Linder et de Rigadin, ne saurait encore balancer cette suprématie du théâtre et, seul, fait à celui-ci une timide concurrence le music-hall où triomphent Dranem, Polin, Mistinguett, Mayol et où perce déjà Maurice Chevalier.

Si les signes avant-coureurs d'une révolution de l'expression sont encore mal discernables dans les lettres, par contre se manifestent-ils nettement dans les arts. En peinture notamment, non seulement les Académistes mais les Impressionnistes sont dépassés et sous l'influence de Cézanne, l'idée se développe que l'œuvre n'a pas pour objet l'imitation de la nature mais doit tendre à exprimer une réalité plus profonde : les « Fauves » sont imprégnés de cette idée que les premiers Cubistes creusent encore plus profondément (1). Inutile de dire que les essais de ces novateurs déconcertent le public même averti et que Poincaré, toute alerte que soit son intelligence, restera toujours devant eux plus que réservé.

En sculpture, l'évolution est moins marquée et elle reste dominée par le génie naturaliste de Rodin bien que déjà Bourdelle et Maillol s'orientent vers des recherches originales. Mais c'est surtout à l'architecture qu'une technique nouvelle,

(1) La première grande manifestation d'ensemble du cubisme se produit au salon d'Automne de 1911.

celle du Béton armé, ouvre des voies jusque-là insoupçonnées : les frères Perret commencent l'édification du Théâtre des Champs Elysées qui servira bientôt de digne cadre à cette autre révélation : les Ballets Russes.

En attendant, ceux-ci sont présentés sur la scène du Châtelet où ils alternent avec le *Martyre de Saint-Sébastien* de d'Annunzio... *Shéhérazade*, les *Danses du Prince Igor, Petrouchka*, *Daphnis et Chloé* ; les musiques de Claude Debussy, de Rimsky-Korsakov, de Borodine, de Stravinsky, de Ravel ; les décors de Bakst ; Nijinski, Karsavina, Ida Rubinstein : c'est tout un monde coloré, diapré et bondissant qui jaillit aux yeux des Parisiens éblouis. La mode va s'emparer de ces nouveautés et, tandis que le couturier Poiret drapera ses clientes à la caucasienne, les bals persans feront fureur.

Ce bouillonnement d'idées et d'images neuves qui rend si attachantes les années qui ont immédiatement précédées la guerre de 1914, il ne semble pas que Poincaré, quels que fussent ses contacts avec les milieux littéraires et artistiques, l'ait perçu bien nettement. On le voit pessimiste et surtout sensible à la médiocre tenue des débats parlementaires, à l'indiscipline des fonctionnaires et au désordre — tout relatif — des finances.

Pourtant, au sein du Parlement lui-même, un observateur attentif pourrait discerner comme des velléités de renouvellement.

Briand, dont les antennes sont prodigieusement sensibles, a, lui, deviné cette tendance et au cours de ses deux ministères successifs il a pratiqué une politique d' « apaisement » et à vrai dire de dissociation des partis. Les élections législatives, auxquelles il a présidé en 1910, n'ont pas en apparence beaucoup modifié l'équilibre externe de ces partis. Mais, intérieurement, les altérations ont été assez profondes ; deux cents nouveaux députés sont entrés à la Chambre, qui n'ont point tous les préjugés de leurs devanciers ; en particulier beaucoup de ceux qui se sont fait inscrire au groupe radical-socialiste sont en réalité des modérés. Une fois de plus, la vieille loi de la IIIe République s'est vérifiée : « orientation des électeurs vers la gauche et des élus vers la droite. »

Mais l'énergie avec laquelle Briand a jugulé une grève des employés de chemin de fer n'a pas tardé à lui valoir l'hostilité déclarée de l'extrême-gauche et, en dépit d'un « replâtrage » de son ministère, il a dû finir par laisser la place à un radical bon teint, Ernest Monis.

En juin 1911, après une courte vie sans gloire, le cabinet Monis tombe sans fracas et le président Fallières fait appel à Joseph Caillaux, un des chefs du parti radical-socialiste.

Caillaux est une des figures à la fois les plus attachantes et les plus irritantes de la IIIe République : fils d'un ministre fort réactionnaire de Mac-Mahon, brillant inspecteur des Finances, auteur d'un ouvrage apprécié sur les *Impôts en France,* il a trois années de moins que Poincaré, a été élu député de Mamers en 1898 et dès l'année suivante, âgé seulement de trente-six ans, est entré dans le Cabinet Waldeck-Rousseau avec le portefeuille des Finances qu'il a ensuite repris dans le ministère Clemenceau. Inscrit au début au groupe progressiste il est plus tard passé au groupe radical qu'il domine de toute la hauteur de son intelligence, de sa compétence et de sa naturelle autorité.

Piaffant, hennissant, monoclé, d'une élégance impeccable, il apporte, parmi ces petits bourgeois, des allures de talon rouge. Il est sans doute moins aristocrate qu'il ne le prétend, car les formules qu'il affectionne (« Le milieu dans lequel j'ai été élevé... Le monde que j'ai eu l'habitude de fréquenter... Ceux qui, comme moi ont eu des domestiques dans leur jeunesse... ») manquent de simplicité et ne sentent pas le vrai gentilhomme. Mais c'est incontestablement un grand bourgeois et c'est avant tout un parfait produit de l'Inspection des Finances avec tout ce que le terme comporte de vaste culture, de connaissances techniques, d'attachement à la chose publique et aussi de contentement de soi.

Caillaux a la passion du service public et, pour s'en convaincre, il suffit d'écouter la résonance que prennent dans sa bouche certaines expressions comme : « Les intérêts du

Trésor... La prérogative du gouvernement... Les nécessités budgétaires... » Mais, très grand Commis, il est loin de n'être qu'un Commis et il a des côtés de véritable homme d'Etat. Mieux que la plupart de ses collègues radicaux, il devine la nécessité de réformes sociales hardies et surtout il a un sens européen qui manque alors à la presque totalité des parlementaires, pour ne pas dire des Français.

Patriote incontestable, il n'en redoute pas moins une guerre qui risquerait de sonner le glas de la civilisation européenne et il estime que la France a mieux à faire qu'à remâcher indéfiniment sa défaite de 1870 et à rêver sourdement d'une Revanche...

Malheureusement, ses dons de clairvoyance sont partiellement gâtés par un orgueil effréné, une nervosité quasi-maladive, la conviction qu'il a d'être au-dessus des normes habituelles de la moralité et un goût singulier pour les entourages douteux, les amitiés suspectes et les cheminements ténébreux. « Ploutocrate démagogue, » a-t-on dit. Plutôt un condottiere de la Renaissance.

Caillaux forme un Cabinet nettement orienté à gauche avec un programme de « réformes laïques, fiscales et sociales ». Se conformant à l'usage maintenant bien établi, il a offert un portefeuille — celui des Affaires Etrangères — à Poincaré. Mais celui-ci s'est encore une fois dérobé en arguant de devoirs de famille.

Jusqu'ici pourtant les rapports entre les deux hommes ont été amicaux et ils le restent en apparence. En octobre 1911 le sénateur de la Meuse ne sera-t-il pas, lors du second mariage de Caillaux, le témoin de la mariée ?

Bien que Poincaré soit davantage juriste et Caillaux davantage fonctionnaire, tous deux sont dans la tradition des grands serviteurs de l'Etat. Ils le savent et s'en estiment réciproquement. Mais là se borne le contact et aucune affinité profonde n'a jamais jailli entre la raisonnable solidité de l'un et la capricante impulsivité de l'autre.

Et puis, pour l'instant, ils sont nettement opposés sur deux points importants de politique intérieure :

Caillaux qui, étant ministre des Finances du Cabinet Clemenceau, a fait voter par la Chambre un texte instituant l'impôt progressif sur le revenu, veut maintenant faire sortir ce texte des sables sénatoriaux où il s'est enlisé ; or, Poincaré, en tant que membre, au Luxembourg, de la Commission des Finances, s'en est déclaré l'adversaire résolu. D'autre part Poincaré, dans son dégoût des mœurs « arrondissementières », est ardemment favorable à la réforme électorale que discute la Chambre et dont l'objet est d'instituer le scrutin de liste avec représentation proportionnelle ; Caillaux au contraire, que les hommes intéressent plus que les principes, est fermement résolu à empêcher cette réforme d'aboutir.

Il arrive maintenant à chacun des deux ténors de tenir sur l'autre des propos mi-figue mi-raisin, lesquels, bien entendu, sont immédiatement rapportés à l'intéressé.

Mais voici que la politique intérieure passe brusquement au second plan quand, le 1er juillet 1911, un navire de guerre allemand, la *Panther,* vient mouiller en rade d'Agadir, sur la côte marocaine, et quand les commentaires de la presse du Reich donnent à ce geste le caractère d'un quasi-ultimatum.

***

Depuis six ans la question du Maroc n'a pas cessé d'empoisonner les relations franco-allemandes.

Tandis que, forte des accords conclus tant avec la Grande-Bretagne qu'avec l'Espagne, forte aussi de son alliance avec la Russie et de l'assentiment tacite de l'Italie, la France a patiemment poursuivi son entreprise de pénétration dans l'Empire chérifien, l'Allemagne, elle, n'a pas cessé de contrecarrer cette entreprise.

Deux raisons à cela : d'abord la phobie de l' « encerclement » et le désir passionné de rompre l'entente franco-britannique ; ensuite le regret amer de n'être pas partie à temps dans la course à l'expansion coloniale et la pensée qu'en brouillant les cartes, il serait peut-être possible de remettre en cause les partages déjà effectués.

De là une politique hargneuse, saccadée et dont l'inspirateur n'est autre que l'empereur Guillaume II.

Le Kaiser n'est point un sot et ne désire pas véritablement la guerre. Mais vaniteux, instable, persuadé que son destin est de donner à son pays la prépondérance mondiale comme Bismarck lui a donné la prépondérance sur le continent européen, il se sent personnellement blessé par les succès internationaux que remporte cette France qu'il a naguère en vain tenté de séduire.

En 1905, il a, par son discours de Tanger, donné sur la table un violent coup de poing qui a entraîné la chute de Delcassé, l'artisan de l'Entente Cordiale. Ce succès est resté sans lendemain et la Conférence d'Algésiras a témoigné à la fois de la solidité des liens franco-britannique et de la densité des méfiances accumulées autour de l'Allemagne.

La France, dont les intérêts particuliers au Maroc ont été internationalement reconnus, a poussé ses avantages, mais l'Allemagne n'a pas perdu une occasion d'en témoigner sa mauvaise humeur.

En septembre 1908 un grave incident a surgi à propos de l'arrestation, par la police française, de sujets allemands, engagés dans la Légion étrangère française et dont le consul du Reich à Casablanca avait tenté de favoriser la désertion. Le gouvernement de Berlin a demandé la libération des déserteurs en même temps que des excuses. Clemenceau, alors président du Conseil, a répliqué en réclamant la révocation du trop entreprenant consul. Un instant le spectre de la guerre s'est levé à l'horizon. Il a été conjuré en partie grâce aux bons offices de l'Angleterre et l'affaire a été réglée par voie d'arbitrage.

En février 1909, un accord franco-allemand a même été conclu aux termes duquel, tandis que le Reich affirmait son désintéressement politique au Maroc, la France s'engageait à appeler des entreprises allemandes à collaborer au développement économique du pays. Accord signé non sans restrictions mentales de part et d'autre : les Allemands comptaient bien en profiter pour s'implanter solidement dans une partie au moins de l'Empire Chérifien ; quant aux Français, la plupart d'entre eux souhaitaient qu'il ne fût pas mis réellement à exécution (les nationalistes parce que toute collaboration avec l'Allemagne leur paraissait masquer une renonciation tacite à l'Alsace-Lorraine, les socialistes parce qu'ils craignaient que l'accord ne profitât qu'à de grosses entreprises privées).

La méfiance réciproque subsista, aggravée par les incidents dont les Balkans étaient alors le théâtre et qui opposaient la Russie, alliée de la France, à l'Autriche-Hongrie, alliée de l'Allemagne.

Là-dessus survinrent à Fez, en avril 1911, des désordres mettant en péril la vie des ressortissants français. A l'appel du Maghzen, le gouvernement de Paris — il était alors dirigé par Monis — décida l'occupation militaire de la grande ville chérifienne. Opération sans doute nécessaire mais qui pouvait donner occasion au gouvernement allemand de prétendre que la France avait débordé les limites fixées à Algésiras.

Il n'y manqua point et l'envoi de la *Panther* à Agadir fut l'expression de son : « *Quos ego...* »

Très vite la portée de ce geste insolite apparaît : l'Allemagne, pour prix de son désintéressement au Maroc veut des « compensations », de larges compensations, aux dépens des possessions françaises d'Afrique équatoriale ; si on ne les lui accorde pas, elle exigera que nous renoncions au Maroc ; en cas de double refus ce sera la guerre.

Personne en France ne veut cette guerre ; mais en présence des continuelles provocations allemandes, beaucoup de Français en sont arrivés à la juger inévitable et à s'y résigner. Au Quai d'Orsay en particulier, plusieurs chefs de service, formés à l'école anglophile et germanophobe de Delcassé, estiment que la conjoncture diplomatique nous donnerait en cas de conflit, des chances sérieuses de victoire. Et ils font partager leur conviction par leur ministre.

Ce ministère, que Caillaux a choisi après le refus de Poincaré, c'est le sénateur Justin de Selves, neveu de Freycinet, très galant homme mais sans forte personnalité et aisément influençable. A l'instigation de ses collaborateurs, il incline à se refuser à toute conversation avec Berlin, dût la guerre en résulter.

Caillaux, son président du Conseil, est d'un sentiment tout

opposé. Il sait l'armée britannique bien faible numériquement, l'armée russe encore mal remise de la défaite que lui a infligée le Japon, il connaît les insuffisances de l'armement français — spécialement dans le domaine de l'artillerie lourde — et, surtout, tous ses instincts de bon Européen se hérissent à la pensée de la terrible régression qu'un conflit généralisé ferait subir à la civilisation.

Certes, il n'est pas disposé à mendier la paix à tout prix et il n'entend pas s'incliner devant les exigences allemandes. Mais il veut qu'une discussion ait lieu et, comme le Quai d'Orsay lui paraît s'y dérober, il prend l'affaire en mains.

Seulement, parce qu'il a un goût italien pour les machinations tortueuses, au lieu d'imposer sa volonté à son ministre des Affaires Etrangères et aux bureaux, il préfère avoir recours à des intermédiaires officieux et, par le truchement d'un M. Fondère, homme d'affaires versé dans les questions congolaises, il prend contact avec M. de Lancken, conseiller de l'ambassade d'Allemagne à Paris et confident de Guillaume II.

Son désir serait d'arriver à conclure entre la France et l'Allemagne un accord d'envergure réglant une fois pour toutes les difficultés nées, au cours des dernières années, entre les deux pays. Lancken ne le suit pas sur ce terrain, mais la conversation n'en a pas moins été amorcée et elle peut bientôt, rejoignant les voies diplomatiques normales, être poursuivie entre Jules Cambon, ambassadeur de France en Allemagne, et Kiderlen-Waechter, secrétaire d'Etat du Reich pour les Affaires Etrangères.

Dure conversation dont les échos mettent à rude épreuve les nerfs des Français. Au début, pour nous laisser les mains libres au Maroc, le gouvernement allemand n'exige rien de moins que la totalité du Congo français. Adroit et patient négociateur, Jules Cambon ne désespère cependant pas et il finit par faire admettre par son interlocuteur l'arrangement suivant : le Reich acceptera l'établissement d'un Protectorat français sur le Maroc ; en compensation il recevra au Congo des territoires d'une superficie de deux cent-soixante-quinze mille kilomètres carrés ; par contre, il cédera à la France une petite bande de territoire prélevé sur le nord du Cameroun.

Le 4 novembre 1911, le traité est signé.

Il peut paraître honorable pour les deux parties : l'Allemagne voit s'étendre notablement ses possessions dans l'Ouest africain et la France, de son côté, n'a pas payé trop cher la levée de la lourde hypothèque qui pesait sur le Maroc.

Un déchaînement de colères ne s'en manifeste pas moins dans l'un et l'autre pays. En Allemagne, les pangermanistes et le clan militaire invectivent contre ce qu'ils nomment une reculade de la diplomatie du Reich ; en France les nationalistes et même beaucoup de gens qui se défendent de l'être, tels Clemenceau, reprochent véhémentement à Caillaux d'avoir sacrifié des territoires français à l'arrogance allemande (1).

La ratification du traité du 4 novembre est obtenue de la Chambre des députés. On remarque l'abstention des députés de l'Est, hostiles par principe à tout rapprochement franco-allemand.

Reste à franchir le cap sénatorial.

Pour étudier le projet, le Sénat a constitué, sous la présidence de Léon Bourgeois, une Commission spéciale de vingt-six membres dont Clemenceau fait partie et qui à l'unanimité désigne Poincaré comme rapporteur général.

Le sénateur de la Meuse n'est pas insensible aux grands avantages que comporte le traité et il se déclare disposé à en proposer la ratification. Seulement, lui qui aime la France comme il n'a jamais aimé aucune femme, il a cruellement souffert de la voir exposée, pendant la négociation, aux insolences des reîtres germaniques. Et puis son esprit légaliste a été profondément choqué des irrégularités qui ont marqué cette négociation.

C'est qu'il est au courant des contacts secrets que le pré-

---

(1) Dès le 16 septembre Jules Cambon écrivait à Caillaux : « Si l'opinion française ne se meut plus que par l'amour-propre et n'a plus le sens du réel, nous sommes condamnés à faire de la politique à l'espagnole et par suite à avoir le sort de l'Espagne. » Appréhension, hélas, prophétique à longue échéance...

sident du Conseil a pris, à un certain moment, avec le conseiller de l'Ambassade d'Allemagne.

Celui-ci, en effet, en a télégraphié à Berlin, deux de ses télégrammes ont été déchiffrés par les cryptographes du Quai d'Orsay et de Selves, ulcéré d'avoir été tenu à l'écart, a communiqué à Poincaré en même temps qu'à Clemenceau le résultat de ce déchiffrement.

L'affaire s'ébruitant, Caillaux, inquiet, demande au rapporteur de ne pas faire officiellement état des télégrammes déchiffrés secrètement.

Poincaré acquiesce tout en ne cachant pas sa réprobation à l'égard des méthodes obliques qu'a cru pouvoir employer le président du Conseil.

— Et si la Commission m'interroge à ce sujet, lui demande Caillaux, que pensez-vous que je doive dire ?

— Je vous conseille de répondre simplement : « Comme chef du gouvernement, j'étais responsable des négociations ; je n'ai pu m'en désintéresser et je me suis servi des agents auxquels il m'a paru utile d'avoir recours. » La Commission ne vous demandera pas de vous expliquer davantage.

Le conseil est bon. Mais le 9 janvier 1912, jour de sa comparution, Caillaux l'oublie et, au terme d'un exposé qui a fait grande impression sur la Commission, il s'exclame, emporté par sa nervosité : « Je donne ma parole qu'il n'y a jamais eu de tractations politiques ou financières d'aucune sorte, autres que les négociations diplomatiques et officielle ! »

Effarement, Clemenceau saisit la balle au bond et se tournant vers de Selves qui est présent :

— M. le Ministre des Affaires Etrangères, s'écrie-t-il, peut-il nous confirmer la déclaration de M. le Président du Conseil ?

De Selves se trouble et finit par balbutier :

— Je prie la Commission de m'autoriser à ne pas répondre.

C'est, sous une forme embarrassée, un désaveu infligé à Caillaux qui, rouge de colère, foudroie du regard son ministre des Affaires Etrangères. A l'issue de la réunion celui-ci adresse sa démission au président de la République.

« Le Tigre », une nouvelle fois, n'a pas manqué sa proie et le ministère est touché à mort.

Pendant vingt-quatre heures Caillaux se débat encore ; non sans peine, il décide Delcassé, ministre de la Marine, à passer au Quai d'Orsay. Mais il ne parvient pas à trouver quelqu'un qui accepte le portefeuille de la Marine et il finit par porter à l'Elysée la démission collective du Cabinet.

Le surlendemain, 11 janvier, après avoir pris l'avis des présidents du Sénat et de la Chambre, Fallières convoque Poincaré et lui confie la mission de former un gouvernement.

Enfin la place de premier !... Mais Poincaré, conscient des lourdes responsabilités qui vont peser sur ses épaules, n'accepte pas sur-le-champ. Ce n'est qu'après avoir consulté Léon Bourgeois et Delcassé qu'il se décide.

Il mène avec prudence ses négociations et les décrets ne paraissent au *Journal Officiel* que le 15 janvier : Poincaré, en même temps que président du Conseil, est ministre des Affaires étrangères, Briand garde des sceaux, Millerand ministre de la Guerre, Delcassé ministre de la Marine, le portefeuille de l'Intérieur va à Steeg, solide radical-socialiste, celui de l'Instruction Publique à Guist'hau, intime de Briand, celui des Travaux publics à Jean Dupuy, propriétaire du *Petit Parisien,* celui du Commerce à Fernand David qui représente les radicaux indépendants, ceux des Finances et des Colonies restent à Klotz et Albert Lebrun qui les détenaient déjà dans le Cabinet Caillaux.

Equipe solidement charpentée, harmonieusement balancée du point de vue politique et comprenant plusieurs fortes personnalités. Toutefois le nouveau président du Conseil n'a pas cru devoir offrir de portefeuille à Clemenceau...

La presse et l'opinion font, dans leur ensemble, un accueil chaleureux au nouveau Cabinet, qu'on qualifie de « grand ministère ». A l'étranger, Allemagne comprise, les commentaires sont sympathiques.

Le 16 janvier, Poincaré lit à la tribune de la Chambre la déclaration du Gouvernement. Aucune allusion n'y est faite à des réformes sociales, ni même fiscales. En revanche, la réforme électorale y est promise et l'accent placé sur la nécessité de « donner au pays le sentiment de sa sécurité ».

A la suite d'une interpellation de pure forme, l'Assemblée vote la confiance par quatre cent-quarante voix sur quatre cent-quarante six votants, la droite et les socialistes s'abstenant.

Et maintenant, au travail !

CHAPITRE VIII

CHEF DU GOUVERNEMENT

Poincaré au Quai d'Orsay. — Ses méthodes de travail. — Les tâches immédiates qui s'imposent à lui. — Il fait ratifier par le Sénat l'accord franco-allemand. — Etablissement du Protectorat français sur le Maroc. — Persistance de la tension entre l'Allemagne et la France. — Bellicisme du parti militaire allemand. — Exaspération des Français. — Poincaré, ami de la Paix, est d'abord l'avocat de la France. — Nostalgie des provinces perdues. — Son patriotisme un peu étroit, mais absolu et désintéressé. — Il donne un ton plus fier à la diplomatie française. — Incident avec l'Italie. — Resserrement de l'Entente cordiale. — Resserrement de l'alliance russe. — Isvolsky, l'homme, son influence. — Voyage de Poincaré en Russie. — Il commence à songer à la présidence de la République. — « Si vis pacem, para bellum. » — La première guerre balkanique. — Poincaré s'efforce de la circonscrire. — Les manœuvres de l'Autriche-Hongrie mettent la paix européenne en péril. — La Conférence de Londres. — Poincaré expose à la Chambre la situation internationale. — Il se décide à être candidat à la présidence de la République. — Démission de Millerand. — Campagne de Clemenceau et de Caillaux contre Poincaré. — Le scrutin préparatoire à l'élection présidentielle. — Poincaré, distancé par Pams, maintient sa candidature. — La journée du 17 février 1913. — Election triomphale de Poincaré.

Poincaré, maintenant président du Conseil et ministre des Affaires étrangères, fait du Quai d'Orsay le centre de son activité, une activité intense et merveilleusement organisée.

Il loge dans le petit hôtel qu'il a loué en 1909 rue du Commandant-Marchand, mais tous les matins, avant huit heures trente, il est déjà arrivé au ministère, examinant aussitôt son courrier, décachetant lui-même les lettres qui lui sont personnellement adressées, répondant immédiatement, de sa propre main, à la plupart d'entre elles, en annotant quelques-unes, donnant aux membres de son cabinet des instructions précises et souvent écrites. Parfois il convoque un chef de service, mais à l'entretien oral, il préfère la note succincte et documentée.

Puis les audiences commencent, audiences accordées avec discernement et qui commencent à la minute précise qui a été fixée : le chef du gouvernement parle peu, écoute avec attention son interlocuteur, ne lui pose guère de questions, coupe court aux digressions oiseuses et évite de s'engager.

Après le déjeuner rapidement expédié, il va, si sa présence y apparaît nécessaire, à la Chambre ou au Sénat et, en tous cas, retourne le plus tôt possible à son bureau du Quai d'Orsay. Il y trouve les dossiers qu'il a réclamés, n'est jamais rebuté par leur épaisseur, les dépouille et les assimile avec une rapidité qui tient du prodige puis, sans désemparer, prend sa décision, la consigne dans une note et rédige le plus souvent lui-même les télégrammes d'exécution. Il interrompt son travail pour parcourir le *Temps* et vers huit heures du soir, il rejoint la rue du Commandant-Marchand, emportant souvent avec lui dans sa voiture d'ultimes dossiers qu'il va examiner fort avant dans la nuit.

Bien entendu, cette « mécanique », pour reprendre l'expression que Saint-Simon applique à l'existence de Louis XIV, est coupée de séances du Conseil des Ministres ou du Conseil de Cabinet, d'auditions devant les Commissions parlementaires, de banquets officiels et d'inaugurations de monuments provinciaux.

En face de cet effrayant labeur, Poincaré ne paraît jamais pressé, jamais débordé ; tout au plus sa voix se fait-elle de temps à autre plus sèche, son geste plus saccadé, son ironie plus mordante.

Encore que témoignant de la plus exacte courtoisie envers ses collaborateurs immédiats, il les garde à distance et ne les associe guère à son travail. Une exception est faite en faveur du charmant Maurice Paléologue, ancien condisciple de Poincaré que celui-ci, dès son arrivée au Quai d'Orsay, a transféré de la Légation de France en Bulgarie à la Direction politique du Ministère. Ce n'est guère qu'avec ce vieux camarade que le président du Conseil parle quelquefois à cœur ouvert.

Ces strictes méthodes jointes à sa prodigieuse facilité d'assimilation permettent à Poincaré d'abattre une immense besogne et de ne jamais rien laisser en souffrance. Tout en remplissant avec un soin scrupuleux ses fonctions de président du Conseil et en ne perdant jamais de vue ni les Finances, ni la Défense nationale, il va marquer son passage au Quai d'Orsay par une activité diplomatique intense.

Une des premières tâches qui s'imposent à lui est d'obtenir du Sénat la ratification de l'accord franco-allemand du 4 novembre 1911. Dans un discours véhément et quelque peu désordonné, Clemenceau tente de s'y opposer : « Nous sommes pacifistes », s'écrie-t-il, « pacifiques, pour dire le mot exact, mais nous ne sommes pas soumis... Nous venons d'une grande histoire et nous entendons la conserver ! » Ribot parle en sens contraire avec éloquence et pertinence. Quant au discours de Poincaré, c'est une plaidoirie bourrée d'arguments, impeccablement charpentée, mais sans chaleur. Finalement l'approbation est votée par deux cent-douze voix contre quarante-deux.

Le 30 mars, le traité de Protectorat est signé entre le Sultan Moulay Hafid et M. Regnault, notre ministre à Tanger ; le 27 juillet Poincaré désignera, comme premier Résident général, le général Lyautey ; dès le mois d'août celui-ci remplacera Moulay Hafid par son frère, Moulay Youssef, considéré comme plus sûr et, en septembre, il fera occuper Marrakech, la capitale du Sud, par le colonel Mangin.

Le Maroc — zone espagnole mise à part — est désormais français. Mais toute l'affaire et les campagnes de presse qui l'ont entourée ont profondément secoué Français comme Allemands et leur ont laissé un goût d'amertume.

Loin de créer, comme l'avait espéré Caillaux, une détente

durable entre les deux pays voisins, l'accord du 11 novembre 1911 a exaspéré rancœurs et méfiances. De part et d'autre on crie à l'humiliation nationale ; les chauvinismes sont déchaînés et, si les gouvernements ne se laissent pas encore gagner par la nervosité des opinions publiques, ils ne font, il le faut dire, pas grand'chose pour la calmer.

En Allemagne, un clan puissant, celui de l'Etat-Major, des doctrinaires du pangermanisme et de l'entourage du *Kronprinz*, désire ouvertement la guerre. Circonvenu par ce clan, qui le touche de près, l'empereur Guillaume II, impressionnable et instable, s'abandonne peu à peu. Dès le 7 février, il a, dans son discours du trône, annoncé des mesures portant accroissement des effectifs de l'armée, en avril, ces mesures ont été adoptées par le Reichstag et le 20 mai, le colonel Pellé, notre attaché militaire à Berlin a pu écrire : « L'orgueil national blessé, l'irritation contre nous, le désir de briser l'encerclement, la crainte d'être attaqués plus tard et j'ajoute : une grande confiance dans l'instrument de guerre qu'on a en main et qu'on vient de fortifier, préparent le terrain pour l'explosion de colère ou d'amour-propre national qui pourrait un jour forcer la main à l'empereur et conduire les masses allemandes à la guerre. »

Du côté français, il n'existe point de caste militaire dominante ni de doctrinaires de la guerre « fraîche et joyeuse » et personne — quelques échauffés mis à part — n'y souhaite le conflit sanglant. Mais les piqûres d'épingles que depuis sept ans, l'Allemagne n'a cessé de prodiguer à la France ont fini par exaspérer une nation que sa défaite de 1870 a laissée hypersensible.

Nombreux sont les Français qui, tel Jaurès, croient encore à la suprématie de l'Idée sur la Force et demeurent irréductiblement hostile à toute pensée belliqueuse. Mais rares sont ceux qui, tel Caillaux, recherchent les moyens pratiques de détendre les relations franco-allemandes.

On préfère esquiver l'effort d'imagination nécessaire et se raidir dans une attitude de « fierté ». Les hommes politiques qui prennent une telle attitude sont sûrs de recueillir les applaudissements de la presse et d'une grande partie de l'opinion.

Millerand, le ministre de la Guerre, le sait, lui que son passage par le socialisme a rendu sensible aux réactions des foules et, peu de temps après son arrivée rue Saint-Dominique, il a rétabli les retraites militaires supprimées depuis l'affaire Dreyfus. Désormais, une fois par semaine, les musiques régimentaires parcourent, à grands fracas de cuivres, les rues des villes de garnison entrainant à leur suite une foule de braves gens qui, à leur cri de : « Vive la France ! » mêlent parfois celui de : « A bas l'Allemagne ! » A Paris, cela se termine généralement par les discours enflammés prononcés au pied de la statue de Strasbourg.

Civil et légiste dans l'âme, Poincaré est bien loin de céder à l'entraînement nationaliste. Défendant le traité du 11 novembre devant le Sénat, il a déclaré : « Il y a dans le texte même de la convention un témoignage important de l'intention conciliante et de la sincérité des deux parties » et certes la pensée que son gouvernement pourrait, dans certaines circonstances, provoquer volontairement un conflit, n'effleure même pas son esprit.

Seulement, c'est avec son tempérament d'avocat qu'il sert la cause de la paix, c'est-à-dire avec son cerveau et non avec ses entrailles. Aussi bien n'est-ce pas la Paix, simple amie, mais la France, maîtresse chérie, qui est sa cliente et, tout conciliant soit-il, il ne saurait en conscience lui conseiller aucune transaction apparaissant avec évidence moins favorable que ne le serait le jugement du tribunal — ce tribunal dut-il être celui du dieu Mars.

Or, après examen approfondi du dossier, Poincaré est arrivé à cette conclusion qu'en cas de litige, les chances de gain seraient grandes : la situation diplomatique est bonne et la crise d'Agadir a permis de constater la solidité de l'Entente Cordiale, comme celle (en dépit d'un léger flottement) de l'Alliance russe. Quant à la situation militaire, l'Etat-Major l'affirme favorable et un bon avocat a l'habitude, sur les points techniques, de faire complète confiance aux experts...

Voici donc le conseil donné à la cliente France : ne pas témoigner d'intransigeance, rester sur une position de défenderesse, ne rien faire qui puisse susciter le litige, ne pas trop le redouter non plus et ne rien céder d'essentiel. Etre prête cependant à toute éventualité et enrichir le dossier d'arguments convaincants : dans l'espace, une armée de plus en plus solide et des alliances de plus en plus étroites.

Suprêmement intelligent, Poincaré n'a qu'une imagination limitée et la vision lui manque des bouleversements que la Science moderne et aussi l'accroissement formidable des effectifs ont apportés à la notion de guerre. Avec la plupart des généraux et des économistes, il croit que, si celle-ci venait malheureusement à éclater, elle ne pourrait être que courte et pas un instant l'idée ne lui vient qu'elle pourrait bien ébranler dans ses fondements la merveilleuse mais fragile civilisation européenne et se révéler, en définitive, presqu'aussi désastreuse pour les vainqueurs que pour les vaincus. A ses yeux, la victoire, ce serait d'abord l'annulation du traité de Francfort et la reconquête de l'Alsace-Lorraine : une telle perspective ne peut que faire battre son cœur de Lorrain qui saigne encore de la blessure infligée en 1871...

Plus tard, des polémistes d'autorité et de talent divers s'efforceront de démontrer que Poincaré, dès son arrivée au ministère, inaugura une politique qui devait presque fatalement aboutir au conflit ; l'intéressé, dans ses *Souvenirs*, prendra la peine de les réfuter le long d'innombrables pages et de prouver, en s'appuyant sur les textes, sa parfaite innocence. Plaidoyer convaincant et qui ne peut qu'entraîner l'acquittement ; celui-ci une fois prononcé, un vague malaise toutefois subsiste : Poincaré n'a jamais souhaité la guerre ; mais a-t-il fait tout ce qui dépendait de lui pour en écarter le spectre ?...

Un chef d'accusation, en tous cas, doit être complètement écarté, celui d'intérêt personnel. Caillaux, dans le volume posthume de ses *Mémoires* (« *Clairvoyance et force d'âme dans les épreuves* ») insinuera que, si Poincaré a encouragé le nationalisme, ce fut pour se faire une clientèle et favoriser son accession à la présidence de la République. Il faut avoir bien mal pénétré dans la psychologie de l'enfant de Bar-le-Duc ou avoir été aveuglé par le ressentiment pour soutenir pareille thèse : le patriotisme de Poincaré comportait sans doute des œillères : mais il était aussi pur qu'ardent et certes jamais pensée intéressée n'en vînt ternir le diamant.

*
**

Revenons aux faits.

Poincaré n'est que depuis quelques jours chef du gouvernement et il n'a pas encore fait ratifier par le Sénat l'accord franco-allemand relatif au Maroc quand une occasion se présente à lui de faire retentir des paroles d'un accent nouveau.

Depuis l'année précédente, l'Italie, à propos de la Tripolitaine, est en guerre avec la Turquie. En janvier 1912, deux paquebots français le *Carthage* et le *Manouba* sont successivement saisis par des torpilleurs italiens sous le prétexte qu'ils transporteraient l'un de la contrebande de guerre, l'autre des officiers turcs camouflés en infirmiers. Mauvais prétexte et Poincaré a raison d'exiger la mise en liberté immédiate des deux navires et de leurs équipages. Mais il va plus loin et, avant que le double incident ne soit réglé par la voie diplomatique, il en saisit la Chambre des députés et prononce un discours qui, sans être agressif, n'en est pas moins empreint de raideur. Les bateaux sont bientôt relâchés mais l'amour-propre italien a été sensiblement meurtri.

Aussi bien le nouveau chef du gouvernement n'a-t-il nul désir d'amadouer les puissances de la Triple Alliance, pas plus l'Italie ou l'Autriche-Hongrie que l'Allemagne, et il ne va pas tarder à couper court à une négociation amorcée par M. Crozier, notre ambassadeur à Vienne, négociation ayant pour objet l'émission d'un emprunt autrichien sur la place de Paris. Ce à quoi tendent bien plutôt ses soins c'est à fortifier le bloc de la Triple Entente.

Le cabinet de Londres qui, au cours de la crise d'Agadir, n'a cessé de nous encourager à la fermeté s'est quelque peu ému à la perspective d'un durable rapprochement franco-allemand. Ne voulant pas se laisser devancer, il dépêche à Berlin, en février, un de ses membres lord Haldane, avec mission de chercher un terrain d'entente. C'est sans plaisir que Poincaré considère cette mission, laquelle d'ailleurs n'aboutira pas, et il tente de fixer, par un texte précis, la Grande-Bretagne dans son entente avec la France. Répugnant traditionnellement à se lier les mains par avance, le Cabinet britannique se dérobe à une alliance formelle, mais il acceptera, le 22 novembre, que des lettres soient échangées entre Sir Edward Grey, chef du *Foreign Office*, et M. Paul Cambon, ambassadeur de France, lettres aux termes desquelles les deux gouvernements s'engageront, en cas de crise mettant en péril la paix, à se concerter et à prendre en considération les plans établis en commun par les Etats-Majors. Ce ne sera pas une alliance (l'opinion britannique ne l'accepterait pas), mais ce sera la possibilité technique d'exercer rapidement, le cas échéant, une action commune.

Tandis que les négociations préalables à ce très important échange de lettres se poursuivent, Poincaré saisit l'occasion de l'inauguration du monument élevé à Edouard VII par la ville de Cannes pour prononcer un discours exaltant l'amitié franco-britannique. A la fin de 1912, cette amitié apparaîtra plus chaleureuse que jamais.

Ce ne sont pas des conseils de fermeté mais plutôt de prudence que la Russie a donnés à la France pendant la crise d'Agadir. Et l'insistance mise par Isvolsky à souligner ces conseils a pu donner à penser que l'ambassadeur de Russie avait des engagements personnels avec l'Allemagne. Poincaré, mis au fait par l'étude du dossier, s'est inquiété d'un relâchement possible de l'alliance russe et il s'est aussitôt employé à en resserrer les liens.

N'ayant qu'une médiocre confiance dans Georges Louis, notre ambassadeur à Pétersbourg, diplomate avisé mais de santé chancelante et qui ne voit presque jamais le Tsar, c'est à Isvolsky que le président du Conseil s'adresse et bientôt les visites de l'ambassadeur de Russie au Quai d'Orsay deviendront presque quotidiennes.

Déplaisant personnage que cet Alexandre Pétrovitch Isvolsky, intelligent certes, mais brutal, vindicatif, assez fourbe, probablement vénal et prodigieusement infatué de sa personne. Il a été ministre des Affaires étrangères et, comme tel, il a subi, en 1908, quand l'Autriche-Hongrie a annexé la Bosnie et l'Herzégovine, un échec diplomatique qu'il a considéré comme un sanglant affront personnel et qu'il s'est juré de venger, dut l'Europe être mise en flammes. Jouant volontiers au grand seigneur, il méprise cordialement les ministres de la République française, ces petites gens, mais il entend bien se servir d'eux pour assouvir ses rancœurs et il sait au besoin les flatter. Poincaré, quoi qu'on prétendra, s'en méfiera toujours mais peut-être l'écoutera-t-il avec trop d'attention.

Dans le courant de l'été, l'importance que Poincaré attache à l'alliance russe le détermine à entreprendre en Russie un voyage officiel.

Ce voyage est entouré d'un apparat qui évoque plutôt le déplacement d'un chef d'Etat que celui d'un président du Conseil et c'est un navire de guerre, le *Condé,* qui le 5 août emmène Poincaré — ce qui évite à celui-ci d'avoir à traverser le territoire allemand. Accueil somptueux à Cronstadt, plus somptueux encore à Pétersbourg. Banquets. Discours. Réception de la colonie française. Déjeuner donné par le Tsar à Peterhof. Revue militaire au camp de Krasnoë-Selo. Pointe rapide poussée à Moscou. Le séjour dure huit jours, terriblement remplis.

Entre temps, Poincaré a avec Kokovtsof, le président du Conseil russe et avec Sazonof, le ministre des Affaires étrangères, des conversations sérieuses. Elles roulent surtout sur les Balkans où la guerre italo-turque, en se prolongeant, suscite par contagion une agitation croissante et où la rivalité qui oppose la Russie à l'Autriche-Hongrie trouve un dangereux terrain d'exercice. L'homme d'Etat français invite ses interlocuteurs à la circonspection, mais leur demande en même temps d'activer la construction des chemins de fer stratégiques dans le voisinage de la frontière allemande. En revanche, les ministres russes insistent pour que la France maintienne à tout prix ses effectifs militaires à la hauteur de ceux de l'Allemagne. Il est aussi question du rappel éventuel de l'ambassadeur Georges Louis, jugé décidément trop triste et trop renfermé...

Quand Poincaré a été reçu par le Tsar, il s'est entendu féliciter de la part qu'il a prise au « réveil militaire et national » de la France ; lorsqu'il rentre à Paris, il est salué à la gare du Nord par les acclamations de la foule. Le voici désormais quelque chose de plus que le chef du gouvernement : le porte-drapeau de la nation.

⁂

Sans doute est-ce alors que lui apparaît la possibilité de remplacer à l'Elysée le président Fallières dont le septennat doit expirer le 18 février suivant. Pensée encore fugitive et c'est sincèrement que, quand on lui parle de la question, il met en avant le nom de Léon Bourgeois... Pourtant, la présidence de la République, ce ne serait plus seulement la place de premier, ce serait le Prix d'Excellence. Pour l'admirable « bûcheur » qu'est toujours resté Poincaré, quelle perspective, et quelle tentation !

Une difficulté toutefois : si sa popularité va, dans le pays, toujours en croissant, s'il a l'appui de la grande presse, si la plupart des groupes parlementaires lui témoignent de la déférence, par contre il se heurte désormais à la sourde hostilité du parti radical-socialiste, le plus puissant et le mieux organisé. C'est qu'il a fini par dégager la réforme électorale de l'enlisement où la maintenaient les Commissions et qu'il a fait voter par la Chambre un texte supprimant le scrutin d'arrondissement et établissant, à sa place, le scrutin de liste avec représentation proportionnelle. Cela, les radicaux, « arrondissementiers » dans l'âme, ne le lui pardonnent point et leurs chefs, Caillaux à la Chambre, Clemenceau au Sénat, mènent contre lui une campagne qui, pour être encore ouatée, n'en est pas moins vive et parfois perfide.

A chaque jour suffit sa peine. En attendant que sonne l'heure de l'élection présidentielle et qu'il ait à prendre parti définitif, Poincaré, sans négliger pour autant les questions intérieures, consacre le meilleur de son attention à diriger, sur une mer sans cesse plus houleuse, le vaisseau de la diplomatie française.

« Il n'a pas dépendu de nous de conserver la paix aux autres », s'écrie-t-il dans un discours prononcé à Nantes en octobre, « pour nous la conserver toujours à nous-mêmes, il faut garder en nous toute la patience, toute l'énergie, toute la fierté d'un peuple qui ne veut pas la guerre, mais qui pourtant ne la craint pas... Tant qu'il y aura sur la surface du globe des peuples capables d'obéir inopinément à un idéal belliqueux, les peuples les plus sincèrement fidèles à un idéal de paix sont dans l'obligation de rester prêts à toutes éventualités. »

La formule n'est pas très neuve et paraphrase le vieux *Si vis pacem, para bellum.* Constitue-t-elle une recette suffisante ? N'y faudrait-il pas joindre quelque souplesse, quelque esprit d'invention, quelqu'audace aussi ? En tous cas, dans son balancement et sa sagesse un peu courte, elle rencontre en France un enthousiaste écho.

C'est que maintenant la guerre n'est plus une notion abstraite et lointaine : elle vient d'éclater dans un coin de l'Europe et on se demande jusqu'où s'étendra l'incendie allumé.

Le 8 octobre en effet, le roi Nicolas de Montenegro, personnage pittoresque mais sans scrupules, s'est déclaré en état d'hostilité avec la Porte Ottomane et a fait tirer le premier coup de canon.

Geste dont les répercussions seront immenses, mais non pas imprévues : les pays balkaniques, on le sait depuis plusieurs mois, veulent profiter des embarras de la Porte pour s'agrandir aux dépens de l'Albanie et de la Macédoine qui sont encore provinces turques. Et déjà, dans ce but la Serbie et la Bulgarie d'une part, la Bulgarie et la Grèce de l'autre ont conclu en secret des traités d'alliance sous l'œil bienveillant de la Russie. (Laquelle d'ailleurs s'est abstenue d'en informer sur le champ son alliée française). (1)

La flamme aussitôt se propage : Belgrade, Sofia et Athènes déclarent la guerre à Constantinople. Obligée de faire face

(1) Le traité bulgaro-serbe date du mois de mars 1912 et ce n'est qu'en avril qu'il a été communiqué à la France. Poincaré a aussitôt protesté contre un acte « contenant en germe non seulement une guerre contre la Turquie mais une guerre contre l'Autriche. »

à cette nouvelle agression, la Porte demande la paix à l'Italie et se résigne à lui céder la Tripolitaine.

La Russie, qui se considère comme la protectrice des Balkaniques dissimule à peine sa sympathie pour leur cause. Par contre l'Autriche-Hongrie, qu'inquiète l'élément centrifuge que représentent chez elle les populations de race slave, est favorable à la Turquie. Entre Pétersbourg et Vienne les relations se tendent.

Mais Russie et Autriche-Hongrie ne sont point isolées en Europe. En vertu des traités d'alliance, aux côtés de la première, il y a la France, aux côtés de la seconde, l'Allemagne. Le coup de canon tiré par le roi Nicolas va-t-il déclencher la guerre européenne ?

Poincaré voit le péril et, on ne peut que le reconnaître, il s'efforce de le conjurer. De concert avec le gouvernement britannique, il prodigue, tant à Pétersbourg qu'à Vienne, les conseils de modération. Mais en même temps il fait savoir à la Russie que, si les choses tournaient au pire, la France remplirait toutes les obligations de son alliance (1).

De son côté, Bethmann-Hollweg, le chancelier allemand, déclare à la tribune du Reichstag : « Si nos alliés, au moment où ils feraient valoir leurs droits, étaient, contre toute attente, attaqués d'un troisième côté et se trouvaient ainsi menacés dans leur existence, nous devrions, fidèles à notre devoir, nous placer avec une ferme résolution, à leur côté. » Ainsi une guerre mettant aux prises la France et l'Allemagne apparaît désormais possible non pas seulement à propos d'une question intéressant directement les deux puissances mais par le simple jeu de leurs alliances... Peut-être, devant ce danger, serait-il opportun d'engager alors une conversation entre Paris et Berlin ? Poincaré ne le pense pas et les dirigeants du Reich s'y semblent d'ailleurs guère disposés.

Cependant les alliés balkaniques ont battu les Turcs à plate

---

(1) Rappelons ici l'article du pacte d'alliance qui précise ces obligations : « Si la Russie est attaquée par l'Allemagne, ou par l'Autriche soutenue par l'Allemagne, la France emploiera toutes ses forces disponibles pour combattre l'Allemagne. »

couture. Déjà les Serbes sont à Durazzo, les Grecs sont à Salonique, les Monténégrins serrent de près Scutari et les Bulgares campent à quarante kilomètres de Constantinople. La Porte, affolée, sollicite un armistice. L'Autriche-Hongrie mobilise en secret plusieurs corps d'armée et déclare catégoriquement qu'elle ne saurait accepter qu'un accès sur l'Adriatique soit définitivement donné à la Serbie. De Paris, Isvolsky encourage le gouvernement russe à soutenir ouvertement cette dernière. L'Allemagne, de son côté, ressent comme un affront personnel l'échec sanglant infligé par les troupes balkaniques à l'armée turque formée par des instructeurs allemands.

C'est le moment le plus aigu de la crise ; le 2 décembre, le chancelier de Bethmann-Hollweg prononce à la tribune du Reichstag de Berlin d'inquiétantes paroles et, le même jour, Paul Cambon, notre ambassadeur à Londres, peut écrire à Poincaré : « La question de la politique autrichienne en Orient ne comporte d'autre solution que l'abandon de cette politique par Vienne ou la guerre, immédiate ou prochaine, en tous cas inévitable. »

Cette guerre, Poincaré ne la craint pas, il l'a dit publiquement, mais il est bien loin de la souhaiter et il s'emploie de toute son activité à favoriser la réunion d'une Conférence internationale chargée de régler l'affaire. Ses efforts, conjugués avec ceux de Sir Edward Grey, aboutissent et, le 15 novembre, la Conférence se réunit à Londres. Elle est divisée en deux sections : les ambassadeurs des six grandes puissances d'une part, les plénipotentiaires balkaniques et ottomans de l'autre.

Les négociations apparaissent aussitôt devoir être singulièrement difficiles. La Conférence est un foyer d'intrigues : déjà les vainqueurs se disputent les dépouilles du vaincu et, excités en sous mains par l'Autriche-Hongrie, se montrent réciproquement les dents. Le sort de l'Albanie et celui de la Macédoine donnent lieu à d'interminables marchandages.

Le 21 décembre, Poincaré fait à la tribune de la Chambre un exposé complet de la situation et il termine par ces phrases : « L'accord se fera-t-il entre les Alliés et les plénipotentiaires ottomans ? Si, par malheur, une rupture se produisait le rôle de l'Europe ne serait pas terminé... La France, en tout cas, continuerait à seconder de tout son pouvoir et, au besoin, à provoquer les efforts des puissances en faveur de la paix. Mais, autant sont sincères chez nous ces intentions pacifiques... autant nous demeurons fermement déterminés à défendre sans défaillance nos intérêts et nos droits, à maintenir les grandes traditions de la France en Orient et à sauvegarder, par-dessus tout, cette chose intangible et sacrée qu'est notre honneur national. »

L'Assemblée presque entière applaudit et le retentissement dans le pays est considérable. Quand se termine cette année 1912, si chargée d'événements d'une incalculable portée, l'étoile de Poincaré est au zénith, sa légende a définitivement pris corps et l'opinion réclame à grands cris l'entrée à l'Elysée du Lorrain sans peur ni reproche.

Mais ce n'est point l'opinion qui fait le président de la République : c'est le Parlement.

Or si Poincaré a pour lui la quasi-unanimité des groupes du Centre, si même les socialistes, qui lui sont reconnaissants d'avoir fait voter par la Chambre la réforme électorale, ne lui sont point hostiles, par contre, il se heurte à la méfiance de la Droite qui lui en veut de son laïcisme et surtout à l'hostilité déclarée de beaucoup de radicaux. Contre lui, Caillaux, Clemenceau, d'autres encore poursuivent dans les couloirs une campagne de dénigrement qui, au fur et à mesure que les jours s'écoulent, se fait de plus en plus violente.

Point de ressort qui ne soit mis en œuvre : quand ils s'adressent aux gens de la Gauche, les conjurés dénoncent l'hostilité de Poincaré aux réformes fiscales et sociales, son « bellicisme », son goût supposé pour le « pouvoir personnel » ; quand ils entreprennent les Droitiers, ils rappellent que le président du Conseil a épousé une femme divorcée et qu'il n'est pas marié religieusement...

C'est sans doute cette incursion dans sa vie privée et les perfides historiettes qu'on colporte sur l'honorabilité de son épouse qui finissent par décider Poincaré, jusque-là encore hésitant. Ah ! des misérables insinuent que Madame Poincaré n'est pas digne de s'installer à l'Elysée. Eh bien ! Il l'y placera ! Ses dents et ses poings se serrent, son menton se projette en avant : son parti est pris ; il sera candidat.

Le 10 janvier 1913, à huit jours de l'élection présidentielle, un incident surgit que les adversaires du président du Conseil exploitent largement : un décret a paru au *Journal Officiel* réintégrant dans l'armée le lieutenant-colonel du Paty de Clam. Cet officier, anti-dreyfusard agressif, a été rayé des cadres en 1900, mais Millerand, le ministre de la guerre, a cru devoir, après examen de son dossier, prendre en sa faveur une mesure de clémence. Il l'a fait sans consulter Poincaré. Peu importe ! A gauche le déchaînement est général.

Poincaré couvrira-t-il son ministre de la Guerre ? Le courage lui commanderait de le faire. Mais ce serait compromettre irrémédiablement les chances de son élection. Or il a résolu de se présenter et il est peut-être plus obstiné qu'intrépide... Il laisse Millerand se démettre et il le remplace, rue Saint-Dominique, par Albert Lebrun.

Nous voici le 15 janvier au matin, l'avant-veille de la date fixée pour l'élection. Selon la tradition, un scrutin préparatoire doit avoir lieu au Luxembourg, au cours d'une réunion où ne seront admis que les sénateurs et les députés appartenant aux groupes de gauche.

Les adversaires de Poincaré hésitent encore entre plusieurs candidats possibles : Ribot, considéré comme un peu bien modéré mais dont la « belle tête de pianiste » — Barrès *dixit* — en impose ; Deschanel, qui vient d'être brillamment réélu président de la Chambre ; Antonin Dubost, président du Sénat, surnommé le « vieux mâcheur » en raison à la fois de son ratelier et de sa libidinosité ; enfin Jules Pams, le ministre de l'Agriculture, radical bon teint, galant homme, affable, fort riche de surcroît et parfaitement inoffensif. Clemenceau s'est décidé pour ce dernier « parce que », ricane-t-il, « c'est le plus bête. »

Dans un bourdonnement de ruche, on vote. Au dépouillement, Poincaré arrive en tête avec cent-quatre-vingt voix, Pams le suit de près avec cent-soixante-quatorze voix, Dubost, Deschanel et Ribot ne viennent qu'ensuite. Personne n'a la majorité absolue.

L'après-midi, il est procédé à un deuxième tour : la plupart des anti-poincaristes font bloc sur le nom de Pams et celui-ci obtient onze voix de plus que son concurrent.

Le lendemain, 16 janvier, troisième tour de scrutin : Pams obtient cette fois trois cent-vingt-trois suffrages tandis que Poincaré n'en recueille que trois-cent-neuf. On s'en tient là bien que la majorité absolue n'ait pas été atteinte, une trentaine de voix s'étant encore égarées sur les noms de Ribot et de Deschanel.

Une délégation, dirigée par Clemenceau, n'en va pas moins trouver le président du Conseil pour l'inviter, au nom de la « discipline républicaine », à retirer sa candidature.

Mais Poincaré n'est pas homme à se laisser intimider et il déclare nettement que la réunion officieuse du Luxembourg n'ayant donné aucune indication décisive, il reste candidat. La délégation le quitte la tête basse, Clemenceau est blême de rage.

Le grand jour se lève. Le temps est grisâtre et froid. Poincaré, après avoir travaillé le matin au Quai d'Orsay et avoir déjeuné chez lui, se rend à Versailles en automobile. Reconnu par la foule massée devant les grilles du Château, il est acclamé.

Le scrutin est long car chaque député comme chaque sénateur doit voter personnellement à la tribune. Dans les couloirs, Briand, qui n'a jamais cessé d'être loyal envers Poincaré, se dépense en sa faveur. Parmi les Droitiers, le bruit circule que le cardinal Andrieu, archevêque de Bordeaux et inspirateur du parti catholique, recommande de voter pour le président du Conseil. Les socialistes décident de faire une manifestation platonique sur le nom d'un des leurs, Vaillant.

Dès lors, les jeux sont faits et bientôt Antonin Dubost, plus mâchonnant que jamais, proclame le résultat du scrutin : Par quatre cent-quatre-vingt-trois voix sur huit cent-soixante-dix votants et huit cent-cinquante-neuf suffrages exprimés Raymond Poincaré est, pour sept années, élu Président de la République.

Une immense acclamation salue cette proclamation. Très droit, très pâle, mais une fulguration dans les yeux, le nouvel élu se rend dans le cabinet du président de l'Assemblée et reçoit les félicitations de ce dernier ainsi que celles des membres du gouvernement. Il y répond d'une voix qui tremble un peu puis, précédé des huissiers à chaîne, il sort du Château et gagne la gare dans une automobile qu'entoure un peloton de dragons. Le public qui emplit la place d'Armes et les avenues l'accueille par une ovation frénétique et c'est une pareille ovation qui l'accompagne lorsque, arrivé à Paris en train spécial, il se rend de la gare des Invalides à l'Elysée pour y saluer le Président sortant.

Le soir, tandis que, recru d'émotion, il dîne chez lui, dans sa maison pleine de fleurs, en compagnie de sa femme, de sa mère, de son frère et de sa belle-sœur, un peuple délirant déferle sur les boulevards et sur les grandes voies de la capitale chantant des refrains patriotiques mêlés aux cris indéfiniment répétés de : « Vive Poincaré ! »

C'est bien le Grand Prix d'Excellence. Mais c'est aussi, pour le lauréat, le début d'une période qui sera lourde de difficultés, d'amertumes et d'angoisses.

CHAPITRE IX

A L'ELYSEE

Appréhensions de Poincaré. — Le Ministère Briand. — En attendant son installation officielle, Poincaré continue à se pencher sur la situation internationale. — Importance qu'il attache à l'alliance russe. — Crainte d'une attaque brusquée de la part de l'Allemagne. — L'incident Guellouli. — La transmission des pouvoirs présidentiels. — Installation de Poincaré à l'Elysée. — Son message aux Chambres. — Comment il entend remplir ses fonctions. — Le Gouvernement, d'accord avec Poincaré, envisage de rétablir le service militaire de trois ans. — Le plan XVII et les erreurs de Haut-Commandement. — Le Cabinet Briand renversé est remplacé par un ministère Barthou qui fera voter la loi de trois ans. — Mort de Madame Poincaré mère. — Visite du roi d'Espagne en France. — Mariage religieux de Poincaré. — Poursuite de la guerre balkanique. — Volonté belliciste du grand Etat-Major allemand. — Trêve dans les Balkans. — Voyage de Poincaré en Angleterre. — Les Bulgares attaquent leurs anciens alliés. — L'intervention de la Roumanie. — La paix enfin signée. — Déplacement de Poincaré à travers les provinces françaises. — Son voyage en Espagne. — Grave avertissement du roi des Belges. — Le Ministère Doumergue. — Aube de 1914. — Mélancolie de Poincaré. — Paléologue ambassadeur à Pétersbourg. — Attaques de Calmette, directeur du Figaro, contre Caillaux. — Il est tué par Madame Caillaux. — Visite du roi d'Angleterre en France. — Les élections législatives donnent aux gauches une forte majorité. — Après un éphémère Cabinet Ribot, un ministère Viviani est constitué. — Préparatifs du voyage de Poincaré en Russie. — L'Archiduc héritier d'Autriche-Hongrie est assassiné en Sarajevo.

Le lendemain de son élection, dès huit heures trente du matin, Poincaré aussi ponctuel que de coutume, arrive au Quai d'Orsay, et Paléologue l'étant venu trouver dans son cabinet, il déclare à ce vieux camarade :

« Je n'ai pas fermé l'œil de la nuit... Une seule pensée m'occupe ; la terrible responsabilité qui va peser dorénavant sur moi, tandis que le principe de l'irresponsabilité constitutionnelle m'enlève toute initiative, me condamne pour sept ans au mutisme et à l'inaction !

Déjà, et bien qu'il ne doive que dans un mois assumer officiellement la succession de Fallières, ce principe de l'irresponsabilité présidentielle l'oblige à abandonner la direction du gouvernement et à porter à l'Elysée la démission du Ministère.

D'accord avec lui, Fallières charge Briand de constituer un nouveau Cabinet. Plusieurs des ministres démissionnaires retrouvent leurs portefeuilles ; pas tous : Bourgeois, Delcassé et Lebrun se retirent ; Briand prend pour lui l'Intérieur et cède la Justice à Barthou ; Steeg passe à l'Instruction Publique ; Etienne devient ministre de la Guerre et Baudin ministre de la Marine. Quant aux Affaires Etrangères elles échoient à Jonnart, grand bourgeois libéral, parfait homme du monde, parlementaire avisé et qui, comme gouverneur général de l'Algérie, a donné la mesure de ses dons d'administrateur. Dès le lendemain de l'arrivée du nouveau ministre au Quai d'Orsay, des fleurs paraissent sur sa table de travail (la fameuse table de Vergennes) ; on n'en avait jamais vu du temps de Poincaré.

C'est avec chaleur que les journaux français, à quelques exceptions près, ont accueilli l'élévation de ce dernier au poste suprême. La presse étrangère est presque aussi laudative et les feuilles allemandes se signalent par une particulière amabilité : « M. Poincaré, » lit-on dans la *Gazette de l'Allemagne du Nord*, « a mis ses hautes qualités au service de la paix européenne. Les sympathies qu'il s'est acquises l'accompagnent dans le poste élevé que vient de lui assigner la confiance de ses concitoyens. » Et l'officieux *Lokal Anzeiger* d'enchérir : « On doit féliciter la nation française d'avoir confié la plus haute dignité dont elle dispose à un homme aussi éminent. »

Cet encens ne monte point à la tête du nouvel élu. En attendant le jour de son installation à l'Elysée, il ne change rien à son train de vie, et, à la demande de Jonnart lui-même, il continue à fréquenter assez assidument le ministère des Affaires étrangères.

C'est que la situation internationale est loin de s'éclaircir et que l'expérience acquise par Poincaré au cours des douze années précédentes ne peut qu'être précieuse à son successeur.

Le conflit balkanique reste aigu et la Conférence de Londres, réunie pour lui trouver une solution, piétine dangereusement.

La Serbie persiste à réclamer, aux dépens de l'Albanie, un accroissement territorial lui donnant accès sur l'Adriatique que l'Autriche-Hongrie s'obstine à lui refuser. Si Belgrade passait outre à ce *veto,* Vienne aurait recours aux armes ; il serait alors presque impossible d'empêcher Pétersbourg d'intervenir en sens opposé et la guerre austro-russe ainsi déclenchée risquerait fort, par le jeu des alliances, d'entraîner une guerre franco-allemande.

Cette guerre, Poincaré ne la redoute pas pour la France et il lui arrive même de se laisser aller à penser qu'un grand bien pourrait en résulter : le retour des chères provinces perdues.

Mais il est loin de désirer le conflit et, président de la République, il restera fidèle à la ligne qu'il s'est tracée comme chef du gouvernement : ne rien négliger de ce qui peut contribuer à assurer la paix à condition que ce ne soit pas aux dépens de la solidité de l'amitié anglaise, ni surtout de l'alliance russe. Celle-ci Poincaré la considère comme constituant, avec l'armée française, la base essentielle de la sécurité nationale et, pour en maintenir les liens étroitement serrés, il est prêt à bien des concessions, voire à quelques imprudences.

Politique hautement défendable. Est-elle la meilleure ? N'en saurait-on imaginer une autre plus souple, plus adaptable, qui offrirait certes des dangers, mais qui garantirait mieux l'indépendance et la liberté de manœuvre du pays ? On ne peut discuter sur le plan théorique. En pratique, il faut bien reconnaître que la conception poincariste est celle de la grande majorité des Français : l'isolement diplomatique, même temporaire, leur apparaît comme la pire des calamités, cet isolement fut-il la condition nécessaire des abstentions opportunes comme des rapprochements opérés au moment choisi et pour le mieux de l'intérêt national. Le peuple français n'a point le génie empirique. Peut-être aussi n'a-t-il que médiocrement le goût du risque. Mais à vouloir trop s'assurer contre les périls de Charybde, il arrive qu'on tombe en Scylla...

Ajoutons toutefois, et cela tend à justifier la position de Poincaré, qu'au début de 1913 ce n'est pas seulement à propos des affaires balkaniques et à la suite de la Russie que la France peut paraître menacée d'être jetée dans la guerre : toutes les informations qui arrivent d'Allemagne concordent à y montrer l'influence du parti militaire en progrès constant : à peine la loi de 1912, qui a porté à sept cent mille hommes l'effectif de paix de l'armée allemande, vient-elle d'entrer en application qu'il est question de demander au Reichstag de nouveaux crédits permettant d'accroître encore cet effectif. Le colonel Serret, notre attaché militaire à Berlin, écrit que la pensée du Grand Etat-Major allemand est, plus que jamais, de « casser les reins à la France par une guerre préventive ».

Le prétexte d'une telle attaque brusquée pourrait toujours être trouvé. Et justement, tandis que Poincaré s'apprête à s'installer à l'Elysée, il surgit un incident facilement exploitable :

Le Maroc en est encore une fois le théâtre : il s'agit cette fois d'un caïd marocain, Guellouli, qui, emprisonné pour avoir participé à une rebellion, invoque un prétendu diplôme de « protégé allemand ». Le gouvernement de Berlin insiste pour faire procéder à une enquête sur place par ses propres agents, procédure qui serait évidemment contraire au principe du Protectorat et qui ne peut être accepté par la France. Est-ce là la mauvaise querelle destinée à préluder à l'offensive ? Non. Résistant encore à la pression du parti de la guerre, l'Empereur Guillaume et ses ministres finissent par se contenter d'une communication du dossier. Mais l'alerte a été vive.

Elle n'a pas été faite pour calmer les opinions publiques ni en Allemagne, ni en France. La tension devient pénible et l'atmosphère d'orage tend à brouiller les plus solides cerveaux. Bientôt un honnête homme et un bon chrétien comme le comte Albert de Mun ne déclarera-t-il pas à Paléologue : « Ne comprenez-vous donc pas que la France, tombée si bas, ne peut plus se réhabiliter que par la guerre ?... Ne comprenez-vous donc pas que cette guerre qui se dessine à l'horizon, nous devons la souhaiter inévitable et prochaine ? »

Heureusement, la nation dans son ensemble ne partage pas la funeste mystique du grand orateur catholique et la vérité est dite au même Paléologue par Fallières, le président sortant : « Si le peuple français est attaqué, il marchera comme un seul homme. Il ne marchera jamais pour réparer les imprudences ou les sottises d'un de ses ministres... »

Mardi 18 février, jour fixé par la transmission des pouvoirs présidentiels. En dépit du froid très vif, une foule vibrante s'échelonne le long du parcours qui sépare la rue du Commandant-Marchand, où réside encore Poincaré, du palais de l'Elysée qui va être sa demeure pour sept ans.

C'est dans un landau de gala entouré d'un détachement de cuirassiers que Briand, président du Conseil, vient chercher le nouveau chef de l'Etat. Dans une autre voiture ont pris place M. Adolphe Pichon et le général Beaudemonlin qui vont être respectivement secrétaire général civil et secrétaire générale militaire de la Présidence de la République. Quand Poincaré franchit le seuil de sa maison, il aperçoit sa mère qui soulève un rideau : « Elle me jeta un long et tendre regard où je crus deviner autant de trouble que de fierté maternelle. »

Au milieu des vivats, le cortège s'ébranle et gagne l'Elysée. Fallières entouré des ministres et des bureaux des deux Chambres y accueille son successeur qui, des mains du grand Chancelier de la Légion d'Honneur, reçoit les insignes de grand Maître de l'Ordre. Puis les deux présidents montent ensemble dans le landau de gala et, au milieu d'un peuple toujours plus nombreux et plus enthousiaste, se rendent à l'Hôtel de Ville où une brillante réception à été organisée par la municipalité. Présentations, discours, signature du livre d'or. Poincaré conduit son prédécesseur à l'appartement que celui-ci a loué rue François 1er et rentre ensuite à l'Elysée. Suivant l'usage constitutionnel, il reçoit la démission des ministres, mais les réinvestit aussitôt et signe ses premiers décrets. Le soir tombé, il échange son habit protocolaire contre un veston et s'échappe pour aller une fois encore dîner entre sa femme et sa mère, rue du Commandant Marchand.

Le surlendemain, 20 février, il préside pour la première fois le Conseil des Ministres et il y signe, sur la proposition de Jonnart, le décret nommant Delcassé ambassadeur en Russie à la place de Georges Louis. La mesure est arrêtée depuis plusieurs semaines déjà. Louis a paru décidément trop fatigué, trop maussade, trop mal en Cour aussi, et il a été jugé opportun de le remplacer par une personnalité politique de premier plan. Le choix de Delcassé est-il heureux ? Le père de l'Entente Cordiale est certes un fervent patriote et un travailleur infatigable ; mais il est renfermé, buté, croît une guerre franco-allemande inévitable et ne songe qu'à préparer cette guerre. A la veille de rejoindre son poste, il confiera à Paleologue : « Il faut que l'armée russe soit en état de prendre une vigoureuse offensive dans le plus bref délai, quinze jours au maximum... Voilà ce que je ne cesserai de prêcher au Tsar... Quant aux balivernes diplomatiques, aux vieilles calembredaines de l'équilibre européen, je m'en occuperai le moins possible : ce n'est plus que du verbiage. » Propos quelque peu inquiétants dans la bouche d'un ambassadeur... En tous cas, Poincaré est resté tout à fait étranger à la désignation de Delcassé. Il ne l'a pas désapprouvée mais, avant son arrivée à l'Elysée, elle avait déjà reçu l'agrément du Tsar.

Au Conseil du 20 février, le nouveau président donne lecture du message inaugural, que, selon la tradition il se propose d'adresser aux Chambres. Ce message est marqué au coin d'une fermeté assez inusitée :

« L'amoindrissement du pouvoir exécutif, y lit-on, n'est pas dans les vœux de la France... Notre armée et notre marine, dans leur labeur silencieux, sont les plus utiles auxiliaires de notre diplomatie. Nos paroles de paix et d'humanité auront d'autant plus de chance d'être écoutées qu'on nous saura mieux armés et plus résolus. »

Tandis que, dans l'après-midi, ce message est lu aux Assemblées et y recueille des applaudissements nourris, Poincaré reçoit le corps diplomatique dont le Doyen, Sir Francis Bertie, ambassadeur d'Angleterre, lui présente les vœux collectifs. Quelques jours après, il donne audience à un envoyé spécial du Tsar, le baron Schilling qui lui remet au nom de son maître les insignes de l'ordre de Saint-André. De l'allocution que prononce à cette occasion le récipiendaire, on peut détacher cette phrase :

— « Emanant du cœur même des deux grandes nations, consacrées par vingt ans d'existence féconde, l'alliance franco-russe constitue la base de la politique étrangère que j'ai tracée à mon gouvernement. »

Jamais Poincaré n'a été plus sincère.

Le voici définitivement emménagé à l'Elysée, Madame Poincaré s'emploie à mettre un peu d'intimité au milieu des ors et des damas du palais national. Ni le chat siamois Gris-Gris, ni la petite chienne bruxelloise Miette, ni la chienne briarde Babette n'ont été oubliés et le mobilier de bureau du président ainsi que sa bibliothèque ont été transportés dans une pièce du premier étage donnant sur le jardin. C'est là qu'il va passer ses plus tranquilles heures, décachetant lui-même son courrier, annotant, lisant, écrivant, réglant dans tous les détails son budget de bienfaisance et ne descendant dans son cabinet officiel qu'au début de la matinée pour prendre contact avec ses collaborateurs immédiats et dans l'après-midi pour donner des audiences.

Soucieux de toutes les bienséances, il s'est, dès son élection à la magistrature suprême, démis de son mandat de sénateur, de celui de président du Conseil général de la Meuse et de toutes les multiples présidences d'associations dont il était investi. (Mais il a tenu, détail caractéristique, à demeurer inscrit au barreau de Paris). Tant de liens soudainement rompus ne laissent pas que de lui causer quelque nostalgie.

Président de la République en fonction, il ne lui est plus

possible de hanter le Quai d'Orsay et il ne va guère désormais savoir de la politique extérieure que ce que voudront bien lui confier les ministres et aussi les ambassadeurs ou hommes d'Etat étrangers. Certes Briand comme Jonnart lui témoignent beaucoup de déférence et ne se font pas faute de solliciter ses conseils. Mais cela pour lui ne saurait remplacer le contact direct avec le télégramme diplomatique fraîchement déchiffré, ni avec le porte-plume prêt à tracer, sur le champ, la pertinente réponse...

Bientôt il confie à un familier « la sensation d'étouffement qu'il éprouve sous les lambris du palais présidentiel ».

— « Je me crois en prison, » soupire-t-il, « ou plutôt je crois habiter, comme disait Dostoïevsky, *la Maison des Morts* !... Tiens : regarde les livres que j'ai trouvés sur la table de l'excellent Fallières, un *Code Civil* de 1902... Oui, l'édition de 1902 suffisait à l'excellent Fallières ! Cela dit tout... Et puis, je sais bien que désormais le meilleur de mon temps va être absorbé par le cérémonial, par le protocole, par ce que je déteste le plus au monde. »

Mais les regrets stériles ne sont pas dans son tempérament et il ajoute :

— « Enfin, je ferai pour le mieux. D'abord, je ne suis pas une simple machine ; il faudra qu'on m'explique et qu'on me justifie ce qu'on me demandera de signer. Je n'exerce mes fonctions que depuis quatre jours. Eh bien ! j'ai déjà écrit à trois ministres pour leur demander des explications sur des projets de décrets ! Pendant tout son septennat, le placide Fallières n'en a pas fait autant ! »

Il est une question que le nouveau président entend suivre de très près. C'est celle de la sécurité française. Or, en face d'une Allemagne qui ne cesse d'augmenter ses armements, cette sécurité lui paraît impérieusement exiger le rétablissement du service militaire de trois ans.

Depuis 1905, la durée de ce service n'est plus en France que de deux ans. Même durée en Allemagne, au moins dans l'infanterie. Mais l'écart croissant entre les populations des deux pays et aussi les lois militaires votées par le Reichstag ont entraîné une supériorité très marquée des effectifs allemands sur les nôtres (cent cinquante mille hommes sur le pied de paix). Le général Joffre qui, depuis 1911, est chef d'Etat-Major général et commandant en chef désigné pour le temps de guerre, ne cesse de réclamer le retour au service triennal.

Poincaré a été un des premiers convaincus. Etienne, le ministre de la Guerre, l'a été aussi et tous deux finissent par entraîner l'assentiment du Cabinet tout entier. Le 4 mars, le Conseil supérieur de la guerre donne unanimement un avis conforme et, dès le lendemain, le Conseil des Ministres décide de déposer sur le bureau de la Chambre un projet de loi fixant à trois années, sans aucune dispense, la durée du service militaire obligatoire. Quand cette décision est prise, Poincaré ne cache pas son soulagement.

Sans doute la mesure est-elle indispensable. Certes, elle n'augmentera pas d'une unité les effectifs de guerre, mais elle accroîtra incontestablement la *compacité* des effectifs de paix. Est-elle à elle seule suffisante et ne conviendrait-il pas d'y joindre un programme de développement du matériel, singulièrement de l'artillerie lourde, presque inexistante ? Ainsi isolée la prolongation de la durée du service ne risque-t-elle point d'apparaître moins comme une effective précaution que comme une réplique un peu simple et brutale aux nouvelles lois militaires allemandes ?

Mais la doctrine officielle de l'Etat-Major français, l'offensive à outrance, exige d'abord des effectifs jeunes et entraînés. « Je ne veux pas faire la guerre avec des hommes mariés » déclare le général Pau...

On peut mettre en doute la sûreté de jugement de cet Etat-Major quand on le voit alors répudier le plan de mobilisation préparé en 1911 par le général Michel (et qui supposait l'envahissement de toute la Belgique par les Allemands) pour lui substituer le plan XVII (qui prévoit tout au plus une pénétration allemande sur la rive droite de la Meuse). En dépit d'avertissements précis et répétés laissant peu de doutes sur la volonté allemande de violer, en cas de guerre, la neutralité belge, l'essentiel de notre dispositif sera désormais orienté vers l'Est, entre Mézières et Belfort.

Les premières défaites de 1914 et le massacre d'une magnifique jeunesse française témoigneront de la faute commise, en 1913, par Joffre quand il néglige le matériel lourd et qu'il impose le plan XVII. Mais l'infaillibilité du Haut-Commandement est alors un dogme pour tous les patriotes, Poincaré en tête, et bien rares sont alors ceux qui osent penser tout bas ce que Lyautey dit tout haut à Paléologue :

« Joffre n'a aucun sens de la manœuvre, aucune ouverture d'esprit, aucune faculté imaginative, aucune de ces intuitions lumineuses qui font les Turenne et les Napoléon. Il est lourd, massif, têtu, inerte, empêtré ; il subira les événements ; il ne les créera pas » (1).

Le Cabinet Briand ne survit que peu de temps au dépôt du projet de loi militaire. Le 18 mars, il est renversé par le Sénat à propos de la réforme électorale. C'est Clemenceau qui a été l'artisan de sa chute.

Un mois donc exactement après son entrée à l'Elysée, Poincaré se voit appelé à résoudre une crise ministérielle. Sa préoccupation dominante est de trouver une équipe décidée à faire voter la loi de trois ans ; aussi appelle-t-il Louis Barthou, garde des Sceaux dans le Cabinet démissionnaire et entièrement acquis à la mesure.

Barthou est un vieux camarade de Poincaré. La politique les a tantôt rapprochés, tantôt divisés. Mais ils s'estiment mutuellement pour leurs qualités intellectuelles. Le Béarnais pétulant qu'est Barthou pardonne au Lorrain Poincaré sa frigidité comme Poincaré excuse Barthou de ses gamineries et des obscénités dont il parsème volontiers ses propos. Tous deux communient dans un culte passionné de la patrie.

---

(1) A la décharge partielle de Joffre, on peut dire qu'il a, en 1912, envisagé des opérations à travers la Belgique. Mais il eût voulu que ce fût l'armée française qui en prit, la guerre éclatant, l'initiative. Poincaré s'est, avec raison, opposé vivement à cette conception propre à faire retomber sur nous l'odieux de la violation de la neutralité belge et à nous aliéner irrémédiablement l'Angleterre.

Le 21 mars, le nouveau ministère est constitué. Il apparaît légèrement plus orienté à gauche que le précédent : Jonnart se voit remplacé aux Affaires étrangères par Stéphen Pichon, l'homme-lige de Clemenceau, les Finances vont à Charles Dumont dont le radicalisme est au-dessus de tout soupçon, Etienne conserve le portefeuille de la Guerre et Baudin celui de la Marine, Chéron, le « Gambetta Normand », prend celui du Travail ; les autres ministres sont choisis dans la figuration habituelle. Parmi les sous-secrétaires d'Etat apparaît un jeune homme d'avenir : Anatole de Monzie.

Le gouvernement vient de remporter devant la Chambre un initial et assez difficile succès, quand Poincaré accomplit à Montpellier, flanqué de Barthou et de Chéron, son premier voyage officiel. L'accueil des foules méridionales est vibrant à souhait et le président de la République rentre à Paris assuré que sa popularité n'est pas moins vive en province que dans la capitale.

C'est alors qu'il éprouve une perte très cruelle : le 11 avril, sa mère, à laquelle une tendre affection l'unissait, meurt soudainement.

Il a déjà, en 1911, perdu son père. Sans ascendants, sans enfants, appuyé désormais sur sa seule épouse, il va se raidir de plus en plus dans son personnage public.

Le protocole ne lui laisse d'ailleurs guère le temps de pleurer la disparue et, dès le début de mai, il lui faut recevoir, en grande pompe, le roi d'Espagne Alphonse XIII. Dîners d'apparat, revue sur l'Esplanade des Invalides, Carrousel à Fontainebleau, démonstration d'aviation à l'aérodrome de Buc, réception à l'Hôtel de Ville : les fastes militaires et civils de la République se déploient aux yeux du jeune souverain et Poincaré joue de bonne grâce son rôle d'ordonnateur suprême. Mais quand le roi veut faire une incursion dans le domaine de la haute politique et réclame, en échange d'une alliance militaire avec la France, la liberté d'annexer éventuellement le Portugal, le président coupe court : « Jamais l'Angleterre ne laissera toucher à l'indépendance du Portugal. » La visite ne s'en termine pas moins très cordialement.

C'est alors que Poincaré, inspiré sans doute par le souvenir de la piété maternelle, guidé aussi par le sentiment des devoirs nouveaux que lui impose sa haute charge, accomplit un geste dont le secret ne sera révélé que plus tard : il se marie religieusement.

Arthur Bazire, le second mari d'Henriette Benucci, (unie civilement à Poincaré depuis 1904), est mort en 1892, mais on est resté fort longtemps sans nouvelles de son premier époux, Dominique Kiloran, dont elle divorça en 1890. Or une information précise a enfin permis de déterminer que ce Kiloran était décédé aux Etats-Unis en 1909. Mgr Baudrillart, recteur de l'Institut catholique et ancien condisciple de Poincaré en a donné à l'Officialité de Paris l'assurance basée sur des témoignages indiscutables et Henriette s'est trouvée libre aux yeux de l'Eglise.

Croyante, elle désire régulariser son union. Poincaré y consent : « C'est par respect pour la mémoire de ma mère », déclare-t-il à Baudrillart. « C'est par égard aussi pour les sentiments de ma famille et de la famille de ma femme... Mais il y a une autre raison : le chef d'un Etat catholique doit cet exemple à son pays... »

Les dispenses nécessaires de publication sont obtenues de l'archevêché et, le 5 mai, dans la petite chambre de la rue de Babylone où est morte la mère de Poincaré, la cérémonie nuptiale est célébrée. Lucien Poincaré, frère du président, l'avocat Maurice Bernard et l'avoué Gibou, ses vieux amis, sont seuls témoins.

L'office terminé, Poincaré sanglote : « Ah ! pourquoi ma pauvre mère n'est-elle plus là ?... Elle eut été si heureuse ! » Et il ajoute : « C'est la meilleure action de ma vie. » (1)

Cet homme d'apparence si froide a décidément des replis profonds de tendresse.

Brève halte émotive et qui n'empêche pas Poincaré de garder l'esprit tendu vers tous les problèmes que présente la situation tant extérieure qu'intérieure.

La guerre entre les alliés balkaniques et l'Empire ottoman,

---

(1) La nouvelle sera en grand secret confiée à Albert de Mun qui en informera le pape.

un moment suspendue à la fin de l'année précédente a repris en janvier quand le parti Jeune Turc s'est emparé du pouvoir à Constantinople.

Cette fois les Turcs se sont mieux défendus et les Bulgares n'ont pas franchi les lignes de Tchaltadja. La discorde règne d'ailleurs toujours au camp des Alliés et un conflit armé paraît, entre eux, imminent. Au-delà se profile, aussi menaçante que jamais pour la paix européenne, la rivalité austro-russe. Parallèlement, l'Allemagne multiplie les gestes inquiétants ; un incident survenu à Nancy, où des touristes allemands se sont vus conspués par la foule, a augmenté la tension. La campagne gallophobe a repris de plus belle dans la presse d'Outre-Rhin et le général de Moltke, chef du Grand Etat-Major allemand, ne cache pas qu'il prépare l'attaque brusquée. « Nous devons, » a-t-il dit au cours d'une conversation rapportée par notre ambassadeur à Berlin, « prévenir notre principal adversaire ; aussitôt qu'il y aura neuf chances sur dix d'avoir la guerre, il nous faudra la commencer brutalement sans attendre. »

Tout cela va aboutir, le 5 juillet, à l'adoption par le Reichstag d'une loi portant à huit cent-soixante-quinze mille hommes l'effectif de l'armée sur le pied de paix.

En France, le gouvernement pousse activement au vote de la loi de trois ans. En attendant qu'elle intervienne, un décret a été pris maintenant sous les drapeaux la classe libérable. La mesure provoque, dans quelques casernes, des débuts de mutinerie qui sont commentés sans bienveillance par la presse étrangère. Poincaré, profondément inquiet, invite Clemenceau à passer à l'Elysée et il confie à Paléologue. « J'ai voulu ainsi notifier à la Chambre que, si elle renverse le Cabinet sur la question militaire, ce n'est pas Caillaux qui recueillera la succession de Barthou, ce sera Clemenceau... Il me déteste. Mais, avec ses énormes défauts d'orgueil et de jalousie, de rancune et de haine, il a une qualité qui lui vaut toute mon indulgence, une qualité dont Caillaux est dépourvu : il a, au plus haut degré, la fibre nationale. »

Les mutineries seront aisément matées et Barthou réussira,

non sans quelque peine, à faire, le 7 août, voter la loi de trois ans.

Entre temps, une éclaircie passagère intervient au ciel diplomatique : le 30 mai des préliminaires de paix sont signés à Londres entre la Turquie d'une part, les Alliés balkaniques de l'autre. Mais les délégués de ces derniers ont aussitôt formulé toutes sortes de réserves dans des protocoles séparés. Ce n'est qu'une trêve...

Elle coïncide avec le voyage officiel que Poincaré, du 22 au 26 juin, accomplit en Angleterre pour y rendre visite au roi George V. Banquet au palais de Buckingham, réception au Guild-Hall, dîner à l'ambassade de France, visite au Château de Windsor, dîner au *Foreign Office.* « Je me crois enlevé, » note le président, « à travers le temps, vers un passé que la France a détruit chez elle, mais que nous reconnaissons, malgré tout, comme nôtre aux lueurs fugitives de nos souvenirs. »

La réception est partout enthousiaste et donne à Rudyard Kipling l'occasion d'écrire, en l'honneur de la France, quelques-uns de ses plus beaux vers :

« *Juge le plus sévère de sa propre valeur, nation la plus noble d'esprit, la première à suivre la vérité, la dernière à répudier les anciennes vérités, France chérie de toute âme qui aime ses semblables...* »

Quand Poincaré, héraut de l'Entente Cordiale, rentre à Paris (1), c'est pour y apprendre que la paix européenne est de nouveau troublée et que les Bulgares, peut-être encouragés par l'Autriche, viennent traîtreusement d'attaquer les Serbes et les Grecs, leurs alliés de la veille. Peu de jours après, la Roumanie, jusqu'ici restée neutre dans le conflit balkanique mais qui entend bien tirer parti des événements, pénètre en territoire bulgare.

En dépit d'une résistance courageuse, les Bulgares cèdent sous le nombre et leur souverain, le tsar Ferdinand, télégra-

(1) De Londres, il a trouvé le temps d'écrire à sa nièce Lysie : « Je t'ai gardé les menus pour ta collection. »

phie, le 2 août à Poincaré pour solliciter sa médiation. Il n'en reçoit que cette sèche réponse :

« Je m'empresse d'accuser réception à Votre Majesté de son télégramme que je me ferai un devoir de communiquer au gouvernement de la République. Je prie Votre Majesté de recevoir l'assurance de mes meilleurs sentiments. »

Le 10 août la paix est enfin signée entre les Etats balkaniques. L'Europe respire.

Sans attendre cette accalmie, Poincaré, répondant aux invitations qui lui sont adressées de toutes parts, a entrepris, à l'intérieur de la France, une série de déplacements officiels au cours desquels il est le plus souvent accompagné de sa femme. On le voit successivement au Havre, à Bar-le-Duc, à Commercy, à Limoges, à Guéret, à Uzerche, à Cahors, à Périgueux, à Ribérac, à Bergerac, à Agen, à Toulouse, à la Pointe de Grave, à Bordeaux enfin. Les banquets succèdent aux banquets, les inaugurations aux inaugurations, les acclamations ne cessent pas. Madame Poincaré arbore parfois la coiffe ou le foulard local.

En chaque lieu, le président prononce un discours documenté qui évoque les fastes de l'histoire locale et fait de précises allusions aux besoins actuels de la région : le succès est immense ; il s'y ajouterait peut-être de la stupeur si l'on savait que, ces allocutions, Poincaré les a écrites longtemps à l'avance et qu'il les récite toutes de mémoire sans avoir jamais eu besoin de consulter son texte...

Le 20 septembre, il est à Paris où il offre à déjeuner au nouveau roi de Grèce Constantin 1er, qui fait en Europe sa tournée protocolaire. Puis il se rend à Rambouillet où il prend quelques jours de repos. Repos relatif, entrecoupé de Conseils des ministres et de réceptions d'invités de marque. A ces derniers, il est indispensable d'offrir le régal d'une chasse. Mais le président, dans son amour des bêtes, ne saurait y participer lui-même et, « à l'heure du carnage », il se fait suppléer par Briand.

Dès le début d'octobre, cette vie champêtre prend fin et Poincaré s'en va en Espagne rendre sa visite au roi Alphonse XIII. Bien entendu, il refuse à Madrid d'assister à une *corrida* mais la foule castillane ne lui en tient pas trop rigueur et ne lui ménage pas ses vivats. Il profite de son retour par mer pour, aussitôt débarqué, s'arrêter à Marseille, à Aix, à Arles, à Maillane où il fait visite au poète Mistral, à Sérignan où il voit l'entomologiste Fabre, à Montélimar enfin où il est l'hôte du président Loubet. Rentré à Paris il y accueille Serge Sazonof, le ministre russe des Affaires étrangères, fonctionnaire appliqué, pacifique, mais timide et un peu effacé. Puis il va à Reims, à Dreux, à Chartres et à Nogent-le-Rotrou où l'attendent de nouveaux banquets, et où, infatigable, il prononce de nouveaux discours. Son retour à l'Elysée ne lui vaut nulle détente et, pendant le mois de novembre, il ne se passe littéralement pas un seul jour où il n'assiste à une cérémonie et ne prononce au moins une allocution.

Cela ne l'empêche pas, pendant le même mois, d'avoir de sérieuses conversations avec Kokovtsof, président du Conseil de Russie, venu à Paris pour négocier un nouvel emprunt en échange duquel il promet un développement des chemins de fer stratégiques de l'Empire.

L'Allemagne cependant ne se laisse pas oublier : en Alsace de vifs incidents opposent un jeune officier plein d'arrogance, le lieutenant de Forstner, à la population de Saverne. D'autre part, le gouvernement de Berlin accentue sa main-mise sur la Turquie et fait désigner un de ses généraux comme commandant en chef de l'armée ottomane. Tout cela ne va pas sans déclencher, de part et d'autre de la frontière, de violentes polémiques. Dans le même temps, le roi Albert de Belgique, de retour de Potsdam, fait discrètement savoir au Quai d'Orsay qu'il y a trouvé l'Empereur Guillaume très surexcité, acquis aux desseins belliqueux du Grand Etat-Major et considérant une guerre franco-allemande comme inévitable et prochaine.

Cette inquiétante situation n'empêche pas la Chambre, le 2 décembre, de renverser le Cabinet Barthou à propos de l'impôt sur la rente. C'est Caillaux qui a été le principal artisan de cette chute et, en logique parlementaire, c'est à lui que devrait échoir la présidence du Conseil. Mais Poincaré, on sait pourquoi, ne veut pas de lui à la tête du gouvernement ; après avoir sollicité en vain Deschanel, Ribot et Jean Dupuy, c'est finalement Gaston Doumergue qu'il charge de former le nouveau ministère.

Doumergue est un méridional expansif et « homme de gôche », mais c'est aussi un esprit sagace et un bon Français. Le 9 décembre, il constitue un Cabinet nettement radical dans lequel il prend le portefeuille des Affaires étrangères et où Caillaux accepte de se charger des Finances. La plupart des nouveaux ministres ont lors de l'élection à la présidence de la République voté contre Poincaré. La déclaration du gouvernement n'en proclame pas moins la nécessité de maintenir la loi de trois ans et celle de poursuivre une politique extérieure basée sur l'alliance russe et sur l'Entente Cordiale. C'est là, tout ce que peut, pour l'instant, demander le chef de l'Etat.

L'année 1913, qui a été si chargée d'événements et si lourde d'orages, s'achève. On veut croire que 1914 sera plus sereine et le discours que Sir Francis Bertie, Doyen du Corps diplomatique adresse, le 1er janvier, au président de la République, contient cette phrase :

— « L'année qui vient de s'écouler a vu se rétablir la paix et tout nous permet d'espérer qu'elle ne sera plus troublée dans l'année qui commence. »

Le cordial et poupin ambassadeur de Grande-Bretagne se montre, ce jour-là, bien mauvais prophète.

Poincaré ne partage pas cet optimisme. Ses *Souvenirs* le montrent inquiet, sourdement irrité de ne pouvoir, de par son irresponsabilité constitutionnelle, qu'assister au développement des événements sans y imprimer sa marque. « Comme Silvio Pellico dans le cloître de Santa Margherita », écrira-t-il, « je faisais *Le mie prigioni* au palais de l'Elysée. Triste maison... Mes entretiens avec M. Doumergue et avec quelques-uns des ministres, d'assez rares visites d'hommes politiques, les séances des Conseils, la lecture des compte rendus parlementaires, voilà tout ce qui me rattachait à la vie publique. »

Un dernier lien va être coupé qui le reliait au Quai d'Orsay : son camarade Maurice Paléologue va être enlevé à la

Direction politique pour se voir transféré à l'ambassade de France à Pétersbourg que Delcassé s'est résolu à abandonner. Désignation d'ailleurs judicieuse : Paléologue est peut-être un peu superficiel mais il connaît bien son Europe et n'est pas un excité. Poincaré a insisté pour qu'il acceptât le poste auquel le désigne la confiance du gouvernement. Aussi bien, le président, plus persuadé que jamais de l'importance de l'alliance russe, envisage-t-il dès lors de rendre officiellement visite au Tsar dans le courant de l'année. La Cour de Pétersbourg, pressentie, fait savoir que le mois de juillet présenterait le moment le plus favorable.

Bien des choses dans cette Cour s'enveloppent d'un voile singulier : Nicolas II, profondément honnête, mais dangereusement fataliste, se laisse tirailler par des influences diverses. La plus active semble, par malheur, être celle de Raspoutine, un moujik hirsute et lubrique mais doué d'un extraordinaire rayonnement, qui s'est rendu maître de l'esprit de la tsarine et qui exerce, jusqu'auprès du lit des grandes duchesses, ses inquiétants sortilèges. Kokovtsof, le président du Conseil, a tenté de mettre Nicolas en garde, Kokovtsof est sacrifié et, en février, il est remplacé par Goremykine, un courtisan réactionnaire. Poincaré a quelque hâte de se rendre compte par lui-même des conséquences possibles de ce changement.

En attendant, il lui faut se pencher sur les problèmes intérieurs. Caillaux, ministre des Finances se voit presque quotidiennement attaqué, depuis quelque temps, dans les colonnes du *Figaro* par des articles signés du directeur de ce journal, Gaston Calmette. Ces articles se sont d'abord référés aux pourparlers directs qu'en 1911 Caillaux, étant président du Conseil, a menés avec l'Allemagne par-dessus la tête du ministre des Affaires étrangères. Puis ils ont révélé les contacts que le chef du parti radical a eus naguère avec un français véreux du nom de Rochette. Et voici que le 13 mars, Calmette publie une lettre écrite par Caillaux à sa seconde femme alors qu'elle n'était que sa maîtresse.

Le ministre des Finances a des raisons de penser que le directeur du *Figaro* détient d'autres lettres intimes, plus fâcheuses, et, le 16 mars, il vient demander à Poincaré, qu'il soupçonne d'encourager la campagne, de s'entremettre pour la faire cesser. « Si ces lettres sont publiées, ajoute-t-il, je n'aurai d'autre ressource que d'aller tuer M. Calmette. » Le président conseille assez froidement à son interlocuteur de consulter un avocat.

Quelques heures après, Madame Caillaux pénètre dans le bureau du directeur du *Figaro*, l'abat de six coups de revolver et se constitue prisonnière.

A la suite de ce meurtre, Caillaux renonce à son portefeuille et il est suivi dans sa retraite par Monis, le ministre de la Marine. Ils sont remplacés respectivement par le député René Renoult et par le sénateur Gauthier. Des petites feuilles d'extrême-gauche profitent de l'événement pour prendre violemment à partie le président de la République.

Poincaré s'échappe un instant de ce marécage pour s'aller détendre à Eze, dans les Alpes-Maritimes, où ses nièces lui donnent des leçons de tennis ; mais, dès le milieu d'avril, il lui faut être de retour à Paris pour y faire accueil au roi d'Angleterre George V.

La réception se déroule suivant le cérémonial accoutumé et Poincaré, d'accord avec Doumergue, en profite pour faire savoir au souverain britannique ainsi qu'à Sir Edward Grey, le chef du Foreign Office, que la Russie souhaiterait vivement la conclusion d'un accord militaire et naval avec la Grande-Bretagne. George V et son ministre demeurent réticents mais n'en sont pas moins sensibles aux vivats dont les accompagne la foule parisienne. « Tous ces gens » note Grey « qui jouissaient de cette belle journée d'avril, pourquoi eussent-ils souhaité de troubler la paix ? »

De ses dispositions pacifiques, le peuple français donne la preuve à l'occasion des élections législatives des 26 avril et 9 mai. Elles ont lieu sur le double thème de l'impôt général sur le revenu et de la loi de trois ans et elles donnent un franc succès aux partisans du premier comme aux adversaires de la seconde ; les radicaux socialistes gagnent vingt-trois sièges et les socialistes vingt-neuf.

C'est un échec pour Poincaré. Et voici que sa situation se trouve encore compliquée par la démission du Cabinet Doumergue dont le chef, dans sa finesse méridionale, ne tient pas à affronter les difficultés qu'il prévoit.

Pour remplacer Doumergue, le président de la République songe à René Viviani.

Viviani, socialiste indépendant, possède une belle intelligence et un don presque prodigieux d'orateur ; en revanche il est paresseux, aisément surexcité et totalement dépourvu de tenue. Ayant voté contre la loi de trois ans, il se rend maintenant compte des dangers qui présenterait son abrogation immédiate et c'est pourquoi Poincaré fait appel à lui. Mais il rencontre des difficultés dans la formation de son ministère, et, jetant le manche après la cognée, il renonce à la mission qui lui a été confiée.

C'est alors vers Ribot que le président se tourne. Ribot est un grand parlementaire libéral auquel on peut seulement reprocher un caractère qui n'est pas toujours à la hauteur de sa lumineuse éloquence et de son immense culture.

Il n'aime pas beaucoup Poincaré (il aime peu de gens) ; toutefois il accepte de le tirer d'embarras en constituant un ministère.

Mais la Chambre, encore sur le coup des passions électorales, trouve ce ministère trop conservateur, et, le 12 juin, dès son premier contact avec lui, elle le jette à bas.

Après avoir un instant balancé à se démettre, Poincaré se résigne et convoque de nouveau Viviani. Cette fois ce dernier aboutit et, le 14 juin, son équipe ministérielle est sur pied : il prend pour lui les Affaires étrangères, l'Intérieur reste à Malvy qui est le grand favori du parti radical-socialiste, Bienvenu-Martin et Gauthier demeurent respectivement à la Justice et à la Marine, la Guerre va à Messimy, les Finances à Noulens, les Travaux publics à Renoult, le Commerce à Thomson, l'Agriculture à Fernand David, les Colonies à Maurice Raynaud, le Travail à Couyba. C'est ce Cabinet, franchement orienté à gauche, qui, dans quelques mois, aura à affronter la déclaration de Guerre allemande.

En attendant, il établit un programme transactionnel qui recueille à la Chambre une forte majorité : s'engageant à faire voter par le Sénat l'impôt général sur le revenu, il se déclare par contre résolu à maintenir, au moins à titre provisoire, le service de trois ans. Soulagé, Poincaré se consacre à la préparation du voyage qu'il doit accomplir en Russie à partir du 16 juillet et au retour duquel il compte s'arrêter successivement dans les trois capitales scandinaves.

Le 22 juin, il règle avec Paléologue, venu tout exprès à Paris, les derniers détails de ce voyage.

Le 28 juin, tandis qu'à Longchamp il préside à l'épreuve du Grand Prix, il apprend, par un télégramme de l'Agence Havas que l'Archiduc François Ferdinand, héritier du trône d'Autriche-Hongrie, et son épouse morganatique, la duchesse de Hohenberg, viennent d'être assassinés à Sarajevo, petite ville bosniaque proche de la frontière serbe.

CHAPITRE X

VERS LA GUERRE

Complicités dont les assassins de François-Ferdinand ont bénéficié en Serbie. — Le Cabinet de Vienne met en cause la responsabilité du gouvernement serbe. — Conséquences qui vont en découler. — L'Allemagne soutient l'Autriche-Hongrie. — Poincaré part rendre visite au Tsar. — Son séjour en Russie. — Conversation avec Nicolas II. — Au moment où Poincaré quitte le sol russe, l'Autriche-Hongrie fait remettre un ultimatum à la Serbie. — Poincaré, en mer, insuffisamment renseigné sur les événements. — Escale à Stockholm. — Le gouvernement de Belgrade n'accepte que partiellement les conditions autrichiennes. — L'Autriche-Hongrie déclare la guerre à la Serbie. — Proposition anglaise de médiation collective. — Poincaré, qui a renoncé à s'arrêter à Copenhague et à Oslo, rentre en France. — Accueil délirant de la foule française. — Une mobilisation partielle est décidée en Russie. — Elle est transformée en mobilisation générale. — Une prétendue révélation de Caillaux. — La mobilisation générale austro-hongroise. — Préparatifs militaires allemands. — L'Angleterre hésitante. — Lettre de Poincaré à George V. — « L'état de danger de guerre » proclamé en Allemagne. — Question posée par l'ambassadeur d'Allemagne à Viviani. — Assassinat de Jaurès. — L'Allemagne mobilise. — Mobilisation française. — Optimisme momentané et injustifié de Viviani. — Propos belliqueux qu'aurait tenu Poincaré. — L'Allemagne déclare la guerre à la Russie et envahit le Luxembourg. — Elle adresse un ultimatum à la Belgique. — Discours de Grey à la Chambre des Communes. — L'Allemagne déclare la guerre à la France. — Réaction de Poincaré. — Son message aux Chambres. — « Union Sacrée. » — Futur bilan de la guerre. — Les responsables. — Poincaré n'a jamais voulu la guerre mais s'y est résigné.

La nouvelle du double meurtre de Sarajevo éclate sur l'Europe comme une bombe et y fait flamber à nouveau les brandons que, depuis la paix balkanique, on croyait à demi éteints.

Les assassins, Tchabrinovitch et Prinzip, sont des sujets autrichiens, mais de race serbe, ils ont habité Belgrade et les grenades trouvées sur eux portaient la marque d'un arsenal serbe ; il n'en faut pas plus pour que le gouvernement de Vienne accuse aussitôt celui de Belgrade d'être le véritable instigateur de l'attentat.

De l'enquête minutieuse à laquelle il sera plus tard procédé, l'innocence des autorités gouvernementales serbes résultera clairement. Il n'en est pas moins certain que les meurtriers ont eu des complices dans les milieux militaires serbes, notamment dans la société secrète *La main noire* et jusque dans les services secrets de l'Etat-Major. Aussi bien depuis des années les Serbes ne cachaient-ils guère la satisfaction que leur causait la désagrégation progressive de l'Autriche-Hongrie, non plus que l'espoir qu'ils avaient d'hériter de ses provinces méridionales de population slave.

Le Cabinet de Vienne est depuis longtemps conscient de la faiblesse de la Double Monarchie ainsi que du péril permanent que constitue pour elle la seule existence d'un Royaume serbe indépendant. Aussi a-t-il tout fait, au cours de la crise balkanique de 1912-1913, pour que ce Royaume détesté ne reçût pas d'accroissement territorial important. Mais cela ne suffit pas. Ce qu'il faudrait, ce serait humilier les Serbes, les déconsidérer aux yeux de leurs frères de race vivant sous la domination habsbourgeoise, et si possible anéantir leur indépendance : l'assassinat de l'Archiduc ne pourrait-il servir de prétexte à une opération de force ? C'est ce que pensent à Vienne les milieux dirigeants et singulièrement le comte Berchtold, ministre des Affaires étrangères de la double monarchie, un gentilhomme arrogant et futile. Dès le lendemain de l'attentat, il annonce à Tisza, président du Conseil hongrois, « son intention de profiter du crime de Sarajevo pour régler les comptes avec la Serbie ».

Mais la Serbie n'est point isolée : derrière elle se dresse l'Empire russe qui se tient pour protecteur naturel des Slaves des Balkans et souffre malaisément que l'Autriche-Hongrie intervienne dans ce domaine réservé. L'annexion de la Bosnie-Herzégovine par la doule monarchie a été, en 1908, cruellement ressentie à Pétersbourg et on y cherche une revanche à prendre. Certes les tendances ne sont pas toutes les mêmes dans les « hautes sphères » : à côté de généraux qui souhaitent la guerre pour la guerre et de hauts fonctionnaires qui y voient le meilleur paratonnerre contre la révolution grondante, on y trouve des diplomates qui, tel Sazonof, cherchent encore un terrain de conciliation. Entre les deux camps, Nicolas II balance : religieux et très pacifique dans le cœur, il est faible, irrésolu et apparaît en outre de plus en plus soumis à l'influence délétère qu'exerce sur lui, par l'intermédiaire de la Tsarine, le salace et vénal Raspoutine...

L'assassinat de l'Archiduc rend certain, à y bien réfléchir, un conflit austro-serbe et, vraisemblable, un conflit austro-russe. Mais les choses ne sauraient en rester là : l'alliance entre l'Allemagne et l'Autriche-Hongrie oblige la première à venir au secours de la seconde si elle se trouve en guerre avec la Russie. Et cette obligation n'existerait-elle point qu'on se trouverait encore en présence de l'indignation suscitée chez Guillaume II par le meurtre de François-Ferdinand, son ami personnel, en présence aussi du désir d'expansion et d'épreuve de force qui anime alors tout ce qui compte dans le Reich.

Mais si l'Allemagne, pour soutenir l'Autriche-Hongrie, vient à attaquer la Russie, la France ne sera-t-elle point tenue d'entrer à son tour, aux côtés de son alliée, dans la macabre danse ? N'y sera-t-elle même pas contrainte par un geste préventif accompli, selon les plans du Grand Etat-Major, par le gouvernement de Berlin ? Et alors la Grande-Bretagne, sous peine de voir ruiné cet équilibre continental auquel elle tient tant, pourra-t-elle se dispenser de participer au conflit ?

Tout cela, qui ne tardera pas à devenir évident, reste encore, à la fin de juin, confus. Aussi bien se rapproche-t-on de ce temps de vacances où les attentions se relâchent et où l'on veut, malgré tout, croire à des détentes. En France en particulier, les commentaires inspirés par le drame de Sarajevo tiennent dans les journaux beaucoup moins de place que ceux que suscitent la prochaine comparution de Mme Caillaux, meurtrière de Calmette, devant la Cour d'Assises. « Au Conseil du mardi 30 juin, » écrira Poincaré dans ses *Souvenirs,*

« on parle un peu de l'Autriche, on parle beaucoup des congrégations ».

Le 5 juillet, recevant le comte Szeczen, ambassadeur d'Autriche-Hongrie à Paris, le président lui exprime la conviction que le gouvernement serbe ne fera pas d'obstacle à une enquête judiciaire et que tout s'arrangera à l'amiable. Il ne sait pas qu'à la même heure Guillaume II, interrogé par le gouvernement austro-hongrois, lui répond qu'il peut compter sur le « plein appui » allemand et qu'il fera bien d'agir sans attendre. De même, Poincaré n'aura-t-il pas vent du Conseil qui se tiendra à Vienne le 7 juillet et au cours duquel sera en principe décidé l'envoi à Belgrade d'un ultimatum contenant (mentionne le procès-verbal) « des exigences tellement étendues qu'elles fassent prévoir un refus et permettent de frayer la voie à une solution radicale ».

Le mystère des intentions austro-hongroises restant impénétrable et les télégrammes reçus de notre ambassade à Vienne apparaissant plutôt rassurants, Poincaré ne pense pas que sa visite au Tsar, visite qui est décidée depuis cinq mois, puisse être contremandée. Viviani, qui doit être du voyage, préférerait l'ajourner, non pas tant à cause de la tension internationale qu'en raison de l'affaire Caillaux ; il finit pourtant par s'incliner :

— « Nous irons... Mais, nom de D... quelle sacrée corvée !... nom de D.... ! »

***

Le 14 juillet, le président passe à Longchamp, au milieu des acclamations des spectateurs, la revue traditionnelle. Le 15, Madame Poincaré part pour Sampigny où elle doit séjourner durant l'absence de son mari. Le 16, accompagné de Viviani, de Margerie, directeur politique au Quai d'Orsay, de William Martin, chef du protocole, et des officiers de sa maison militaire, Poincaré s'embarque sur le cuirassé *France*. Un autre cuirassé, le *Jean-Bart*, un croiseur léger et deux torpilleurs d'escadre font escorte.

Le ciel est lumineux, la mer azurée, la brise légère. La

T.S.F. n'apporte nulle nouvelle intéressante. Poincaré connaît des heures de détente qu'il consacre à visiter le bâtiment, à lire de l'Ibsen, et à avoir, avec Viviani, des entretiens à bâtons rompus où la littérature se mêle à la politique et la diplomatie. Il est curieux de le constater relativement insouciant, lui qui, pendant le cours de la crise balkanique, a été constamment si préoccupé et tendu.

Le 19 juillet, on est en vue des côtes russes. Le même jour, un nouveau Conseil est venu à Vienne au cours duquel les termes de l'ultimatum à adresser à la Serbie sont arrêtés. Mais il est décidé de tenir provisoirement secret cet ultimatum et de ne le remettre à Belgrade que le 23, lorsque le président de la République française aura terminé sa visite au Tsar.

C'est donc dans l'ignorance de la véritable situation internationale que, le 20 juillet, Poincaré arrivé à Cronstadt, quitte la *France* pour s'embarquer sur le yacht impérial *Alexandria* où l'attend Nicolas II et qui, en quelques heures, conduit les deux chefs d'Etat à Peterhof, la résidence d'été des souverains russes.

Présentation à la tsarine. Connaissance faite des grandes duchesses ses filles. Grand dîner. Toasts échangés en l'honneur de l'alliance. Celui de Poincaré présente un relief inacoutumé : « Les mots, » note Paléologue, « acquièrent dans sa bouche une force de signification et un accent d'autorité remarquables. Sur cette assistance élevée dans la tradition despotique et dans la discipline des cours, l'effet est intense. Je suis sûr que, parmi tous ces dignitaires chamarrés, plus d'un pense : Voilà comme devrait parler un autocrate... »

Le 21 au matin, conversation d'une heure en tête à tête entre Poincaré et Nicolas. Ce dernier souligne son désir de conclure un accord naval avec la Grande-Bretagne. Tour d'horison européen. On s'arrête sur la Grèce et sur l'Albanie. On parle aussi de la Turquie et de l'Italie. Pour l'Autriche, en l'absence de nouvelles précises sur ce qui se trame à Vienne, on estime qu'on ne peut que lui donner des conseils de modération. Enfin les deux interlocuteurs tombent d'accord sur la nécessité de maintenir, plus serrés que jamais, les liens de l'alliance franco-russe et d'être prêts à en remplir toutes les obligations.

Poincaré s'embarque ensuite sur le yacht impérial qui le doit transporter à Péterbourg. Il s'étonne que son hôte ne l'y accompagne point. Se rend-il bien compte de la précarité du pouvoir de ce tsar qui n'ose pas affronter sa propre capitale où une grève formidable vient d'éclater ?...

La foule pétersbourgeoise fait un accueil très amical au président français. Mais ce dernier reçoit un choc quand, recevant les diplomates, il entend l'ambassadeur d'Autriche déclarer que son gouvernement tient le Cabinet Serbe pour responsable du meurtre de Sarajevo. Et la fâcheuse impression est confirmée quand le ministre de Serbie auquel il est demandé quelles nouvelles il a reçues de Belgrade, répond : « Très mauvaises ».

Retour le soir à Peterhof. Le lendemain 22, on présente à Poincaré le tsarewitch Alexis dont les parents entourent d'une tendresse inquiète la santé chancelante. Puis, après un déjeuner semi-intime, on se rend par voie ferrée au camp de Krasnoïe-Selo, où se déroule, le jour suivant, une grande revue militaire.

— « Belles troupes, » note Poincaré, « moins correctement alignées que les nôtres, moins crânes d'aspect ; mais dans l'ensemble, la tenue est bonne ». Il ne sait pas, ou sait mal, que ces troupes sont insuffisamment armées, mal commandées et que le ministre de la Guerre dont elles dépendent, le général Soukhomlinof, est un corrompu et peut-être un traître.

Est-ce à l'issue du déjeuner militaire qui suit le défilé que Poincaré tient au tsar les propos auxquels ce dernier fera allusion quand, deux ans plus tard, il déclarera à Cruppi, un ancien ministre français faisant en Russie une tournée de journaliste : « J'ai toujours présent à l'esprit le langage si *ferme* que m'a tenu le président de la République au moment où il quittait la Russie ? » C'est possible.

Poincaré, que ses inquiétudes de l'année précédente recommencent d'assaillir, redoute avant tout une attaque brusquée de l'Allemagne dirigée contre la France. Il veut être certain que, dans cette hypothèse, l'aide russe ne nous fera pas défaut. Mais en contre-partie, il croit devoir assurer la Russie du concours de la France. C'est là sans doute la raison de la « fermeté » de son langage qui ne procède certes pas, comme l'insinuera Caillaux dans ses *Mémoires*, d'un désir secret de voir le conflit éclater.

Le soir, le président et sa suite sont ramenés en rade de Cronstadt où à bord du cuirassé *France* un dîner est offert à la famille impériale. Ultimes toasts : Poincaré proclame que le Russie et la France ont « le même idéal de paix dans la force, l'honneur et la dignité » , le tsar réplique en évoquant « l'idéal de paix que se posent nos deux pays, conscients de leur force ». Puis on se sépare avec force poignées de mains, compliments et vœux.

A onze heures du soir, dans la nuit sereine, la *France* et les navires d'escorte appareillent vers Stockholm par où le président de la République française doit commencer sa tournée des capitales scandinaves.

Trois heures auparavant, d'ordre télégraphique de son gouvernement, le ministre d'Autriche-Hongrie, baron Giesl, à remis au gouvernement de Belgrade l'ultimatum fatal.

Ultimatum d'une dureté extrême : le gouvernement serbe est requis de sésavouer publiquement toute propagande contre l'Autriche-Hongrie, d'éliminer de l'armée et de l'administration tout officier et tout fonctionnaire qui lui seront désignés par Vienne, d'arrêter les sujets serbes compromis dans l'affaire de Sarajevo, enfin et surtout d'accepter la participation de fonctionnaires austro-hongrois dans l'enquête qui sera ouverte, en territoire serbe, au sujet de cette affaire. Réponse affirmative sur tous les points doit être donnée dans les quarante-huit heures ; sinon l'Autriche-Hongrie déclarera la guerre à la Serbie.

Le coup a été bien monté : Ce n'est que dans la matinée du 24, alors qu'ils sont déjà loin en haute mer, que Poincaré et Viviani apprennent par des radiogrammes encore incomplets, les grandes lignes du texte explosif. D'accord avec le président, Viviani radiotélégraphie aussitôt à Pétersbourg et à Paris qu'il est d'avis: 1° Que la Serbie offre toutes les satisfactions compatibles avec son honneur ; 2° Qu'elle sollicite la prolongation du délai imparti ; 3° Qu'une enquête internationale soit substituée à l'enquête autrichienne exigée par Vienne.

Mais déjà l'ultimatum austro-hongrois a suscité à Pétersbourg une émotion intense. Le parti militaire s'agite. Un télégramme du prince héritier de Serbie arrive sollicitant la protection du tsar. La Sainte Russie va-t-elle laisser humilier, déshonorer une nation slave ? Sazonof voudrait temporiser, mais, dans l'après-midi, les généraux obtiennent du tsar l'ordre de préparer, à toute fin utile, la mobilisation des quatre corps d'armée d'Odessa, Kiev, Moscou et Kazan. Cette décision sera d'ailleurs cachée à l'ambassadeur de France quand il viendra, le soir, aux nouvelles.

Enfermés sur la *France*, le président de la République, le président du Conseil, le ministre des Affaires étrangères et le directeur politique ignorent presque tout de ce qui se passe. Aussi le lendemain, 25 juillet, quand ils débarquent à Stockholm, sont-ils gravement alarmés d'y trouver ce télégramme émané du Quai d'Orsay : « L'Ambassadeur d'Allemagne a fait une démarche appuyant catégoriquement la note autrichienne... Le gouvernement allemand estime que la question actuelle est une affaire à régler entre l'Autriche et la Serbie. Il désire ardemment que le conflit soit localisé, toute intervention d'une autre puissance devant, par le jeu des alliances, provoquer des conséquences incalculables. »

C'est avec un esprit singulièrement distrait que Poincaré assiste aux réjouissances offertes par le roi de Suède. A chaque instant de nouveaux télégrammes lui sont apportés et ils ne sont pas rassurants. De concert avec lui, Viviani invite nos ambassadeurs à Londres et à Pétersbourg à entretenir d'urgence les gouvernements russes et britanniques d'une combinaison qui, tout en ménageant la dignité de la Serbie, pourrait n'être pas finalement repoussée par Vienne.

Initiative déjà périmée. Les dés sont jetés. Le gouvernement serbe, qui a d'abord pensé céder intégralement se voit encouragé à la fermeté par la Russie et, à six heures du soir, heure où se termine le délai imparti, Pachitch, le président du Conseil, fait savoir à Giesl que, si les autres points de l'ultimatum peuvent être acceptés, la participation d'agents austro-hongrois à l'enquête est inadmissible. Le ministre d'Autriche-Hongrie quitte aussitôt Belgrade : c'est la guerre.

Quand dans la nuit la *France* quitte les eaux suédoises, Poincaré ne sait encore rien de la nouvelle et pendant toute la journée du 26, les radiogrammes qui lui parviennent à bord, volontairement brouillés par les émissions allemandes, restent difficilement déchiffrables. Tels quels, ils révèlent une situation si grave que, le 27 au matin, Poincaré et Viviani prennent la décision de renoncer aux escales projetées à Copenhague et à Oslo et de rentrer directement à Dunkerque. Le président du Conseil radiotélégraphie immédiatement cette décision à Paléologue et ajoute : « Veuillez dire à M. Sazonof que la France, appréciant comme la Russie la haute importance qui s'attache, pour les deux pays, à affirmer leur parfaite entente au regard des autres puissances et à ne négliger aucun effort en vue de la solution du conflit, est prête à seconder entièrement, dans l'intérêt de la paix générale, l'action du gouvernement impérial. »

La journée se traîne lamentablement. Les messages par T. S. F. sont rares et confus : à peine discerne-t-on que le gouvernement britannique propose que l'Angleterre, l'Allemagne, la France et l'Italie s'entremettent entre Vienne, Belgrade et Pétersbourg.

Le 28, quelques précisions : en réponse à la proposition anglaise, le gouvernement allemand a répondu qu'il ne saurait participer à une intervention collective des puissances, mais qu'il conseille à son allié d'en venir à une entente directe avec la Russie. Déjà l'Autriche-Hongrie a mobilisé huit corps d'armée et déclaré officiellement la guerre à la Serbie.

Enfin le 29 juillet, à huit heures du matin, la *France* jette l'ancre en rade de Dunkerque. Quelques instants après, le président et ses compagnons sont à terre. Une multitude venue de la ville et des environs les accueille par des vivats frénétiques, des acclamations sans fin. « C'est vraiment la France » note Poincaré, « qui vient au-devant de nous ».

Très pâle, il monte dans le train spécial qui l'attend et le voici bientôt qui roule vers Paris, vers la guerre.

Dans son wagon-salon, le président s'entretient avec les personnalités venues à sa rencontre. Il est frappé par la certitude où elles semblent être que la guerre est imminente. L'une d'elles s'écrie :

— Nous en avons assez ! C'est toujours à recommencer. Mieux vaut en finir une bonne fois !

Poincaré réplique :

— Il faut encore tout faire pour éviter la guerre.

Mais la nervosité générale le gagne, et, à René Renoult, le ministre des Travaux publics, il déclare :

— Ça ne peut pas s'arranger, ça ne peut pas s'arranger...

A Paris, les abords de la gare du Nord sont noirs de monde. Quand le groupe des voyageurs paraît, une immense clameur monte : « Vive la France ! Vive le Président ». En face du péril, la nation s'est retrouvée vibrante du même rythme et, bien que l'acquittement de Madame Caillaux par la Cour d'Assises ne date que de la veille, les querelles intérieures sont oubliées.

— Jamais je n'ai eu plus de mal, écrira Poincaré, moralement et physiquement, à tâcher de demeurer impassible.

A cinq heures de l'après-midi, le Conseil des Ministres se réunit à l'Elysée. Bienvenu-Martin, garde des sceaux, qui, en l'absence de Poincaré, a exercé l'intérim des Affaires étrangères, rend compte des dernières informations. L'une est particulièrement grave : dans la matinée, Isvolsky a fait connaître au Quai d'Orsay que le gouvernement russe venait de décider la mobilisation dans les quatre régions de Kiev, Odessa, Kazan et Moscou.

Il a été alors spécifié que cette mobilisation partielle n'était dirigée que contre l'Autriche-Hongrie. Mais, depuis, et à l'insu du gouvernement français, les événements se sont précipités en Russie :

Les généraux ont démontré au tsar qu'une mobilisation simplement partielle risquerait d'entraîner le chaos et lui ont arraché un ukase de mobilisation générale. Un télégramme conciliant émanant de Guillaume II étant arrivé sur ces entrefaites, Nicolas a révoqué sa décision. Pourtant l'Etat-Major russe ne s'est pas résigné et la nouvelle du bombardement de Belgrade par l'artillerie austro-hongroise a renforcé sa position. A onze heures du soir, Sazonov, que les généraux ont gagné à leur thèse, viendra trouver Paléologue et lui exposer pourquoi la mobilisation générale de l'armée russe paraît inévitable.

Le 30 juillet au matin, le tsar résiste encore et défend, avec une douce obstination, ses dernières espérances de paix. Mais, au milieu de l'après-midi, il finit pas céder et autorise le Chef d'Etat-Major à transmettre aux circonscriptions militaires l'ukase de mobilisation générale.

C'en est fait : si l'ultimatum adressé par l'Autriche-Hongrie à la Serbie a préparé la conflagration générale, la décision que vient de prendre la Russie la rend inévitable.

Caillaux, dans le troisième volume (volume posthume) de ses *Mémoires*, affirme, sur la foi d'une confidence de Briand, que, dans la journée du 29 ou celle du 30, un colloque se serait tenu à l'Elysée entre Poincaré, Viviani, Isvolsky, ambassadeur de Russie, et Bertie, ambassadeur d'Angleterre. Au cours de ce colloque, il eut été promis à la Russie que, si elle mobilisait et si une guerre en découlait, la France serait aux côtés de son alliée sur les champs de bataille.

Le mystérieux entretien a-t-il eu lieu ? Briand n'y assistait pas plus que Caillaux et son témoignage ne peut être accueilli qu'avec scepticisme. La pensée authentique de la diplomatie française doit être trouvée dans le télégramme que Paléologue adresse le 30 juillet au Quai d'Orsay comme suite à des instructions qu'il en a reçues :

« Ce matin même, j'ai recommandé à M. Sazonof d'éviter toute mesure militaire qui pourrait offrir à l'Allemagne un prétexte à la mobilisation générale. Il m'a répondu que, dans le cours de la nuit dernière, l'Etat-Major général russe avait précisément fait surseoir à quelques précautions secrètes, dont la divulgation aurait pu alarmer l'Etat-Major allemand... »

Ce n'est qu'à onze heures du soir qu'arrive au Quai d'Orsay un nouveau télégramme de Paléologue : « l'Etat-Major et l'Amirauté russes ont reçu d'inquiétants renseignements sur les préparatifs de l'armée et de la marine allemandes. En conséquence, le gouvernement russe a résolu de procéder secrètement aux premières mesures de mobilisation générale. » Ainsi la redoutable décision a été prise non seulement sans l'assentiment préalable du gouvernement français, mais encore contrairement aux conseils de prudence donnés le matin même par l'ambassadeur de France.

Le Chancelier allemand, qui, depuis deux jours pressait le comte Berchtold d'accepter le projet anglais de bons offices, cesse d'insister et dans la nuit du 30 au 31, le gouvernement austro-hongrois décrète à son tour la mobilisation générale.

Toutes les informations reçues d'Allemagne concordent à montrer celle-ci précipitant ses préparatifs militaires et, sur le vu de ces informations, le Conseil des ministres français ordonne la mise en place du dispositif de couverture ; mais il est précisé que, pour éviter tout incident, les troupes alertées seront maintenues à dix kilomètres de la frontière. Le président de la République a donné à cette double décision son plein assentiment.

Sa principale inquiétude est alors relative à l'attitude britannique. Depuis l'échec de sa proposition de médiation collective, le Cabinet de Londres semble se réserver. Il est d'ailleurs divisé et, auprès de ministres comme Asquith, Churchill et Edward Grey qui inclinent à se ranger résolument aux côtés de la France, il en est d'autres, tels Lloyd George, Morley et John Burns, qui s'ancrent dans la neutralité. Poincaré, cruellement affecté par la demi-paralysie à laquelle le réduit son rôle constitutionnel, croit le moment venu de prendre une initiative.

Le 31 juillet, avec l'assentiment du Cabinet, il écrit au roi d'Angleterre une lettre autographe dont la phrase essentielle est celle-ci :

« Si l'Allemagne avait la certitude que l'Entente cordiale s'affirmerait, le cas échéant, jusque sur les champs de bataille, il y aurait les plus grandes chances pour que la paix ne fût pas troublée... »

A cet appel pressant, George V ne fera qu'une réponse réservée.

Le même jour, dans l'après-midi, on apprend que le gouvernement allemand, en présence de la mobilisation totale de l'armée russe, vient de décréter « l'état de danger de guerre » qui lui permet de proclamer la loi martiale et de fermer la frontière. En même temps Guillaume II télégraphie à Vienne : « Je suis prêt, conformément à mes obligations d'alliance à commencer immédiatement la guerre contre la Russie et la France. »

Le soir, à sept heures, l'ambassadeur du Reich allemand, baron de Schoen, vient trouver Viviani, lui fait savoir que l'Allemagne exige la démobilisation de la Russie dans un délai de douze heures et lui demande ce que fera la France en cas de conflit germano-russe. Il n'ajoute pas qu'au cas où la République abandonnerait son alliée, il a l'ordre d'exiger, à titre de gage, la remise provoisoire à l'Allemagne des forteresses de Toul et de Verdun. Son interlocuteur répond : « Laissez-moi espérer encore que l'on évitera les décisions extrêmes et permettez-moi de prendre le temps de réfléchir. »

L'Ambassadeur déclare alors qu'il viendra chercher la réponse le lendemain : c'est un ultimatum à peine déguisé. Viviani, d'accord avec Poincaré, n'a pas voulu se découvrir à fond, mais le gouvernement français a déjà pris son parti et dans la nuit Ignatief, l'attaché militaire russe à Paris pourra télégraphier à Pétersbourg : « Le ministre de la guerre m'a déclaré sur un ton de sincérité la ferme décision du gouvernement à la guerre. »

A ce moment, Paris est bruissant d'une grave nouvelle : Jaurès, l'illustre orateur socialiste, vient d'être assassiné par un fanatique du nom de Villain. On peut craindre des troubles, mais le peuple parisien, tout à son angoisse patriotique, demeure admirable de calme.

Le 1er août, à 10 heures du matin, le Conseil des Ministres français s'assemble à l'Elysée. Viviani, que sa nervosité fait passer brusquement de l'abattement à l'optimisme, paraît presque rasséréné. En effet, se ralliant à une suggestion britannique, le gouvernement de Vienne a fait savoir que, si la Russie arrêtait ses préparatifs militaires, il serait disposé à discuter *internationalement* de son conflit avec Belgrade...

Mais peut-être cette concession ne fait-elle que masquer une manœuvre et le Conseil, à la demande pressante de Joffre, décide la mobilisation générale (le télégramme, toutefois, ne sera expédié qu'à quatre heures de l'après-midi). A peu près au même moment, le gouvernement allemand décrète la même mesure...

La séance n'est pas terminée que Viviani est rappelé au Quai d'Orsay où l'attend le baron de Schoen. Le président du Conseil fait connaître à l'ambassadeur ses raisons d'espérer et ce dernier admet qu'il y a peut-être, en effet, une « lueur d'espoir » ; il ajoute qu'il va s'informer à Berlin et n'insiste pas pour avoir une réponse précise à la question qu'il a posée la veille au soir (« En cas de guerre germano-russe, que fera la France ? ») Quand son interlocuteur lui déclare, conformément à ce qui a été arrêté en Conseil, que « la France s'inspirera de ses intérêts », il semble se satisfaire provisoirement de cette affirmation.

Viviani revient tout allègre à l'Elysée : « Ils canent ! » s'écrie-t-il en pénétrant dans la salle où, sous la présidence de Poincaré, ses collègues sont encore réunis.

Ici se placerait un incident que Caillaux rapportera dans le troisième volume, si violemment antipoincariste, de ses *Mémoires* : Viviani exposant que tout était peut-être sur le point de s'arranger, le Président de la République l'aurait interrompu d'une voix cassante :

— Schoen vous joue. C'est un piège et du reste, serait-ce la vérité, l'Allemagne à cette heure sentirait-elle le péril qu'elle court, croyez-vous que c'est au moment où nos troupes de couverture sont à leur poste, à l'heure où nous avons pu éviter l'attaque brusquée de nos ennemis que nous nous refuserions à tirer parti de la situation admirable où nous nous trouvons... Du reste, s'il le faut, nous créerons un incident de frontière. Ce n'est pas difficile.

Caillaux sera informé de cette prétendue algarade par une lettre qu'un des ministres présents, M. Malvy, lui écrira en 1923. Mais entre 1914 et 1923, neuf années se seront écoulées et le correspondant du véhément polémiste pourra avoir la mémoire infidèle. Il sera d'ailleurs à ce moment en exil et pourra aussi être emporté par son ressentiment. Aussi bien fixera-t-il la scène à la date du 3 août alors qu'elle ne saurait en tous cas avoir eu lieu que le 1er (1) ; cette confusion n'est pas sans jeter un doute grave sur l'exactitude de l'ensemble... Ajoutons qu'aucun des ministres d'alors (sauf le signataire de de la lettre, seul survivant aujourd'hui) ne fera jamais allusion à une scène de ce genre.

Poincaré, dans ses *Souvenirs,* écrira seulement qu'en présence de l'optimisme intempestif de Viviani, il n'a pu s'empêcher de penser que l'ambassadeur d'Allemagne n'était pas venu deux fois en si peu de temps au Quai d'Orsay pour se contenter d'une réponse dilatoire.

Sans doute a-t-il extériorisé cette pensée et a-t-il ramené le Conseil, comme c'était son devoir, au sentiment de la réalité. Sans doute aussi a-t-il rappelé la position favorable où, du point de vue militaire, lui semblait être la France (« Trois mois, trois victoires », disait alors notre Etat-Major)... A-t-il été plus loin et a-t-il fait allusion à la création possible d'un incident ? C'est très peu vraisemblable : une telle imprudence de langage n'était pas dans son tempérament et aussi bien allait-il, au cours du même Conseil, approuver formellement une décision maintenant les troupes à dix kilomètres en deçà de la frontière...

Il faut cependant tenir compte de l'extrême tension nerveuse à laquelle le chef de l'Etat se trouvait soumis depuis plusieurs jours et aussi de la psychose de guerre qui montait alors du pavé parisien. « Il faut en finir... » Ce mot était alors sur bien des lèvres.

Quoi qu'il en soit, c'est l'Allemagne qui va prendre seule les irréparables initiatives :

Le 2 août au matin, on apprend que le Reich a, la veille

---

(1) Cela résulte clairement des *Souvenirs* de Poincaré et de ceux du baron de Schoen. Aussi bien l'éditeur des *Mémoires* de Caillaux reconnaît-il en note l'erreur de date commise par M. Malvy.

au soir, déclaré la guerre à la Russie (1), que des patrouilles allemandes viennent, sur deux points, de pousser des reconnaissances en territoire français et enfin que les troupes allemandes ont pénétré dans le grand duché du Luxembourg en dépit des traités qui en garantissent la neutralité. Le Conseil des Ministres français, réuni à midi, décide la convocation extraordinaire des Chambres pour le 4 août.

Comme l'Allemagne vient de prendre nettement figure d'agresseur, l'Italie décide de ne pas participer au conflit et la Triple Alliance est rompue.

Mais c'est surtout sur l'Angleterre que les yeux sont tournés et l'Angleterre continue d'hésiter... Un nouvel attentat commis par le Reich contre le Droit des gens va la décider.

Dans la nuit du 2 au 3 on apprend, en effet, que le ministre d'Allemagne à Bruxelles vient de remettre au gouvernement belge un ultimatum : si la Belgique ne laisse pas librement passer les troupes allemandes à travers son territoire, elle sera traitée en ennemie. Le Conseil de la Couronne, aussitôt réuni sous la présidence du roi Albert, s'est unanimement prononcé pour la résistance.

La nouvelle suscite à Londres une intense émotion. La neutralité belge a été garantie, conjointement avec la Prusse et la France, par la Grande-Bretagne. Qu'un des contractants ose y attenter cela est ressenti par le public britannique comme un soufflet et la diplomatie du Foreign Office peut désormais compter sur le concours de l'opinion. A la fin de l'après-midi du 3, Sir Edward Grey déclare à la Chambre des Communes que l'Angleterre ne saurait se désintéresser de l'indépendance belge ; il ajoute qu'au cas où l'Allemagne attaquerait les côtes septentrionales ou occidentales de la France celle-ci pourrait compter sur le concours de la flotte britannique ; il donne enfin lecture des lettres échangées en novembre 1912 entre les gouvernements français et britannique et qui prévoient une coopération des deux Etats-Majors.

---

(1) Chose singulière : l'Autriche-Hongrie, qui est à l'origine du drame, mais qui hésite au bord de l'abîme, restera neutre quelque temps encore et se déclarera prête à renouer des négociations.

Ce discours, impatiemment attendu à Paris, n'y est pas connu quand Viviani siégeant au Conseil des ministres est encore une fois rappelé au Quai d'Orsay pour recevoir à dix-huit heures trente une ultime visite de l'ambassadeur d'Allemagne qui lui communique une note émanant de son gouvernement et dans laquelle celui-ci prétend faussement que des avions français auraient jeté des bombes en territoire allemand.

« Je suis chargé » conclut Schoen, « de faire connaître à Votre Excellence qu'en présence de ces agressions, l'Empire allemand se considère en état de guerre avec la France. »

Tout est consommé. « Le soir de cette cruelle journée du 3 août, » lit-on dans les *Souvenirs* de Poincaré, « je songe avec douleur aux massacres qui se préparent et à tant de jeunes hommes qui vont bravement à la rencontre de la mort. »

Certes, mais il pense aussi aux chères provinces alsacienne et lorraine qui vont, il en a la certitude, être enfin recouvrées.

Le lendemain matin, tandis que dans l'ordre, dans la confiance et presque dans l'allégresse, la mobilisation française se poursuit, Poincaré écrit à George V une nouvelle lettre personnelle pour solliciter la coopération terrestre des forces britanniques. Puis il se rend aux obsèques de Jaurès qui ont le poignant caractère d'une manifestation de solidarité nationale. Enfin il rédige le message qui, dans l'après-midi, va être lu aux Chambres, en son nom, par le président du Conseil :

« La France vient d'être l'objet d'une agression brutale et préméditée qui est un insolent défit au Droit des gens... »

Ainsi débute le message. Et il se termine sur ces phrases :

« Dans la guerre qui s'engage, la France aura pour elle le droit, dont les peuples, non plus que les individus, ne sauraient impunément méconnaître l'éternelle puissance morale. Elle sera héroïquement défendue par tous ses fils dont rien ne brisera devant l'ennemi l'union sacrée et qui sont aujourd'hui fraternellement assemblés dans une même indignation contre l'oppresseur et dans une même foi patriotique. Haut les cœurs, et vive la France ! »

Ces paroles, où le président de la République a mis tout

son esprit de juriste et son cœur de patriote, sont écoutées debout par les membres des deux Assemblées et saluées par des tonnerres d'applaudissement. Elles contiennent une expression d'une frappe superbe et d'autant plus belle qu'elle exprime alors une réalité : *l'Union sacrée.*

Presque à la même heure, répondant à l'ambassadeur d'Angleterre qui lui est venu demander si l'Allemagne demeure décidée à violer le traité garantissant la neutralité belge, le Chancelier Bethmann-Hollweg emploie une autre expression qui, elle aussi, va rester légendaire : il parle de « chiffon de papier ».

***

Soixante-dix millions d'hommes mobilisés, huit millions de morts, trente millions de blessés ; pour la France seule, un million trois cent soixante-quatre mille tués, sept cent quarante mille mutilés ; des ruines incommensurables : tel sera le bilan final de la guerre qui commence et qui portera à l'admirable civilisation occidentale comme à la suprématie européenne un coup dont elles ne se relèveront jamais.

Les responsables ? — D'abord, évidemment, le Cabinet de Vienne qui s'est obstiné à « faire du bruit avec le sabre allemand » et qui, conscient de la faiblesse de l'Autriche-Hongrie, a cru y porter remède en s'attaquant à plus faible encore. Ensuite le gouvernement de Berlin qui s'est laissé dominer par la clique militaire et pangermaniste et qui, après avoir hésité entre l'activité médiatrice et l'attaque brusquée, s'est décidé pour celle-ci et a agi avec une sauvage brutalité. Enfin le gouvernement russe qui a décrété le premier, à l'insu de son alliée française, la mobilisation générale et a rendu par là presque inévitable l'extension du conflit austro-serbe à l'Europe entière.

Mais, au-delà de la responsabilité des gouvernements, il y a celle des hommes qui, depuis des années, dans cette Europe trop heureuse, ne cessaient d'attiser les nationalismes, d'exciter les passions xénophobes et de prêcher les haines de pays à pays.

Et au-delà encore, on découvre la responsabilité des peuples eux-mêmes, de ces pauvres peuples qui, en dépit des plus atroces expériences, persistent à avoir le goût de la bataille et à élever des statues à ceux qui les mènent à la boucherie tandis qu'ils n'ont que mépris, sarcasmes et quelquefois violences envers les hommes d'Etats acharnés à conserver la paix.

En 1914, à la suite de l'agression austro-hongroise contre la Serbie et par le jeu automatique des alliances, le cercle infernal se ferme autour de l'Europe.

Pour tenter de le briser — et encore, dans les circonstances, cette tentative échouerait-elle sans doute — il faudrait un génie désintéressé, un prophète qui saurait s'abstraire de toute susceptibilité nationale, crier aux gouvernements, *dont aucun ne veut vraiment la guerre générale,* que leurs méthodes y conduit à coup sûr et en appeler au profond instinct de conservation qui subsiste malgré tout au cœur d'une civilisation. Au lieu de ce génie, de ce prophète on ne trouve que des hommes publics pour la plupart honnêtes, nullement sanguinaires, mais faibles, empêtrés dans les traditions d'un prétendu « honneur national » et obscurément désireux de s'abriter, si leur responsabilité venait à être mise en cause, derrière la force majeure.

On voudrait placer nettement Poincaré à l'écart et audessus de ces hommes-là. Mais encore qu'il soit, moralement aussi bien qu'intellectuellement, très supérieur à un Guillaume II, à un Nicolas II, à un Bethmann-Hollweg, à un Berchtold ou à un Sazonof, on n'est pas très assuré, toutes choses considérées, d'être en droit de la faire.

Lui non plus, lui moins que quiconque, n'a *voulu* la guerre, et il était certes sincère quand, dès 1912, il déclarait au sénateur Steeg : « Même avec la certitude de la victoire, je n'assumerais pas la responsabilité de la catastrophe. » Mais il n'a pas peut-être fait *tout* ce qui dépendait de lui pour l'empêcher. Et surtout il s'y est à l'avance, pour des motifs d'ailleurs très nobles, résigné.

Le long plaidoyer que constitueront ses *Souvenirs* témoigne de l'inquiétude qui ne cessera plus, et cela est à son honneur, de hanter sa conscience.

CHAPITRE XI

FLEUVES DE SANG

L'élan français. — Poincaré et Clemenceau. — L'erreur du plan XVII. — Défaites de Morhange et de Charleroi. — Scène entre Poincaré et Clemenceau. — Poincaré à Bordeaux. — La victoire de la Marne. — Première visite de Poincaré aux armées. — Tenue qu'il adopte. — Son défaut de cordialité. — Baisse de sa popularité. — Sa préoccupation dominante : éviter une paix prématurée. — La guerre de tranchées. — Le gouvernement rentre à Paris et les Chambres s'assemblent de nouveau. — Nouvelles diatribes de Clemenceau. — Poincaré et la France. — Les opérations de l'hiver et du printemps 1915. — Poincaré et le renouveau. — Entrée en guerre de l'Italie. — Les expéditions de Gallipoli et de Salonique. — Les offensives de Champagne et d'Artois. — Leur échec. — Mécontentement dans les milieux parlementaires. — Le ministère Viviani démissionnaire est remplacé par un Cabinet Briand. — Entre ce dernier et Poincaré les relations fraîchissent. — Friction entre Joffre et Galliéni. — En février 1916, les Allemands attaquent Verdun. — Grandeur et horreur de la longue bataille. — Anxiété de Poincaré. — Il décore la cité martyre.— Evolution des événements sur les différents theâtres de guerre. — Nervosité des milieux politiques, malaise de l'opinion. — Leurs causes. — Campagnes souterraines en faveur d'une paix blanche. — Poincaré songe à appeler Clemenceau. — Joffre est remplacé par Nivelle.

Drapeaux tricolores à toutes les fenêtres ; magasins clos dont les volets portent des inscriptions comme celle-ci : *Fermeture momentanée. Réouverture après la victoire* ; gares fourmillantes de réservistes qui s'arrachent aux bras de leurs familles : « Dans deux mois nous reviendrons de Berlin victorieux ! » ; roulements de trains qui se succèdent sans interruption chargés de troupes en pantalon rouge et de matériel ; défilés patriotiques ; hommes dégagés d'obligation militaire qui se pressent devant les bureaux de recrutement ; réconciliation des adversaires politiques ; trêve des antagonismes de classes ; embrassades. L'atmophère de la France est vibrante d'enthousiasme.

La foule se dispute les journaux qui relatent les premiers engagements, tous victorieux semble-t-il : dès le 5 août, nos troupes ont commencé de reconquérir la crête des Vosges par où passe la frontière et que les Allemands avaient occupée à la suite de notre recul diplomatique de dix kilomètres. Le corps de cavalerie se porte en direction de la Belgique sur laquelle l'armée allemande déferle déjà. Le général Joffre, après avoir pris congé du président de la République, se rend à Vitry-le-François où est fixé le Grand Quartier Général.

Poincaré attend anxieusement les nouvelles. Il se sent isolé : les ministres sont trop occupés pour venir, en dehors des séances du Conseil, conférer avec lui ; les membres de ses maisons militaire et civile le quittent pour aller rejoindre leurs postes d'officiers d'active ou de réserve. A la place d'Adolphe Pichon, mobilisé, il désigne Félix Décori, son confrère du Palais, comme secrétaire général civil. Dormant peu, il passe ses heures à compulser les dépêches diplomatiques ou les messages gonflés d'espérance qui lui parviennent d'Alsace-Lorraine. Parfois il s'interrompt et, pendant quelques instants, il s'en va fiévreusement arpenter les allées du jardin de l'Elysée.

Clemenceau a eu pour lui une phrase aimable dans son journal « *l'Homme libre* » :

« Je sors du Sénat où il nous a été donné lecture d'un très beau manifeste du Président de la République qui a résumé, en termes concis et forts, tout ce qu'il fallait dire. »

Poincaré convoque le « Tigre » à l'Elysée. Les deux hommes communient dans la pensée commune des provinces perdues et sans doute bientôt recouvrées.

— Ah ! cher ami, fait Clemenceau, quelles heures elles vont connaître avant de nous retrouver !

Ce « cher ami », si peu attendu, émeut le président et, quand son interlocuteur prend congé, c'est la gorge contractée qu'il lui dit :

— Quoi qu'il arrive, quand deux Français ont éprouvé ensemble une si forte émotion, il reste entre eux un lien qui ne peut pas se briser.

Au cours des jours suivants, Clemenceau reviendra plusieurs fois à l'Elysée pour y accompagner d'abord le Comte Sabini, attaché commercial d'Italie, puis l'abbé Wetterlé et M. Blumenthal, députés d'Alsace au Reichstag, réfugiés en France.

Mais entre les deux adversaires de naguère, la réconciliation ne dure guère. C'est que l'aspect favorable pris d'abord par des opérations se modifie vite et que, devant les mauvaises nouvelles qui commencent à affluer, Clemenceau ne peut cacher sa colère alors que Poincaré affiche une confiance inébranlée dans le Haut-Commandement.

Le plan XVII commence à produire ses effets désastreux : Les Allemands ont mis en campagne beaucoup plus de divisions de réserve que n'avait prévues notre État-Major ; il ont envahi la plus grande partie de la Belgique et tandis que l'essentiel de notre dispositif est orienté vers l'Est, le gros des forces ennemies nous menace par le Nord-Est et le Nord d'un mouvement enveloppant. Le 20 août, l'armée française qui a pénétré en Alsace et en Lorraine annexée subit à Morhange un échec sanglant et doit se replier en deçà de la frontière. « Etat moral des troupes peu satisfaisant » mande au G. Q. G. le général de Castelnau.

Joffre, enfin persuadé que la principale offensive allemande va se déclencher à travers la Belgique, voudrait opérer une conversion vers le nord, mais sa tentative d'enfoncer le centre allemand en avant de Sedan et de Montmédy, échoue et le 23 août, l'aile gauche française se voit complètement battue, entre Sambre et Meuse, dans la région de Charleroi. Le corps expéditionnaire britannique, débarqué sous les ordres de Sir John French, est en même temps défait près de Mons et menacé d'enveloppement. Le 24, Joffre donne l'ordre de repli général sur la ligne Arras-Verdun.

L'erreur du plan XVII est la cause initiale de cette défaite. Mais il y faut joindre l'écrasante supériorité de l'adversaire en artillerie lourde et en mitrailleuses et aussi le mépris dans lequel le Commandement français, en dépit des enseignements des guerres russo-japonaise et balkanique, tient toute tranchée, toute fortification de terre, mettant dans la baïonnette le meilleur de sa confiance.

Le public français est laissé dans l'ignorance de la catastrophe. Mais Poincaré qui, en dépit des réticences du Grand Quartier Général, en devine l'étendue, vit de terribles heures :

« Mes anciens camarades font bravement leur devoir aux armées, » note-t-il, « et moi je suis obligé de rester immobile à l'Elysée, loin des lieux désolés où se décide le sort de la France. »

Crispé, les traits tirés, il est loin de posséder la confiance qu'il affecte. Pourtant, il ne désespère pas, il ne *veut* pas désespérer.

Le 26 août, en accord avec Viviani, il remanie le Cabinet pour lui donner une base plus large. Déjà, le 2, une première modification est intervenue : Viviani, ne conservant que la présidence du Conseil, a passé les Affaires étrangères à Gaston Doumergue et Gauthier s'est vu remplacé à la Marine par Augagneur. La majorité des ministres n'a pas voulu alors qu'on allât plus loin. Mais maintenant que les responsabilités du pouvoir l'emportent sur ses avantages, Poincaré n'a pas de peine à se faire écouter. Les chefs les plus connus du parti battu aux dernières élections, Briand, Ribot, Millerand, Delcassé, rentrent au gouvernement en même temps qu'y pénètrent pour la première fois deux socialistes : Jules Guesde et Marcel Sembat.

Quant à Clemenceau, pressenti par l'intermédiaire de Malvy, le ministre de l'Intérieur, il s'est dérobé : il veut être chef du gouvernement ou rien.

Mais le ministère est à peine constitué qu'il se précipite à l'Elysée et qu'il accuse véhémentement Poincaré de s'entourer de « nullités » et de ne pas oser procéder aux exécutions nécessaires.

— Vous m'avez souvent accusé d'aspirer à la dictature ; vous n'allez pas aujourd'hui me reprocher de me tenir dans les limites constitutionnelles de mes fonctions, rétorque le président.

Le « Tigre » n'en est pas à une contradiction près et, plus violent que jamais, il développe son réquisitoire. Poincaré, le visage fermé, écoute sans mot dire. Mais lorsque Clemenceau, hors de lui, s'exclame :

— Vous sacrifiez le pays à votre égoïsme !

Poincaré se dresse et coupe d'une voix sèche :

— C'est un mensonge.

⁂

Cependant la pression allemande et un nouveau décrochement du corps expéditionnaire britannique ont obligé les armées françaises à accentuer leur mouvement de retraite. Le 1er septembre, elles contiennent encore à leur droite l'ennemi entre Belfort et Nancy, au centre, elles restent en contact avec lui entre Verdun et Vouziers ; mais à gauche, elles précipitent leur repli au sud de l'Aisne. Déjà la 1re Armée allemande, que commande le général de Kluck, a dépassé Noyon et semble prendre le chemin de Paris.

C'est alors que le gouvernement, à la demande instante du Grand Quartier Général, se décide à quitter la capitale et à se réfugier à Bordeaux. Poincaré eût voulu demeurer à Paris, mais les ministres et les généraux l'ont pressé de partir, lui représentant qu'il n'a pas le droit de risquer la capture. La mort dans l'âme, il a cédé :

« J'ai bien fini, écrira-t-il, par avoir le courage de paraître lâche. »

Sa femme elle-même n'obtient pas, malgré son insistance, l'autorisation de rester.

Avant de s'éloigner il signe, en même temps que les ministres, une proclamation à la population parisienne :

« Sans paix ni trêve, sans arrêt ni défaillance, continue la lutte sacrée pour l'honneur de la nation et pour la réparation du droit violé... Mais, pour donner à cette lutte formidable tout son élan et toute son efficacité, il est indispensable que le gouvernement demeure libre d'agir. »

« L'heure décisive approche, » note le président le 2 septembre, « j'ai beau me raisonner, je sens à chaque minute grandir une tristesse et une humiliation... Voici l'instant fatal... Le train siffle timidement. Nous partons le cœur serré. Mes yeux restent obstinément attachés sur les formes vagues de la ville endormie... »

Quand le jour se lève, tous les rideaux du wagon présidentiel sont abaissés et c'est un convoi funèbre qui arrive enfin en gare de Bordeaux. Poincaré, silencieux, torturé, roule dans sa tête ses souvenirs de 1870, il songe à sa maison de Sampigny que les Allemands ont bombardée. Mais « qu'importent ces histoires personnelles dans l'immensité du malheur public ? » Il repasse aussi tous les arguments juridiques qui militent en faveur de la cause française. Il suppute enfin l'étendue du secours que peuvent apporter les Anglais et les Russes. Pas un instant la pensée ne lui vient d'envisager une capitulation.

A Bordeaux, il s'installe, avec Madame Poincaré, à l'hôtel du préfet qui, au milieu de la ville grouillante de monde, bruissante de fausses nouvelles et de racontars, devient une oasis de silencieux labeur.

Jours lourds d'angoisse.

Le 21 août, le président avait écrit à sa chère nièce Lise qui lui adressait ses vœux d'anniversaire : « L'heure n'est pas... à la joie familiale. Je suis absorbé par une tâche très lourde et très redoutable et je n'ai pas le droit de prélever une minute sur le temps que je dois au pays. » Joffre qui, il le faut dire, témoigne dans l'adversité d'un admirable sangfroid, refuse de tenter une contre-offensive tant qu'il n'aura pas regroupé ses forces sur des positions favorables. La retraite continue, au-delà même de la Marne, en direction de la Seine. Le 3 septembre, les avant-gardes de la 1re armée allemande sont entrées à Senlis. En même temps, on apprend que les Russes, qui avaient pénétré en Prusse orientale viennent d'éprouver à Tannenberg une grande défaite : le « rouleau compresseur » sur lequel avaient été fondées tant d'espérances est enrayé. Les rumeurs les plus pessimistes circulent auxquelles se mêlent, bien entendu, des accusations de trahison. Dans son « *Homme libre* », Clemenceau exhale sa rage.

Le 5 septembre pourtant, un grand espoir luit : Galliéni, gouverneur de Paris, a fait savoir au Grand Quartier Général que la 1re armée allemande, au lieu de poursuivre sa marche sur la capitale, obliquait vers le Sud-Est, et qu'elle prêtait le flanc à une attaque. Après avoir temporisé, Joffre a décidé de passer à la contre-offensive sur tous les fronts.

Heures d'attente... Enfin les nouvelles commencent à arriver à Bordeaux et elles sont favorables.

Le 6, l'adversaire a été refoulé dans la région de l'Ourcq et battu sur le grand Morin. Les troupes françaises, heureuses de voir la démoralisante retraite enfin terminée, font preuve d'un mordant splendide. Le 7 et le 8, le succès se précise, les Français avancent partout et les forces allemandes comprimées à leur droite, échouent dans une tentative de riposte au centre et à gauche. Le 9, nos armées atteignent de nouveau la Marne ; celles de l'ennemi sont en recul général et elles ne s'arrêtent que le 14 sur une ligne passant immédiatement au nord de Soissons, Reims et Verdun.

Lorsque Poincaré devine l'ampleur de la victoire de la Marne, ses yeux s'embuent et de nouveau il maudit le destin qui l'enchaîne à son poste loin du combat.

Au moins, quand, à la suite de la course à la mer et de l'échec de l'offensive allemande en Flandre, le front tend à se stabiliser, le président tient-il à aller visiter les champs de bataille du Nord. A son retour, il écrit au ministre de la Guerre une longue lettre :

«... Chaque fois qu'on revient au milieu des troupes, on est émerveillé par cette abolition totale de l'intérêt personnel, par ce glorieux anonymat du courage, par la grandeur de cette âme collective où se fondent tous les espoirs de la race.

« Et lorsque à portée des projectiles, devant un horizon que les éclatements d'obus couvrent de fumée ou déchirent de lueurs, on voit des paysans tranquilles pousser les charrues et ensemencer leur sol, on comprend mieux encore combien sont inépuisables, sur notre vieille terre de France, les positions d'énergie et de vitalité... »

Puis Poincaré repart pour aller porter ses félicitations aux armées de l'Est et remettre, au nom du gouvernement, la médaille militaire au général Joffre. Il inspecte en détail Verdun, fait une station à Clermont-en-Argonne, la petite cité que les Allemands viennent d'incendier, pousse jusqu'aux premières lignes. Pendant toute la guerre ces visites au front et aux villes blessées constitueront pour lui un dérivatif aux inquiétudes, aux amertumes et aux impatiences.

Pour les accomplir, il adopte une tenue dont le moins qu'on puisse dire est qu'elle manque à la fois d'élégance et de pittoresque : vareuse de gros drap bleu foncé, strictement boutonnée au col, culottes en même étoffe, manteau bleu aussi, à pélerine, leggins noirs, solides brodequins, casquette de chauffeur. La casquette surtout est peu seyante sur ce visage barbu et elle vaut au président quelques quolibets. Il la remplacera quelquefois, en hiver, par une toque de fourrure (1).

---

(1) Dans une lettre curieuse, Poincaré expliquera à sa nièce Yvonne Lannes les raisons qu'il a eues d'adopter cette tenue si fort moquée :

« Plusieurs journaux m'ont vivement conseillé de revêtir lorsque je vais aux armées un uniforme de capitaine de chasseurs alpins. Mais je ne crois pas avoir le droit de m'habiller en militaire sans être effectivement militarisé et mes fonctions ne me permettent pas — malheureusement — d'aller au front comme officier. Je suis donc condamné au vêtement civil...

« Je ne suppose pas qu'on veuille que j'aille aux armées en habit noir et grand cordon ? Ni même en redingote et chapeau haut ?... Il faut donc, à tout le moins, se résigner au veston et au chapeau mou. Mais aussitôt se présentent d'autres difficultés. S'il fait chaud le faux-col ne résiste pas ; s'il pleut, prendrai-je un parapluie pour abriter le linge et le chapeau ? Tu vois d'ici un parapluie se promenant au milieu des troupes ou glissant au-dessus des tranchées.

« Et puis, dès que je suis quelque part, les braves poilus se précipitent sur mon passage et saluent avec un empressement joyeux. Si j'ai une casquette, je porte la main à la visière et c'est assez pour que le salut soit rendu. Si j'ai un chapeau, je suis

Ce qui est plus grave, c'est que Poincaré, tout profondément ému qu'il soit par les souffrances de la troupe, sait rarement trouver le mot qu'il faut pour exprimer cette émotion. Lui, si fécond la plume à la main, il n'a pas le don de l'improvisation. Et puis, sa timidité, ou plutôt cette pudeur de sentiments qui est une des explications de sa raideur, le paralyse. Parmi ceux qu'on commence à appeler les « poilus », il demeure sec, conventionnel, hautain pourrait-on croire. Il le sait, en souffre et se cherche des excuses : « Un chef d'Etat, écrit-il, n'a pas le droit, dans l'exercice de ses fonctions, d'avoir les yeux humides... »

Pourquoi ?

Aussi sa popularité apparaît-elle nettement en baisse et le besoin de faire confiance qui emplit le cœur des Français se reporte-t-il sur les chefs militaires et, à un moindre degré, sur Clemenceau dont les véhémentes campagnes ont valu à l' « *Homme libre* » d'être supprimé, mais qui, aussitôt, a fait paraître l' « *Homme enchaîné* ».

Poincaré n'est pas sans avoir conscience de ce retournement de l'opinion. Mais il n'en est pas moins décidé à demeurer inébranlablement à son poste.

Sa grande préoccupation est et restera pendant toute la guerre d'éviter une paix prématurée.

« Une victoire indécise et une paix précaire », a-t-il dit en remettant à Joffre la médaille militaire, « exposeraient demain le génie français à de nouvelles insultes de cette barbarie raffinée qui prend la marque de la science pour mieux assouvir ses instincts dominateurs. La France poursuivra jusqu'au bout, par l'inviolable union de tous ses enfants et avec le persévérant concours de ses alliés, l'œuvre de libération européenne qui est commencée et, lorsqu'elle l'aura couronnée, elle

---

naturellement forcé de l'enlever et la répétition continue de ce geste a quelque chose de fatigant et de ridicule. Conclusion : pas de chapeau qu'il faille enlever, pas de vêtement qui exige, par le mauvais temps, la protection d'un parapluie, pas de linge trop apparent, exposé à se détremper et à se salir. On arrive forcément à la casquette et à un veston montant, en forme de dolman... »

La plaidorie est complète, sinon convaincante.

trouvera, sous les auspices de ses morts, une vie plus intense dans la gloire, la concorde et la sécurité ».

Sans doute... Mais la pensée ne l'effleura-t-elle pas que tant du meilleur sang français répandu pourrait bien à la longue laisser la nation dangereusement affaiblie, mal propre à résister à de « nouvelles insultes d'une barbarie raffinée » et cherchant en vain ; même « sous les auspices des morts », une « vie plus intense » ?

A la fin de novembre, le front s'est cristallisé en une ligne de tranchées qui s'allonge depuis la mer jusqu'à la frontière suisse. De part et d'autre, on ne cesse d'améliorer ce premier système de fortifications, de le couvrir par des barbelés et des postes avancés, de le renforcer par des tranchées de soutien et de l'étayer par une artillerie toujours plus massive. Le mécanisme des relèves se monte. On s'installe dans la guerre et l'espoir s'évanouit de la voir terminée à très brève échéance. Des spécialistes bien intentionnés s'évertuent encore à démontrer, chiffres à l'appui, que dans quatre mois les effectifs allemands auront diminué de moitié et que l'Allemagne sera totalement affamée. Mais on ne les écoute qu'avec un scepticisme grandissant et, dans les ports de débarquement, les Anglais construisent des installations destinées à durer des années.

En décembre, sur l'insistance de Poincaré et avec le consentement de Joffre, le gouvernement quitte Bordeaux et rentre à Paris : de nouveau le pavillon tricolore flotte sur l'Elysée.

Aussitôt, les Chambres, séparées depuis le 4 août, sont convoquées ; il est apparu qu'on ne pouvait indéfiniment se passer du concours de la représentation nationale et d'ailleurs le gouvernement est obligé de faire voter une loi de finances comportant un crédit de huit milliards cinq cent-vingt-quatre millions (il s'agit encore de francs de germinal) (1).

La séance de rentrée est empreinte de dignité et de confiance. Les sièges des parlementaires tombés au champs d'honneur sont voilés de crêpe.

---

(1) A la fin de 1914, la dépense totale des belligérants n'est encore estimée qu'à dix milliards.

Viviani, président du Conseil, Deschanel, président de la Chambre, Dubost, président du Sénat, prononcent des discours vibrants. (Poincaré, qui a d'abord pensé adresser un message, s'est finalement abstenu). Mais déjà, dans les couloirs, certaines rancœurs s'exhalent, certains doutes se manifestent, certaines inquiétudes percent. On évalue le chiffre de nos pertes, on déplore le trop faible rythme de notre production de munitions, on s'entretient de la démarche, sans doute inspirée par Berlin, que vient de faire le chef du gouvernement luxembourgeois auprès de la Hollande et de la Suisse pour leur demander de prêter leurs bons offices en faveur d'une paix blanche.

Clemenceau est, naturellement, celui qui étale son mécontentement avec le plus d'intempérance et il se répand en invectives tant à la Commission sénatoriale de l'Armée, dont il est président, que dans « *l'Homme enchaîné* ».

Le 30 décembre, un article paraît signé de lui dont la censure a coupé une moitié mais dont l'autre accuse le président de la République d'avoir demandé un peloton de dragons pour escorter sa voiture dans ses visites du 1er janvier. Clemenceau ajoute que le président a osé faire augmenter ses frais de représentations tandis que tant d'infortunés meurent de faim ; Et *l'Homme enchaîné* tire à cent mille exemplaires ! Poincaré, outré, adresse au « Tigre », une longue lettre dans laquelle il se disculpe entièrement. Mais Clemenceau n'en souffle mot dans son article du lendemain.

Poincaré cependant trouve dans son patriotisme, et aussi dans la tendresse dont l'entoure sa femme, la force de supporter les amertumes qui commencent à l'abreuver. Et se laissant pour une fois aller à l'émotion, il risque dans ses notes une prosopopée :

« Pour moi », écrit-il, « si quelque doute m'effleurait, je demanderais seulement à la France de me soutenir et de me réconforter. Jour et nuit, je la sens présente. Plus elle souffre et plus elle m'apparaît comme un être concret, comme une personne vivante aux traits familiers. Je la vois debout auprès de moi, portant encore aux flancs ses blessures de 1870, mais calme, fière, résolue ; et je l'entends qui me dit d'un ton qui ne souffle pas de réplique : *Puisque je t'ai placé moi-même à ce poste et que tu as accepté de l'occuper, c'est à toi de donner l'exemple. Reste-là et tiens bon jusqu'au bout...* »

Les premiers mois de 1915 se traînent sous la pluie et dans la boue. Les adversaires font encore des efforts pour s'étreindre mais les fortifications sans cesse perfectionnées et aussi la pénurie de munitions paralysent leurs offensives. « Je les grignote » va dire Joffre. Mais ces grignotages coûtent cher et les combats de sapes et de mines qui se poursuivent autour des hauteurs de Vauquois, des Eparges et de l'Hartmannswiller laisseront aux survivants un atroce souvenir. Non moins affreux sera celui que garderont les hommes qui, à l'autre extrémité du front, dans le secteur d'Ypres, subissent la première attaque par gaz asphyxiants.

Sur le front oriental, les oscillations sont plus amples : à la fin de 1914, tandis que la Pologne jusqu'à la Vistule était aux mains des Allemands, les Russes occupaient une partie de la Prusse orientale, de la Galicie autrichienne et de la Bukovine hongroise. En février, les Allemands parviennent à dégager la Prusse orientale ; en mars les Russes s'emparent de Przemysl mais ils échouent dans la tentative massive qu'ils font pour franchir les Carpathes. Et déjà germe dans l'esprit de Hindenburg, chef des armées allemandes, et dans celui de son lieutenant Ludendorff, la pensée de chercher à l'Est la décision qui s'est dérobée à l'Ouest.

De leur côté, les Etats-Major français et britannique montent, en Artois une nouvelle offensive ; elle est déclenchée au début de mai mais faute de réserves et de munitions, elle doit vite s'arrêter. Les pertes sont très lourdes. Pendant ce temps, Poincaré se ronge dans l'attente et selon sa naturelle tendance, il trompe cette attente en maniant la plume. Le 6 mai, on le voit noter :

— « Mes seules promenades quotidiennes, je les fais dans les allées du jardin. Encore me reprochè-je d'être momentanément sensible aux grâces printanières dont il s'est paré. Les marronniers en fleurs, les aubépines chargées de bouquets roses, les cytises qui laissent pendre leurs grappes jaunes, les rosiers qui montrent craintivement leur premiers bourgeons, l'eau qui murmure dans la grotte, les canards blancs qui s'ébattent dans le bassin, les fauvettes et les chardonnerets qui chantent dans les buissons, Babette et Miette qui courent joyeusement autour de nous, tout cela n'est-ce pas, pendant quelques instants, un enchantement qui donne l'oubli ? Mais là-bas le canon gronde, les obus pleuvent, le sang coule, des hommes meurent. Le spectacle que j'ai sous les yeux disparaît devant le spectacle lointain, et plus rien ne m'est doux dans une nature qui me ment. »

Le 23 mai arrive enfin une réconfortante nouvelle : l'Italie, après avoir longtemps tergiversé, longtemps marchandé, a déclaré la guerre à l'Autriche-Hongrie. Pour l'y décider il a fallu que Paris et Londres, enchérissant sur Vienne et Berlin, promissent à la nouvelle belligérante les plus larges accroissements territoriaux. Poincaré adresse aussitôt au roi Victor-Emmanuel III un vibrant message.

L'intervention italienne, qui oblige l'Autriche-Hongrie à constituer un nouveau front, a pour premier effet de déterminer le Haut-Commandement allemand à pousser sa grande offensive contre les Russes : dès la fin de mai, la plus grande partie de la Galicie est dégagée puis, au prix de combats terriblement sanglants, la Pologne russe est occupée et les forces allemandes pénètrent en Russie proprement dite. En septembre, elles s'établiront en une ligne allant de Riga à Czernowitz.

Autre échec : la Turquie s'étant rangée aux côtés des puissances centrales, le bouillant Winston Churchill, premier lord de l'Amirauté britannique, a élaboré un plan de forcement des Dardanelles par une escadre franco-anglaise. Ce plan, mis à exécution en mars, a échoué et il a fallu se rabattre sur une opération terrestre. Un corps expéditionnaire a été débarqué sur la péninsule de Gallipoli. Mais en dépit d'héroïques efforts, il n'est pas encore arrivé, au milieu de l'année, à avoir raison de la résistance des Turcs.

Parallèlement on prépare l'envoi à Salonique d'une petite

armée franco-britannique que commandera le général Sarrail et qui est destiné à porter secours aux Serbes.

Mais ces opérations orientales ne sont, aux yeux du Commandement français que des hors-d'œuvre : c'est sur le front Ouest qu'il entend concentrer ses forces, c'est là qu'il cherche la décision et Poincaré partage ses vues.

Profitant de ce que le gros des forces allemandes est engagé en Pologne, Joffre monte en Champagne et en Artois une offensive de grand style. Un immense matériel est réuni. Les trois quarts de l'armée française et de l'armée britannique doivent être engagés. Nos hommes, reposés, vêtus du nouvel uniforme bleu horizon, sont pleins d'allant. « Allez-y de plein cœur pour la délivrance du sol de la patrie, pour le triomphe du droit et de la liberté », leur a dit, dans un ordre du jour, le commandant en chef. Ce va être la percée définitive, la victoire.

Le 25 septembre, après trois jours de préparation d'artillerie, l'attaque est déclenchée. Hélas ! si nos troupes enlèvent brillamment la première position allemande, elles ne tardent pas à être arrêtées devant la seconde et une nouvelle tentative, faite le 6 octobre, ne donne pas plus de résultats décisifs.

Autant l'espoir a été grand, autant la désillusion se révèle amère. Peut-être est-elle plus grande encore à l'arrière qu'au front. Poincaré, il est vrai, affecte une inébranlable confiance, mais, dans les couloirs du Parlement et dans les salles de rédaction, les langues se déchaînent contre ce qu'on appelle l'impéritie du Commandement et aussi l'abdication du gouvernement. On en veut particulièrement à Millerand, le ministre de la Guerre, de la foi aveugle qu'il semble avoir dans les talents des chefs militaires ; d'acerbes critiques sont aussi formulées contre le Président de la République. A beaucoup d'observations justifiées se mêlent de fielleux racontars inspirés par l'esprit d'intrigue ou l'esprit de parti : l'Union Sacrée tend à se disloquer.

Viviani, harassé, surexcité, en proie déjà aux premières attaques du mal où sa raison finira par sombrer, se résigne à quitter le pouvoir. Poincaré qui souhaite la constitution d'un

Cabinet de très large union, ne le retient pas. Et c'est Briand qu'il charge de constituer le nouveau gouvernement.

Briand a été le grand artisan de l'élection de Poincaré à la présidence de la République et entre les deux hommes, la cordialité est restée vive. D'autre part, ministre dans le cabinet Viviani, il a su, par ses propos, se désolidariser de son chef. C'est sans grandes difficultés que, le 29 octobre, il forme un ministère dans lequel Galliéni reçoit le portefeuille de la Guerre et qui comprend, à côté de plusieurs socialistes et d'un homme d'extrême-droite la plupart des illustres vétérans des luttes parlementaires. Combes lui-même reparaît. Seul, Clemenceau a refusé, et quand Briand lui a offert d'être ministre d'Etat, il lui a crié :

— Est-ce que j'ai une tête de figurant ?

Poincaré, d'abord pleinement satisfait, ne tarde pas à se rendre compte que Briand, aussi souple que Viviani était brutal, est au fond plus rétif. Viviani, dans sa paresse et son laisser-aller, se ralliait volontiers aux suggestions du président. Briand, lui, dit rarement « non », mais il se dérobe, change de propos et n'en fait qu'à sa volonté. Et, puis, à la longue, son horreur de la note écrite, son imprécision et aussi son éternelle cigarette agaceront terriblement Poincaré.

« Briand, » note-t-il, « est de plus en plus distrait, il s'absente pendant une partie du Conseil, soit qu'il aille fumer une cigarette, soit que son imagination prenne la clef des champs. » Et un autre jour : « Discussion économique au Conseil. Briand n'y prend pas part... Il m'est impossible de deviner ce qu'il désire. Il fume une cigarette et ne me parle de rien. »

L'aigreur s'accroîtra, et un jour, en pleine réunion ministérielle, le chef de l'Etat, dans un accès de nervosité, se laisse aller à faire une allusion blessante à la vie privée du chef du gouvernement. Les assistants auront quelque peine à éviter une scène violente entre les deux hommes.

Moins associé au gouvernement qu'il ne le souhaiterait Poincaré multiplie, par compensation, ses visites au front (les « mascarades du casque », raille Clemenceau car, au voisinage des lignes, le président échange parfois sa casquette de chauffeur contre la bourguignote réglementaire).

Il en profite pour essayer d'atténuer les frictions qui ne cessent de se produire sinon entre Joffre et Galliéni, du moins entre leurs deux Etat-Majors. Tâche ingrate : le commandant-en-chef oppose une résistance passive à toutes les suggestions émanant de l'ardent ministre de la Guerre. En mars 1916, Galliéni, lassé et gravement malade, donnera sa démission et la mort ne tardera pas à emporter celui dont la clairvoyance fut à l'origine de la victoire de la Marne.

Au début de 1916, le Haut-Commandement français étudie une fois encore le plan d'une grande offensive. Mais il est prévenu par l'adversaire et, le 21 février, les Allemands attaquent sur Verdun.

Galliéni a mis Joffre en garde contre les défectuosités que présentait, dans la région, l'organisation défensive, mais le Commandant-en-chef lui a répondu le 18 décembre :

« J'estime que rien ne justifie les craintes que vous exprimez au nom du gouvernement... »

Ce n'est pas ici le lieu de raconter ce que fut la bataille de Verdun : la surprise initiale, notre front sur le point d'être enfoncé, les divisions amenées en hâte le long de la « Voie Sacrée », le raidissement héroïque de la défense sous la direction du général Pétain, les attaques furieuses de l'adversaire, les bombardements hallucinants, les nappes de gaz asphyxiant, les atroces boucheries perpétuées sur les pentes du Mort-Homme, autour des forts de Vaux et de Douaumont, devant Souville, la terre labourée par les obus jusque dans ses entrailles et devenue semblable à une mer convulsée... Jamais on n'a vu un tel acharnement, jamais un tel enfer. Ce n'est qu'à la fin de juin que les Allemands commencent à se lasser et que la lutte cyclopéenne connaît une accalmie. Verdun tient toujours. « Ils n'ont pas passé. »

Comme chef de l'Etat, comme Français, comme Lorrain, Poincaré ressent, jour par jour, dans sa chair les contre-coups de cette épouvantable bataille. Point âgé encore, — il n'a que cinquante-cinq ans — vigoureux, plein de vie, la demi-inaction à laquelle il est condamné le ronge. Tel un ours en cage, il tourne dans le jardin de l'Elysée, l'esprit tendu vers ce pays meusien qui est le sien, où les hommes meurent par milliers et dont le sol même est atrocement torturé...

Le péril une fois conjuré, ses nerfs, qui le soutenaient, se détendent et il connaît une période d'abattement : « Aujourd'hui, » note-t-il, « ce 19 août 1916, trois ans et demi de présidence... La moitié de mon temps. N'ai-je pas droit à la libération conditionnelle ? Il y a une condition que je suis tout prêt à accepter : c'est l'interdiction de jamais revenir à l'Elysée. »

Le 13 septembre, il se rend à Verdun. La ville, encore serrée de près, n'est plus guère qu'un amas de ruines mais elle paraît sauvée. Dans une casemate tapissée de lierre, entourée des généraux Joffre et Pétain, en présence de la municipalité et des parlementaires de la Meuse, le président prend la parole :

« Voici les murs où se sont brisés les suprêmes espérances de l'Allemagne impériale... Honneur aux soldats de Verdun... Ce nom de Verdun représente désormais ce qu'il y a de plus beau, de plus pur et de meilleur dans l'âme française. »

Puis, sur un coussin, il épingle la Croix de guerre et la Croix d'Honneur destinées à la cité martyre.

Cependant les événements se déroulent apportant alternativement l'espérance et la désillusion : aux Etats-Unis l'opinion publique, outrée par le torpillage du « *Lusitania* » incline de plus en plus vers l'intervention, mais le président Wilson hésite encore et demande aux belligérants leur opinion sur les conditions auxquelles on pourrait arrêter la guerre. A l'Est, l'offensive menée en Galicie par le général Broussilov vient de porter un coup irrémédiable aux armées autrichiennes mais cela n'empêche pas la Révolution de gronder sourdement à Pétrograd. La Roumanie est entrée en guerre aux côtés des Alliés mais ses troupes se voient presqu'aussitôt écrasées. A Salonique où est retranchée l'armée Sarrail, Venizelos a constitué un gouvernement insurrectionnel qui se propose de faire sortir la Grèce de sa neutralité mais cela ne fait pas que la plus grande partie des Balkans ne tombe sous le contrôle allemand. Enfin et surtout la grande attaque franco-britannique déclenchée en juillet, de part et d'autre de la Somme, après avoir eu de brillants débuts, tend à se disperser en opérations partielles très rudes, très sanglantes, très usantes pour l'ennemi mais sans effets stratégiques déterminants.

A Paris, dans les milieux politiques, commérages et intrigues reprennent de plus belle ; au sein même de la population un vague malaise se répand. Trop d'espoirs ont été déçus ; trop d'inégalités et trop d'injustices se consolident au fur et à mesure que la guerre se prolonge ; trop de foyers sont en deuil. La fin ne surviendra-t-elle donc que par l'anéantissement réciproque des adversaires ? On commence à se demander çà et là si une paix blanche ne serait pas après tout préférable au renouvellement indéfini de tant d'hécatombes. Dans les organisations ouvrières en particulier, la question est posée de savoir si les prolétariats des pays belligérants ne devraient pas s'entendre pour s'opposer à l'entêtement belliqueux des gouvernements. Déjà des députés socialistes ont pris, à Zimmerwald et à Kienthal, contact avec certains dirigeants de la social-démocratie allemande. Les grèves, presque inconnues depuis la déclaration de guerre, se manifestent de nouveau.

Bien entendu les services secrets allemands, très au courant de cette évolution de l'esprit public, ne négligent rien pour l'accentuer et, à côté de traîtres incontestables, d'excellents Français se font inconsciemment les instruments de leur propagande. Les émissaires s'entre-croisent qui souvent n'ont reçu leur mission que d'eux-mêmes. La Suisse est une ruche où bourdonnent les officieux. Le Vatican aussi. Caillaux qui, sous un nom d'emprunt, s'est rendu en Italie, prend contact avec des milieux romains, y tient des propos parfois inconsidérés et ébauche un plan de paix que le nonce à Vienne communiquera un peu plus tard au gouvernement autrichien.

Flairant tout cela mais incertain encore sur la bonne orientation et attentif à ménager chacun, Briand louvoie.

Poincaré s'irrite et, le 3 octobre, on le voit noter :

« L'heure sonnera bientôt où je serai dans l'obligation de mettre à la tête du gouvernement un homme qui sacrifie tout à la guerre et qui saura vouloir. Fût-il Clemenceau, fût-il mon pire adversaire, je l'appelerai pour l'action. »

Il a quelque mérite à écrire cela alors que Clemenceau dans « *l'Homme Enchaîné* » fait de fréquentes allusions aux « mollusques du marécage élyséen ».

Briand d'ailleurs n'est point homme à se laisser aisément évincer. Le 12 décembre, il reconstitue son Cabinet en le débarrassant de plusieurs poids morts et en y introduisant, avec le portefeuille de la Guerre, le général Lyautey.

Aussitôt après, il soumet à la signature du président de la République, et avant même que le général ne soit arrivé du Maroc, deux décrets, l'un confinant Joffre dans les fonctions indéterminées de conseiller technique du gouvernement, l'autre nommant à sa place le général Nivelle commandant-en-chef. Poincaré signe sans plaisir : « Tout cela, paraît-il, répond aux vœux de la Chambre, je me demande si cela répond aux vœux du pays. »

Quelques jours après, Joffre sera mis tout à fait à l'écart avec, comme hochet de consolation, le bâton de maréchal de France.

C'est sur cette sortie définitive d'un des principaux acteurs du drame inauguré en 1914 que se clot cette funèbre années 1916, ruisselante de sang répandu.

CHAPITRE XII

« L'ANNEE TROUBLE »

Idée dominante de Poincaré : le retour de l'Alsace-Lorraine. — Sa crainte d'une paix prématurée. — Les Etats-Unis dans la guerre. — La Révolution russe. — Démission du ministère Briand. — Le cabinet Ribot. — La mission du Prince Sixte de Bourbon et les ouvertures de paix autrichiennes. — Méfiance de Poincaré à l'égard de ces ouvertures. — L'opposition de l'Italie les fait avorter. — L'offensive du 16 avril en Champagne. — Son échec. — Nivelle remplacé par Pétain. — Le malaise de l'intérieur gagne le front. — Les mutineries. — Comment Pétain y met fin. — Chute de la popularité de Poincaré. — Persistance de l'agitation à l'intérieur. — Le « défaitisme ». — Démission de Ribot. — Painlevé président du Conseil. — Les suggestions du baron de Lancken. — Poincaré empêche Briand de s'y intéresser. — Offensive anglaise en Flandre. — Opérations limitées sur le front français. — Mauvaises nouvelles des autres fronts. — Démission de Painlevé. — Poincaré, malgré l'opposition des socialistes, se décide à appeler Clemenceau. — Lettre de Poincaré à Clemenceau su sujet de Caillaux. — Caillaux traduit en Haute-Cour. — Relations de Poincaré et de Clemenceau. — Le « Tigre » conquiert le cœur des Français et l'espérance luit de nouveau.

L'année 1917 commence dans le brouillard : Poincaré la nommera l' « Année trouble ».

Pendant toute sa durée, le chef de l'Etat sera dominé par une idée : fermer la porte à tout projet de paix transactionnel, clore impitoyablement la bouche à ceux qui s'en feront les avocats.

Ce n'est pas qu'il soit un sanguinaire, bien loin de là et les preuves abondent de son émotion en face des souffrances, des deuils et des larmes. Mais, patriote et Lorrain avant tout, il se refuse à concevoir que la guerre puisse se terminer sans que l'injure de 1870 ait été vengée, sans que l'Alsace et la Lorraine aient été rendues à la mère-patrie.

« Dans mes années d'école », écrira-t-il en 1920 dans *la Revue de l'Université,* « ma pensée assombrie par la défaite traversait sans cesse les frontières que nous avait imposées le Traité de Francfort ; quand je descendais de mes nuages métaphysiques, je ne voyais pas à ma génération d'autre raison de vivre que l'espoir de recouvrer nos provinces perdues. » Là-dessus il n'a pas changé et il demeure aussi ferme à cinquante-six ans qu'il l'était à seize ; ce n'est pas au moment où le but paraît en vue qu'il va permettre à quiconque d'en détourner le pays.

Se mêle-t-il à cela une autre et moins pure pensée ? Poincaré redoute-t-il secrètement que, dans l'hypothèse d'une paix blanche, les Français ne rendent responsables de tant de massacres stériles les hommes qui étaient au pouvoir en 1914 ? C'est possible car, quelle que soit la probité intellectuelle de Poincaré, il reste homme, c'est-à-dire médiocrement courageux. Mais ce n'est nullement certain : l'Alsace-Lorraine suffit à tout expliquer.

Dès le début de janvier, on voit le président insister pour que l'Entente ne donne aucune suite à une proposition allemande tendant à la rencontre, en pays neutre, de représentants des belligérants. La proposition est en effet rejetée et Poincaré triomphe quand, quelques jours après, l'Allemagne fait savoir au président des Etats-Unis que, de l'Alsace-Lorraine, elle n'envisage de restituer que les quelques cantons occupés par les troupes françaises et ceci à la condition que la France accepte diverses rectifications stratégiques sur sa frontière de l'Est (il s'agit essentiellement du bassin de Briey).

Mais voici que deux grands événements surgissent qui vont imprimer à la lutte un cours nouveau.

Le premier est la rupture, annoncée le 3 février par le Président Wilson, des relations diplomatiques entre les Etats-

Unis et le Reich. Cette rupture est la conséquence de la guerre sous-marine à outrance déclarée à la navigation neutre par le gouvernement de Berlin. A la suite de nouveaux actes de piraterie commis par les submersibles allemands le Congrès de Washington proclamera, le 5 avril, la République américaine en état de guerre avec l'Allemagne.

Deuxième grand fait : la Révolution russe. Elle éclate, le 12 mars, à Pétrograd, par une mutinerie de la garnison. le 13, un gouvernement provisoire est constitué, gouvernement bourgeois, mais que surveille de près le Soviet des ouvriers et des soldats. Le 14, le tsar Nicolas II, sous la pression des généraux, signe son abdication.

Il n'est pas certain que Poincaré — non plus d'ailleurs qu'aucun des dirigeants de l'Entente — ait immédiatement saisi l'immense portée de ce double événement.

Certes, il salue avec joie la décision des Etats-Unis et lorsque ceux-ci seront définitivement entrés dans la lutte, il adressera à Wilson un télégramme dans lequel on lira :

« Je suis sûr d'exprimer la pensée de la France tout entière en vous disant, à vous et à la nation américaine, la joie et la fierté que nous éprouvons à sentir nos cœurs battre, une fois encore, à l'unisson avec les vôtres. Cette guerre n'aurait pas eu sa signification totale, si les Etats-Unis n'avaient pas été amenés par l'ennemi lui-même à y prendre part. »

Mais l'idée ne semble pas lui venir que cette intervention américaine est décisive et que le souci de ménager le sang français commanderait de s'en tenir à la défensive en attendant que la force immense que représentent les Etats-Unis soit prête à participer effectivement à la lutte. On le voit au contraire soutenir le nouveau commandant-en-chef, général Nivelle, qui, contre l'avis de plusieurs grands chefs et notamment de Pétain, élabore un gigantesque plan offensif comportant une bataille de rupture suivie d'une phase d'exploitation intensive à laquelle participeraient toutes les forces disponibles des Alliés.

Quant à la révolution russe, si le président ne laisse pas de s'en inquiéter, il ne s'aperçoit pas qu'elle doit finir par entraîner la cessation des hostilités sur le front oriental. Il lui arrive même d'espérer que, débarrassées d'une autocratie routinière, les armées russes vont témoigner d'un allant et d'un enthousiasme nouveaux.

***

Aussi bien l'attention du président de la République est-elle en ces derniers jours d'hiver, surtout retenue par la crise ministérielle française.

Briand, de manœuvre en manœuvre, s'est usé au pouvoir. Il le sent et cherche une occasion de s'en aller. Elle lui est fournie par la démission de Lyautey, ministre de la Guerre, qui est entré en conflit avec la Chambre.

Le président, après avoir vainement fait appel à Deschanel, s'adresse à Ribot parce qu'il le croit partisan de la « guerre à outrance ».

Ribot est à coup sûr un très honnête homme, très compétent en matière économique et financière et possédant une rare expérience parlementaire, mais c'est au fond un hésitant et il n'osera ni faire la paix ni « faire la guerre » au sens où Clemenceau entend l'expression.

Le 19 mars, le gouvernement est constitué ; son chef a pris pour lui le portefeuille des Affaires Etrangères et il a confié celui de la Guerre à Painlevé, député radical et savant mathématicien.

Tout de suite, un léger incident : le nouveau président du Conseil a confié à Poincaré son intention d'affirmer, dans la déclaration ministérielle, que la France « entendait poursuivre les hostilités jusqu'à une victoire comportant le retour de l'Alsace-Lorraine mais qu'elle ne nourrissait aucun esprit de conquête. »

Or, Poincaré, à force de penser à l'Alsace et à la Lorraine, a fini par se persuader que leur libération ne suffirait pas et que, pour en assurer la définitive possession, il y faudrait joindre l'annexion de la rive gauche du Rhin. Il écrit donc à Ribot une longue lettre dans laquelle il lui demande de renoncer à l'expression « sans esprit de conquête ». Ribot ne cède pas et Poincaré en garde quelque mauvaise humeur.

Le président de la République va d'ailleurs trouver une nouvelle occasion de manifester sa volonté de guerre intégrale.

Le 5 mars, alors que Briand était encore aux affaires, le prince Sixte de Bourbon-Parme a été, sur sa demande reçu à l'Elysée. Le prince, officier dans l'armée belge et fort estimé du roi Albert, est aussi le beau-frère de Charles de Habsbourg que la mort du vieux François-Joseph a, en novembre précédent, placé sur le trône de la Double Monarchie et il affirme avoir reçu de Charles une lettre contenant des ouvertures de paix.

Poincaré est resté sur la réserve et a demandé à voir le document. Sixte le lui apporte le 31 mars. Il contient les passages suivants :

— « J'appuierai par tous les moyens les justes revendications françaises relatives à l'Alsace-Lorraine. Quant à la Belgique, elle doit être rétablie dans sa souveraineté, en gardant l'ensemble de ses possessions africaines, sans préjudice des dédommagements qu'elle pourra recevoir pour les pertes qu'elle a subies. Quant à la Serbie, elle sera rétablie dans sa souveraineté et, en gage de notre bonne volonté, nous sommes disposés à lui assurer un accès équitable et naturel à la mer Adriatique. Je te demanderai de m'exposer à ton tour, après en avoir référé à ces deux puissances, l'opinion de la France et de l'Angleterre, à l'effet de préparer ainsi un terrain d'entente sur la base duquel des pourparlers officiels pourraient être engagés. »

La lettre a été écrite à l'insu des ministres autrichiens et, bien entendu, du gouvernement allemand ; elle ne préjuge en rien les intentions de celui-ci, mais elle permet de penser que l'empereur d'Auriche est désormais pour son collègue allemand un allié vacillant.

Poincaré reste méfiant, il flaire un traquenard, met en garde Ribot contre toute précipitation et s'inquiète quand il apprend que Lloyd George, le premier ministre britannique, « s'est emballé sur l'affaire » ; il insiste enfin pour que, conformément au pacte conclu l'année précédente, le gouvernement italien soit sans retard consulté.

Consulter l'Italie — dont le seul véritable adversaire est l'Autriche-Hongrie — sans que la France et la Grande-Bretagne soient résolues à faire pression sur elle pour qu'elle accepte une conversation avec Vienne, c'est rendre celle-ci impossible. En effet, le Cabinet de Rome affecte l'indignation et, à la Conférence tenue le 19 avril à Saint-Jean-de-Maurienne, le baron Sonnino obtient de Ribot et de Lloyd George la promesse que les Alliés n'écouteront aucune proposition autrichienne.

Cependant ni l'Empereur Charles ni le prince Sixte ne se découragent, et, le 20 mai, ce dernier apportera à Poincaré une nouvelle lettre de son beau-frère. Cette fois encore le Président de la République sera d'avis de ne rien faire sans l'Italie, c'est-à-dire de ne rien faire du tout. Ainsi s'évanouira un espoir (espoir peut-être illusoire), sinon d'arrêter la guerre, du moins de la circonscrire et de limiter la dislocation européenne (1).

Dans l'intervalle, la grande offensive de printemps montée par le général Nivelle, le nouveau commandant en chef français, a été, le 16 avril, déclenchée en Champagne.

Prévue initialement pour la fin de février, elle a été reculée de semaine en semaine en raison du mauvais temps d'une part, d'un décrochement volontaire et partiel des lignes allemandes de l'autre. Ses préparatifs n'ont pas été un secret pour l'ennemi qui a opposé à nos colonnes une résistance vigoureuse et leur a infligé des pertes sanglantes. Dès le premier jour, il est apparu que l'affaire était manquée.

Nivelle voulait pourtant persévérer. Mais, à l'intérieur, l'opinion s'est émue et le gouvernement a décidé l'arrêt de

(1) Il convient de dire que le dépouillement des archives autrichiennes prouvera que le gouvernement de Vienne ne songe pas alors sérieusement à conclure une paix séparée. Ce que voudrait l'empereur Charles, c'est amorcer une conversation tendant à la paix générale (Cf. Charles ROUX : *La paix des Empires centraux*, Paris, 1947).

l'offensive. Painlevé, ministre de la Guerre, insiste pour que le Commandant-en-chef soit relevé de ses fonctions ; mais Poincaré s'y oppose. Finalement, on s'arrête à un moyen terme : Nivelle reste à la tête des armées, mais Pétain, le héros de Verdun, est nommé chef d'Etat-Major Général au ministère.

Expédients provisoires : dès le 15 mai, Nivelle se voit définitivement remplacé par Pétain et l'emploi de chef d'Etat-Major général passe à Ferdinand Foch, fameux déjà par ses succès sur la Marne et sur l'Yser.

Le malaise qui, depuis de longs mois, se manifestait à l'intérieur s'est, après l'échec de l'offensive d'avril, étendu aux armées. Les soldats se plaignent d'être trop souvent inutilement sacrifiés, ils se plaignent aussi de l'irrégularité des tours de permission, de l'insuffisance du ravitaillement, de l'incompréhension de certains chefs. « On nous a fait assassiner » déclarent-ils couramment et çà et là retentit le cri de « Vive la paix ! ».

A la fin de mai, plusieurs régiments sont en état de rébellion, les uns refusant de monter aux tranchées, les autres se saisissant de trains ou de camions pour marcher vers Paris. L'armée française va-t-elle suivre l'exemple de l'armée russe et entrer en liquéfaction ? « Est-ce le début d'un détraquement général ? » note Poincaré avec angoisse. Mais il ajoute aussitôt : « Non, non, gardons notre sans-froid, ayons confiance dans la vitalité de la France. Employons toutes nos forces à préparer la victoire et par elle, une paix juste et réparatrice. »

Cette fermeté du président de la République ne suffirait pas à relever le moral des troupes. N'y suffiraient sans doute pas non plus les quelques exécutions capitales (une vingtaine en tout) auxquelles il a fallu se résoudre. Mais le nouveau général en chef y joint une série de mesures destinées à rétablir la confiance des hommes dans l'équité du commandement. L'effet en est rapide et, dès le milieu de juin, l'armée paraît à peu près reprise en main. Mais l'animosité de beaucoup de soldats reste vive à l'encontre de celui que déjà on nomme parfois « Poincaré-la-guerre ». Le président le sait et s'en désole : « Pauvre chers poilus » écrit-il, « que j'aime et admire tant, qui m'avez inspiré jusqu'ici tant de confiance et d'affection, qui vous a détournés de moi ?... »

Déçu par les hommes, il se réfugie parmi les bêtes :

— « *Dimanche 24 juin.* — L'après-midi je me réserve quelques instants pour aller, avec ma femme, respirer dans le jardin de l'Elysée... Babette, notre chienne briarde, nous attend, le poil noir et soyeux, les oreilles flottant, le regard tendre et humain... elle nous lèche les mains et nous dévore de caresses. Miette, la petite griffone bruxelloise, mignonne, minuscule, de poil fauve, les oreilles droites, s'approche de sa grande sœur avec de petits aboiements et nous fait également fête... »

C'est touchant. Mais, comme une popularité de bon aloi auprès des poilus paraîtrait préférable à cet homme qui souffre de son impuissance à irradier la sympathie...

Calmée sur le front, l'agitation persiste à l'intéreur. Couloirs du Parlement et salles de rédaction bruissent de propos « défaitistes », les grèves font tache d'huile, les socialistes protestent contre l'interdiction qui leur a été faite de se rendre à Stockholm où un Congrès de la IIe Internationale a été convoqué. Le 17 juillet, à une séance de la Chambre tenue en Comité secret, un député d'extrême-gauche, Pierre Laval, s'écrie : « Que vous le vouliez ou non, il y en France une fatigue de la guerre et un courant en faveur de la paix ! » De petits journaux *la Tranchée, le Pays, le Journal du Peuple, le Bonnet Rouge,* mènent ouvertement, en faveur de la paix immédiate, une campagne derrière laquelle le président croit deviner, non seulement de l'argent allemand, mais encore l'action personnelle de Caillaux. Il a voué à son ancien ami une haine mortelle depuis que celui-ci a osé colporter, sur le passé de Madame Poincaré, d'outrageantes rumeurs et c'est avec une évidente satisfaction qu'il note, le 11 juillet, un propos du roi d'Angleterre : « Pourquoi n'arrête-t-on pas Caillaux ? »

En août, un intermède : le président se rend sur le front italien où il est accueilli par le roi Victor-Emmanuel. Les deux chefs d'Etat tombent d'accord sur l'opportunité de ne donner aucune suite aux ouvertures de l'Autriche.

A Paris, les incidents succèdent aux incidents. Almeyreda, directeur *du Bonnet Rouge*, qui a été incarcéré sur l'insistance de Poincaré, est trouvé mort dans son cachot. Il avait eu des relations avec Malvy, et Clemenceau en prend prétexte pour pousser, à la tribune du Sénat, une charge à fond de train contre le ministre de l'Intérieur, l'accusant d'avoir « trahi les intérêts de la France ». Malvy, pour être plus libre dans sa défense, rend son portefeuille ; cette retraite ébranle le ministère tout entier et Ribot, après avoir en vain tenté de le remanier, apporte, le 9 septembre, à l'Elysée la démission du gouvernement.

Poincaré, qui se sent rapproché de Clemenceau par l'ardeur que met celui-ci à pourchasser la « défaitisme », caresse un instant la pensée d'appeler le « Tigre », mais l'hostilité des socialistes l'en détourne et c'est Painlevé qu'il désigne comme président du Conseil.

Le 13 septembre, Briand qui, depuis qu'il a quitté le pouvoir, s'est tenu sur la réserve, vient trouver Poincaré. Il lui confie avoir été mis en rapport avec un Belge de réputation honorable, le baron Coppée, qui lui a transmis d'intéressantes ouvertures émanant du baron de Lancken, confident de Guillaume II, ancien conseiller de l'Ambassade d'Allemagne à Paris et présentement gouverneur allemand de Belgique. D'après Coppée, Lancken aurait déclaré que l'Allemagne était disposée à restituer l'Alsace-Lorraine à la France, à évacuer la Belgique et à payer des dommages de guerre ; elle demanderait certaines compensations dans les provinces baltiques. Briand ne peut savoir — les documents ne le révéleront que plus tard — que tout cela n'est pas sérieux et il propose de se rendre *incognito* en Suisse pour y rencontrer Lancken.

Poincaré se retient pour ne pas bondir. Ce Lancken n'est-il pas celui qui, lorsqu'il résidait à Paris, a eu des pourparlers avec Caillaux, alors président du Conseil, par-dessus la tête du ministre des Affaires Etrangères ? C'est un fourbe et les propos qu'il a tenus à Coppée ne peuvent que masquer un piège.

« Je me demande », note-t-il, « si Briand est poussé par un esprit d'intrigue ou s'il se repaît d'illusions. » La pensée ne lui vient pas que son ancien collaborateur est peut-être simplement mû par le désir de faire cesser les hécatombes.

Painlevé, mis au courant, est un moment tenté de suivre l'affaire mais devant l'opposition du président de la République et celle de Ribot, devant aussi certaines réserves émanées de Londres et de Rome, il y renonce et déconseille à Briand d'aller en Suisse. Ce dernier se résigne : « Vous avez raison, je vais rester à la campagne et me reposer. »

Mais Poincaré n'est pas encore tout à fait rassuré et il demande à Painlevé de faire surveiller les démarches de Briand, « S'il passe outre, ce seront des *intelligences avec l'ennemi* et nous devrons aviser ».

Bientôt Lancken arrivera en Suisse, mais, n'y trouvant pas d'interlocuteur, il en repartira aussitôt.

Cependant la victoire, cette victoire qu'attend passionnément Poincaré, se semble pas se rapprocher.

Sur le front occidental, depuis l'échec de l'offensive de Champagne, les opérations se dispersent.

En juin, les Anglais ont lancé dans les Flandres une attaque de grande envergure et ils sont arrivés d'abord à s'emparer de Messines, puis, un mois plus tard, à occuper les hauteurs de l'est d'Ypres. Mais le mauvais temps les empêche d'exploiter leur succès et d'obtenir un résultat stratégique. De son côté, le général Pétain, qui tient à ménager le sang de ses hommes en attendant l'arrivée des renforts américains, n'engage l'armée française que dans des opérations à objectifs strictement limités. Tant de prudence irrite parfois Poincaré dont la froideur se heurte à celle plus glaciale encore du général en chef ; mais ce dernier a l'appui du président du Conseil et, aussi bien, sa popularité dans l'armée est-elle telle qu'il ne saurait être question de le remplacer.

Les nouvelles des autres fronts compensent-elles l'inaction relative du front français ? Non, hélas, bien loin de là : le corps expéditionnaire de Salonique piétine, l'armée roumaine est écrasée, l'armée russe, en pleine décomposition, a vu son ultime offensive violemment repoussée, les soldats désertent en masse, et déjà, à Pétrograd, Lénine et les bolcheviks s'apprêtent à se saisir du pouvoir sans dissimuler leur volonté de faire cesser tout combat. Quant à l'armée italienne, son effort pour se frayer chemin en direction de Trieste a été brisé ; à la fin d'octobre, elle subit, à Caporetto, un effrayant désastre et il lui faut l'appui de six divisions françaises et de cinq divisions britanniques pour éviter une déroute complète.

Seul point lumineux au milieu de tant de nuages : les Alliés ont trouvé un système de protection efficace contre les submersibles allemands — le convoi. Dès le mois de septembre, le déclin de l'offensive sous-marine a commencé.

Painlevé, dérouté et quelque peu affolé par des événements qui le dépassent, a songé dès le mois d'octobre à se retirer. Mais, incurable hésitant, il a longtemps tergiversé et ce n'est que le 13 novembre qu'il se décide à apporter à l'Elysée la démission du Ministère.

Celui-ci n'a pas été renversé ; aucune indication parlementaire n'a été donnée : c'est de la seule décision du président de la République que va dépendre le choix du nouveau chef du gouvernement.

Cette décision est *in petto* déjà prise : Poincaré fera appeler Clemenceau.

Déjà le 18 octobre, il notait : « Clemenceau me paraît, en ce moment, désigné par l'opinion publique parce qu'il veut aller jusqu'au bout dans la guerre et dans les affaires judiciaires et que je n'ai pas le droit, dans ces conditions, de l'écarter à cause seulement de son attitude envers moi. »

Quelques jours après, il recevait le socialiste Marcel Sembat qui lui disait :

— Tout plutôt que Clemenceau, le coup d'Etat même... Il serait préférable pour le pays que vous vous proclamiez chef du Gouvernement en gardant la présidence de la République.

Poincaré eut alors un instant d'hésitation, puis déclara :

— Ce serait un petit coup d'Etat par l'absence de précédent, mais je m'y résignerai si, toutes les autres cartes étant jouées, il ne me reste plus que celle-là... Clemenceau... C'est notre dernier atout... S'il n'est pas bon, ce sera moi.

⁂

Sa résolution ne va pas sans abnégation ni courage, car le « Tigre », qui l'a abreuvé d'injures, est, en même temps que son adversaire personnel, l'ennemi juré du puissant groupe socialiste. Mais c'est l'honneur de Poincaré que de savoir, quand il estime en jeu l'intérêt de la Patrie, s'élever au-dessus des considérations personnelles comme des considérations de partis.

Mandé à l'Elysée aussitôt après la démission de Painlevé, Clemenceau y arrive enjoué, plein d'entrain. La conversation ne s'engage pas à fond. On parle des généraux et notamment de Pétain que le « Tigre » juge « le meilleur de nos chefs, quoiqu'avec des partis pris de complaisance et de camaraderie, des idées quelquefois un peu fausses, quelquefois de fâcheuses paroles de pessimisme et de découragement ». On parle aussi de Caillaux que Clemenceau, à l'étonnement de son interlocuteur, se refuse à condamner *hic et nunc*. Quelques propos relatifs aux Américains et on se sépare presque cordialement.

Dans l'après-midi, après avoir procédé à certaines consultations, Poincaré charge officiellement Clemenceau de constituer le Cabinet et il ajoute :

— Je vous dirai tout ce que je saurai et tout ce que je penserai. Je vous donnerai mes avis librement ; vous déciderez ensuite sous votre responsabilité.

— Je ne prendrai jamais aucune décision sans venir causer avec vous, rétorque l'autre.

Dès le surlendemain, le 16 novembre, le ministère Clemenceau est formé. A deux ou trois exceptions près, il ne comprend que des comparses.

Quatre jours après, Poincaré, chez qui le désir de perdre Caillaux est passé à l'état d'idée fixe, adresse au nouveau président du Conseil une longue lettre qui, sous couleur de résumer l'état des affaires judiciaires en cours, constitue un réquisitoire introductif d'instance à l'encontre du mari de la meurtrière de Calmette.

Rien n'est oublié : ni les relations qu'a eues Caillaux avec Bolo Pacha, un aventurier international à la solde de l'Allemagne, ni celles qu'il a entretenues avec Almeyreda, le défunt directeur du *Bonnet Rouge*, ni les rencontres qu'il a faites à Rome d'Italiens suspects. Tout cela présenté avec une prodigieuse adresse de procureur, toutes les explications favorables étant négligées, toutes les circonstances atténuantes omises, toutes les présomptions fâcheuses mises en valeur. Et Poincaré de conclure :

« J'ai été forcé de prononcer plusieurs fois le nom de M. Caillaux. Ce n'est pas seulement parce que ses agressions audacieuses m'ont mis dans la nécessité de le contredire. C'est parce qu'une fatalité terrible veut qu'on le rencontre, depuis le début de la guerre, sur tous les chemins où passent les traîtres. »

Clemenceau, d'abord un peu rétif, se laisse convaincre et, dès le mois suivant, il obtient du Sénat la levée de l'immunité parlementaire qui couvre Caillaux. Mais, alors que Poincaré souhaite que le représentant de la Sarthe soit jugé par un Conseil de guerre, le « Tigre », moins acharné, le fait déférer en Haute-Cour — c'est-à-dire qu'il lui évite le poteau.

Aussi bien le président du Conseil n'en agit-il guère qu'à sa tête et, s'il fait de temps à autre son « rapport » au chef de l'Etat, par contre il ne sollicite jamais son avis, ne lui rend compte que des décisions déjà prises et n'écoute guère ses objections : « Toujours rien de Clemenceau... toujours aucune nouvelle de Clemenceau... je suis tenu de plus en plus à l'écart... où est le temps où les Conseils se tenaient tous les jours et où il y avait vraiment une action commune. » Tel est le *leit-motiv* qu'on trouve désormais presque quotidiennement dans le *Journal* de Poincaré.

Mais ces plaintes n'ont guère d'écho et les regards se détournent de plus en plus de l'hôte de l'Elysée pour se concentrer sur le « Tigre ».

Ce diable de vieillard, alerte, gavroche, goguenard, insolent, prime-sautier, a conquis les cœurs de ceux-mêmes qui se souviennent de ses erreurs passées et redoutent encore, pour l'avenir, les effets de son impulsivité.

Puisqu'on a choisi de faire la guerre « jusqu'au bout », nul qui la puisse mener avec plus de brio et d'intrépidité ! Poincaré, bien que souvent blessé dans son amour-propre et choqué dans son sérieux par les manières de Clemenceau, est obligé lui-même d'en convenir. Lorsque 1917, « l'Année trouble », s'achève enfin, c'est, avec l'an neuf et avec l'arrivée accélérée des premières divisions américaines, une grande espérance qui, telle un soleil d'hiver, s'en vient percer les brumes et luire au-dessus de la France torturée.

CHAPITRE XIII

LA VICTOIRE

Début de 1918. — Les Quatorze Points du Président Wilson. — Arrestation de Caillaux. — La paix de Brest-Litowsk. — L'offensive allemande du 21 mars. — Les lignes alliées rompues. — La conférence de Doullens. — Foch, commandant en chef des forces alliées. — « Le comte Czernin a menti ». — Victoire allemande sur le Chemin des Dames. — Poincaré s'oppose à l'évacuation de Paris par le Gouvernement. — Echec des Allemands dans le secteur de Reims. — Le tournant de la guerre. — Offensive victorieuse des Alliés. — Poincaré remet à Foch le bâton de Maréchal. — La défaite allemande s'accentue. — Visites de Poincaré aux régions libérées. — Poincaré hostile à un armistice prématuré. — Violents incident à ce propos entre lui et Clemenceau. — Effondrement de la Bulgarie, de la Turquie et de l'Autriche-Hongrie. — La capitulation de l'Allemagne en vue. — Contrairement à l'avis de Foch et de Clemenceau, Poincaré persiste à souhaiter la poursuite de la guerre. — Armistice du 11 novembre. — L'enthousiasme de la nation monte vers le seul Clemenceau et Poincaré souffre d'être oublié. — Son amertume le rend injuste pour le « Tigre ». — Les chefs d'Etats alliés à Paris. — Voyage de Poincaré et de Clemenceau en Alsace-Lorraine recouvrée. — A Metz les deux présidents, oubliant un instant leurs dissentiments, s'embrassent. — Le rêve de deux vies accompli. — « Je puis mourir ».

Des jours sombres sont pourtant encore en vue.

Les deux premiers mois de 1918 s'écoulent sans événements graves : l'hiver est rude, le front calme. En janvier, Poincaré éprouve deux vives satisfactions : le président Wilson, dans le message qu'il a adressé au Congrès américain, a compté le retour de l'Alsace-Lorraine à la France parmi les Quatorze Points qui lui semblent devoir servir de base à la paix future ; on a découvert à Florence, dans un coffre-fort loué par Caillaux des documents compromettants et Caillaux a été arrêté.

Mais, au début de mars, déplorable nouvelle : les Soviets, maîtres du pouvoir, viennent de conclure à Brest-Litowsk la paix avec les puissances centrales. Désormais toutes les forces de l'Allemagne vont faire face à l'Ouest.

Le 21 du même mois, les Allemands déclenchent une violente offensive entre Somme et Oise, au point de jonction des lignes anglaises et françaises. Les Britanniques surpris lâchent pied, Amiens est menacé et l'intervention des forces françaises n'empêche ni la prise de Péronne, ni celle de Montdidier. En trois jours, l'ennemi avance de soixante-kilomètres et n'en est plus qu'à soixante-dix de Paris qu'il bombarde tant par avions qu'à l'aide d'un canon à très longue portée. Déjà, malgré l'opinion contraire de Poincaré, Clemenceau se demande si le gouvernement ne va pas être contraint de quitter la capitale.

Au cours de ces désastreuses journées, le défaut de liaison entre les armées britanniques et les armées françaises s'est fait cruellement sentir et la nécessité d'un commandement unique — depuis longtemps réclamé par notre Etat-Major — commence à s'imposer aux Anglais eux-mêmes.

Le Cabinet de Londres dépêche en France un de ses membres, lord Milner, qui, le 25 mars, a une entrevue à Compiègne, Grand Quartier Général français, avec Poincaré, Clemenceau, Pétain et Foch. Pétain s'y montre pessimiste, Foch, plein d'allant, Poincaré souligne énergiquement les inconvénients de la dispersion du commandement. Mais en l'absence des grands chefs militaires anglais, Douglas Haig, commandant-en-chef, et Wilson, chef de l'Etat-Major Général, on ne décide rien.

Le lendemain, nouvelle réunion à Doullens, à proximité des lignes de combat. Cette fois, Haig et Wilson sont présents. Un flottement se fait d'abord sentir : si l'on est d'accord sur le principe d'un commandement coordonné, on ne l'est ni sur la formule qui doit le définir, ni sur le nom du titulaire. Pourtant le temps presse ; par les fenêtres du bâtiment municipal où a lieu la Conférence, on voit passer des régiments anglais qui battent en retraite, d'ailleurs en bon ordre.

Poincaré est soucieux. Clemenceau fait des mots. Pétain sarcastique, murmure à l'oreille du président du Conseil en lui montrant Douglas Haig :

— En voilà un qui sera obligé de capituler en rase campagne avant quinze jours, et bien heureux si nous ne sommes pas obligés d'en faire autant.

Mais Foch se dresse et de sa voix coupante :

— Vous ne vous battez pas. Moi, je me battrai sans m'arrêter. Je me battrai devant Amiens. Je me battrai dans Amiens. Je me battrai derrière Amiens. Je me battrai tout le temps.

Cette apostrophe fixe le sort de la journée. On discute encore pendant quelque temps, puis on finit par s'entendre sur ce texte :

« Le Général Foch est chargé, par les Gouvernements britanniques et français, de coordonner l'action des armées alliées sur le front occidental. Il s'entendra à cet effet avec les généraux-en-chef qui sont invités à lui fournir tous les renseignements nécessaires. »

Ce n'est encore qu'une amorce ; mais décisive : le 28 mars le général Pershing, commandant du corps expéditionnaire américain, se mettra à la disposition du nouveau chef ; le 3 avril, Foch sera explicitement chargé de la direction stratégique de l'ensemble des opérations et, le 14, il recevra le titre de commandant-en-chef des armées alliées.

Mais, déjà, dans les premiers jours d'avril, l'offensive allemande sur la Somme s'est arrêtée et l'ennemi a reporté son effort sur la plaine de la Lys. Ce n'est qu'une diversion et Foch est persuadé que lorsque l'attaque reprendra en grand style, ce sera en direction d'Arras. C'est dans cette région qu'il groupe le gros de ses réserves.

*
**

Pendant l'accalmie, un vif incident surgit, sur le terrain diplomatique celui-là.

A la suite de l'échec de la mission du prince Sixte de Bourbon, le contact n'a pas été absolument rompu avec l'Autriche-Hongrie et des conversations se sont poursuivies en Suisse entre le Comte Revertera, famillier de l'empereur Charles, et le commandant Armand, officier de réserve attaché au 2e bureau de l'Etat-Major français. Conversations vagues et dont Poincaré n'a probablement pas eu connaissance : il les eût désapprouvées.

Or, le 2 avril, le Comte Czernin, successeur de Berchtold à la tête du ministère austro-hongrois des Affaires Etrangères, imagine de prétendre, dans un discours adressé au Conseil Municipal de Vienne, que la France a fait demander des conditions de paix.

Lorsqu'on communique au « Tigre » le télégramme Havas relatant cette affirmation, il entre en fureur et s'exclame :

— Le comte Czernin en a menti !

Et il dicte aussitôt un communiqué dans lequel, après avoir déclaré que c'est l'Autriche qui a été constamment demanderesse, il fait une nette allusion à la mission du prince Sixte et à la lettre écrite par l'empereur Charles en mars 1917.

Czernin, blessé au vif, ayant répliqué, Clemenceau donne des précisions et révèle à l'opinion mondiale que, dans la fameuse lettre, l'empereur a fait allusion « aux justes revendications françaises sur l'Alsace-Lorraine. »

Charles est mis par cette divulgation, dans une terribie situation vis-à-vis de son partenaire allemand et il tente de nier l'authenticité de la missive. Mais le terrible « Tigre » ne lâche pas sa proie et, dans un nouveau communiqué, il déclare :

— Il y a des consciences pourries dans l'impossibilité de trouver un moyen de sauver la face ; l'empereur Charles tombe en balbutiements d'homme confondu...

L'infortuné monarque n'a plus que la ressource de courir

à Spa pour s'humilier devant Guillaume II et consentir à un resserrement étroit de l'alliance.

Poincaré n'a pas été consulté avant que soit divulgué le texte d'un document que le prince Sixte lui avait remis personnellement. Il n'a certes jamais été partisan des pourparlers avec l'Autriche, mais le procédé de Clemenceau, découvrant un souverain qui a eu confiance dans la discrétion du gouvernement français le choque. « Bien que je trouve, note-t-il, qu'il a eu raison de ne se prêter à aucune conversation avec l'Autriche en vue d'une paix que celle-ci serait dans l'impossibilité de nous offrir en dehors de l'Allemagne, je suis un peu honteux et affligé de l'impétuosité dont a fait preuve le président du Conseil. »

Il n'a pas tort. Mais bientôt il ajoutera : « La légende de Clemenceau est une force nationale. Il faut tirer parti de ses qualités et de sa réputation dans l'intérêt du pays. Il faut tâcher d'atténuer ses défauts et de prévenir ses imprudences. »

Décidément, la parole n'est plus qu'au canon.

Le 27 mai, l'Etat-Major allemand, conscient que ses armées vont s'affaiblissant, lance une ultime offensive, grâce à laquelle il espère encore forcer la victoire. Foch attendait cette offensive en direction d'Arras. Or, c'est en Champagne, sur le Chemin des Dames, qu'elle se produit, dans un secteur que le Commandement français avait cru pouvoir dégarnir.

Le succès en est d'abord foudroyant ; les forces allemandes, bousculant nos troupes, franchissent l'Aisne et la Vesle et, dès le 31 mai, elles occupent Château-Thierry. Le bombardement de Paris par obus et par bombes d'avion reprend de plus belle. Le 1er juin, Clemenceau vient dire à Poincaré qu'il faut prévoir l'évacuation de la capitale par le Gouvernement.

« Je ne quitterai pas Paris », réplique le président de la République. Il estime que les circonstances imposent de ne pas laisser Clemenceau décider constamment seul et, le lendemain, il convoque en même temps que lui à l'Elysée Dubost, président du Sénat, et Deschanel, président de la Chambre.

On examine la situation ; le « Tigre » se montre résolu mais nerveux et un peu romantique :

« Si par malheur, » s'exclame-t-il, « il fallait mourir, je veux du moins que mon pays meure en luttant pour son indépendance et qu'il meure en beauté ! »

Très maître de lui, Poincaré ramène l'entretien sur un terrain plus positif. Il expose que l'abandon de Paris serait une catastrophe qui doit être évitée à tout prix, au besoin en raccourcissant le front et qu'en tous cas le gouvernement a le devoir de rester dans la capitale jusqu'à la dernière minute.

Le « Tigre » part le front plissé, le regard noir et Poincaré note dans son Journal : « Clemenceau est un homme de Victor Hugo, comme Briand est un homme de Balzac. »

Cependant, l'avance allemande semble, provisoirement au moins, arrêtée. Malgré ses efforts, l'ennemi n'est pas parvenu à s'emparer de Compiègne ; on respire un peu.

Profitant de ce répit, le président de la République va, dans les Vosges, passer en revue les troupes tchèques qui combattent sur le front français ; puis, revenu à Paris, il préside la manifestation franco-américaine organisée à l'occasion de *l'Independance Day*. Il est applaudi par la foule et ce regain de faveur, qui lui cause un certain plaisir, l'engage à se comparer favorablement à Clemenceau :

— « Son émotivité, » note-t-il, « peut-être un peu sénile, lui enlève en ce moment quelque faculté d'observation. »

Le 15 juillet, l'Etat-Major allemand, qui sent ses hommes à bout de résistance nerveuse, tente un effort désespéré dans le secteur de Reims. Mais cette attaque était prévue et le Commandement français a organisé un système de défense élastique qui se révèle pleinement efficace. Les Allemands ne sont pas passés, ils ne passeront plus ; la guerre a changé de signe.

« Eh bien ! Etes-vous content ? » crie joyeusement Clemenceau à Poincaré. Mais celui-ci ne se rend pas immédiatement compte de l'importance de l'événement et il reste inquiet quand il apprend que nos troupes sont, le 18 juillet, passées à l'offensive en avant de Villers-Cotterets et de La Ferté-Milon.

— « Il y a eu hier et ce matin, » note-t-il le 19, « dans les Chambres et par suite dans la ville, un emballement de joie excessive, auquel la mobilité de Clemenceau ne paraît pas avoir été étrangère. »

Mais il lui faut bientôt se rendre à l'évidence : sur le pourtour de la poche allemande, de Soissons à Reims, nos troupes avancent partout et la retraite de l'ennemi prend, çà et là, allure de déroute.

Le 7 août, à la suggestion du président de la République, Foch est nommé maréchal de France ; le décret résume les résultats de la bataille qui se poursuit depuis le 18 juillet :

« *Paris dégagé, Soissons et Château-Thierry reconquis de haute lutte, plus de deux cents villages délivrés, trente-cinq mille prisonniers, sept cents canons capturés, les espoirs hautement proclamés par l'ennemi avant son attaque écroulés, les glorieuses armes alliées jetées d'un seul élan victorieux des bords de la Marne aux rives de l'Aisne...* »

En même temps, Pétain reçoit la médaille militaire. Quelques jours plus tard, Poincaré se rend aux Quartiers Généraux des deux illustres guerriers pour leur apporter leurs insignes — avec, bien entendu, allocutions à l'appui.

Il a, auparavant, proposé à Clemenceau de lui en soumettre le texte, mais le « Tigre » lui a répondu, non sans peut-être un pointe d'ironie : « Non, non, c'est inutile ; vous faites ces choses-là parfaitement... »

*
**

La défaite allemande s'accentue ; vers la fin d'août, pressé sans répit par Foch, l'ennemi a reculé jusqu'aux positions qu'il occupait le 21 mars ; il devient évident que, dans son désarroi, il ne pourra les tenir et déjà Hindenburg, pour éviter la débâcle, supplie Guillaume II de conclure la paix.

C'est alors que Poincaré entreprend une série de tournées dans les régions libérées. La plus émouvante pour lui est celle qui, au milieu de septembre, le conduit à Saint-Mihiel parmi ses anciens électeurs. Il en profite pour pousser jusqu'à Sampigny où sa chère maison n'est plus qu'un amas de décombres et son jardin un terrain dévasté. Il s'arrête aussi à Commercy, à Buxerulles, à Heudicourt, à Pont-à-Mousson, à Thiaucourt, toutes localités auxquelles l'attachent tant de souvenirs et qui sont maintenant en ruines. Partout on lui fait fête, partout on trouve des fleurs pour les offrir à Madame Poincaré qui l'accompagne. Et lui, la gorge serrée, les yeux embués, a peine, pour une fois, à achever les discours qu'il prononce...

Au début d'octobre, sur le front français, l'ennemi a reculé jusqu'au delà de Cambrai et de Saint-Quentin. Dans les Balkans, l'armée de Salonique, que commande le général Franchet d'Esperey, a pris une offensive qui l'a conduite au cœur de la Serbie et jusqu'en territoire bulgare. Le 2, les Bulgares, premiers à capituler, signent un armistice. Le 3, le gouvernement allemand demande au président des Etats-Unis de prendre en mains la restauration de la paix et se déclare prêt à accepter comme base les Quatorze Points.

La victoire est décidément en vue. Mais Poincaré entend plus que jamais, qu'elle soit complète : ce qu'il lui faut, ce qu'il faut à la France, c'est non seulement l'Alsace-Lorraine mais encore le glacis rhénan et aussi l'écrasement complet de l'armée allemande. Et quand Clemenceau lui paraît envisager avec faveur la possibilité d'un prochain armistice, il s'inquiète et il envoie au président du Conseil une lettre de mise en garde : « On va couper les jarrets à nos troupes. »

Le « Tigre » n'a jamais été accommodant et l'effort surhumain qu'il fournit a encore exacerbé se nervosité. De plus les lettres que lui adresse fréquemment Poincaré et dans lesquelles il voit des « documents de couverture » l'agacent depuis longtemps. Souvent il les a jetées sans les lire, laissant à son chef de cabinet, George Mandel, le soin de les recueillir et de les garder à toutes fins utiles. Mais cette fois, il explose et, saisissant sa plume, il écrit :

— « Monsieur le Président, je n'admets pas qu'après trois ans de gouvernement personnel qui a si bien réussi, vous vous permettiez de me conseiller de ne pas *couper les jarrets à nos soldats*. Si vous ne retirez pas votre lettre écrite pour l'histoire que vous voulez vous faire, j'ai l'honneur de vous envoyer ma démission. Respectueusement : *Clemenceau.* »

A ce billet rageur, le président de la République répond point par point et conclut :

— « Ma lettre ne justifiait nullement l'injure que vous m'adressez ni la démission dont vous me menacez et qui serait désastreuse pour le pays. »

Mais Clemenceau, nullement apaisé, de répondre :

— « Monsieur le Président, vous essayez d'expliquer votre lettre et vous ne la retirez pas ; je maintiens ma démission. »

Nouvelle réplique de Poincaré :

— « Vous n'attendez pas de moi que j'accepte votre démission alors que je vous ai déjà écrit que je la considère comme néfaste pour le pays. »

Le « Tigre » se calme un peu et fait porter à l'Elysée une lettre beaucoup plus longue dans laquelle il n'insiste pas pour se démettre mais où il précise ses griefs et pose ses conditions : le chef de l'Etat retirera sa correspondance offensante, il s'abstiendra à l'avenir d'écrire au président du Conseil et n'aura avec lui que des communications verbales, et encore devant témoin.

Pour finir une note plus calme :

— « Quoi qu'il arrive, vous pouvez être assuré que je ne demande qu'à oublier ce très fâcheux incident et que je ne manquerai en aucun cas aux devoirs de loyauté que j'ai envers vous. »

Que peut faire le président de la République ? Clemenceau jouit dans le pays d'une prodigieuse popularité et, dans les Conseils des alliés, d'une autorité irremplaçable... « Je ne dirai rien, » note Poincaré dans son *Journal*, « tout s'apaisera vite... »

Tout s'apaise en effet et le lendemain Clemenceau paraît au Conseil des ministres, jovial et souriant, comme si rien ne s'était passé.

***

Les événements se précipitent et partout les Alliés déclenchent l'assaut final : le 21 octobre, Poincaré peut aller porter le salut de la France à Lille et à Roubaix enfin libérés ; le

29, l'armée italienne, reconstituée, inflige aux forces austro-hongroises une écrasante et décisive défaite ; le même jour, l'empereur Charles dissout lui-même la Double-Monarchie en reconnaissant l'indépendance des différents Etats qui la composent ; le 30, la Turquie met bas les armes. Et déjà le président Wilson a posé à l'Allemagne, en réponse à sa demande d'armistice, des conditions excluant toute possibilité de reprendre les hostilités.

Foch a élaboré un projet d'armistice qui lui semble comporter toutes garanties nécessaires : « Je ne voudrais pas prendre la responsabilité de faire verser inutilement une goutte de sang, » déclare-t-il et il ajoute ce mot admirable : « Au-dessus de la guerre, il y a la paix. » Clemenceau approuve le texte suggéré : il sait les Alliés hostiles à une guerre prolongée sans nécessité absolue et puis il a soixante-dix-huit ans et désire, avant de mourir, jouir du fruit de la victoire. Poincaré, lui, reste partisan d'aller chercher cette victoire à Berlin et quand, le 3 novembre, Clemenceau lui téléphone pour lui apprendre la nouvelle de l'armistice autrichien et ajoute : « Maintenant l'armistice allemand n'est plus qu'une affaire de semaines » le président de la République réplique : « Ou de mois... »

Il se trompe : les troupes alliées sont sur la Meuse, dans les Ardennes, sur l'Escaut ; le 4 novembre, une mutinerie éclate à Kiel au sein des équipages de la flotte allemande tandis que la révolution gronde à Munich ; le 5, le gouvernement américain fait savoir à Berlin que les Alliés sont disposés à traiter de la paix sur la base des Quatorze Points ; le 6, les généraux adjurent Guillaume II d'abdiquer ; le 7 enfin, à minuit trente, le commandant-en-chef allié reçoit du Grand Quartier Général allemand le radiogramme suivant :

« Le Gouvernement allemand, ayant été informé par les soins du président des Etats-Unis que le maréchal Foch a reçu le pouvoir de recevoir ses représentants accrédités et de leur communiquer les conditions de l'armistice, demande l'endroit où ils pourront pénétrer dans les lignes françaises. »

Le 8, Clemenceau vient trouver Poincaré :

— Tout est fini, l'Allemagne est à bout. Elle accepte tout.

— Je le souhaite, fait Poincaré réticent, mais l'image de l'Alsace-Lorraine se dresse aussitôt devant lui et il ajoute :

— En ce cas, je vous demanderai une faveur.

— Laquelle ?

— Ce sera d'aller avec vous à Metz et à Strasbourg dès qu'il sera possible d'y entrer... Je veux vous y embrasser.

Le même jour, les plénipotentiaires allemands ont pris connaissance, à Rethondes, des conditions arrêtées *ne varietur* par les Alliés. Cependant qu'ils en réfèrent à leur gouvernement, Foch prend toutes dispositions pour déclencher une grande offensive en Lorraine. Mais, dans la nuit du 10 au 11, les délégués du Reich reviennent, résignés à tout. A cinq heures du matin, l'armistice est signé : il doit entrer en vigueur à onze heures.

Tandis que la grande nouvelle, connue à Paris, y déchaîne un enthousiasme fou et qu'à la Chambre Clemenceau se voit l'objet d'une interminable ovation, Poincaré, isolé à l'Elysée, est en proie à des sentiments divers.

Certes, sa joie est profonde de voir la victoire acquise et l'espoir de sa vie, la reconquête des chères provinces perdues, enfin réalisé, mais il se demande si le triomphe est assez complet et si l'Allemagne, aujourd'hui abattue, ne relèvera pas quelque jour la tête... Et aussi il ne peut s'empêcher d'éprouver quelque amertume en constatant qu'il est oublié dans les acclamations populaires et que la reconnaissance de la nation va au seul Clemenceau.

Déjà quelques jours auparavant, il a noté dans son *Journal* : « Pour tout le monde, Clemenceau est le libérateur du territoire, l'organisateur de la victoire. Seul il personnifie la France. Foch a disparu ; l'armée a disparu. Quant à moi, bien entendu, je n'existe pas. Les quatre années de guerre pendant lesquelles j'ai présidé l'Etat et que Clemenceau a consacrées à une opposition sans merci contre les gouvernements successifs sont totalement oubliées. »

Et bientôt il écrira ces lignes qu'il reproduira en guise de conclusion aux dix volumes de ses *Souvenirs* : « Pour moi la vérité est qu'on eût mieux fait d'achever la défaite de l'Allemagne avant de signer l'armistice. Mais ni Clemenceau, ni

Foch n'ont été de mon opinion, le premier parce qu'il avait hâte de présider aux élections, le second parce qu'il voulait, dans un sentiment d'ailleurs très noble, mettre fin à toutes les batailles meurtrières. »

Peut-être, Monsieur le Président, l'avenir vous donnera-t-il quant au fond raison, encore que la France ait, au 11 novembre, perdu déjà, et de manière irremplaçable, beaucoup trop de ses meilleurs fils. Mais cela vous justifie-t-il d'imputer un motif vil à l'attitude d'un homme, votre rival, qui a certes de terribles défauts, mais sans lequel la guerre n'eut sans doute pas été gagnée et qui, en tous cas, est, lui aussi, un grand Français ?

***

Journées qui suivent l'armistice, journées de liesse et d'euphorie. Les souffrances sont oubliées et le souvenir même de tant de morts tend à s'estomper. On veut vivre, on veut jouir. Danses et chansons déferlent et les rues retentissent des échos de la *Madelon de la Victoire,* (« Joffre, Foch et Clemenceau » dit le refrain mais « Poincaré » est omis).

Paris, qu'emplissent des uniformes étrangers, semble la capitale du monde et les chefs d'Etats alliés commencent à s'y précipiter : le roi d'Angleterre d'abord, puis celui des Belges.

Ces visites donnent au président de la République l'occasion de se manifester à nouveau et les *toasts* qu'il prononce à l'issue des dîners offerts à l'Elysée sont, comme toujours, châtiés dans la forme, nourris dans le fond, impeccables, un peu trop longs.

Mais, au milieu de ces fêtes, Poincaré songe surtout au voyage qu'il doit faire en Alsace et en Lorraine recouvrées et que, sous des prétextes divers, Clemenceau retarde de jour en jour.

Le 7 décembre au soir, on part enfin : avec le président de la République et le président du Conseil, sont du voyage les présidents des deux Chambres et aussi les ambassadeurs de Grande-Bretagne, des Etats-Unis et d'Italie.

Le matin suivant, le train présidentiel pénètre, sur une voie hâtivement rétablie, en Lorraine désannexée. Poincaré est bouleversé d'émotion ; la carapace qui trop souvent enserre son cœur vole en éclats, ses yeux se brouillent de pleurs ; il est comme un homme qui a retrouvé l'amour de sa vie, cru à jamais perdu : « Que t'ai-je fait », s'écrie-t-il, « ô ma France adorée, pour mériter un tel honneur et pour te représenter ici ? »

Le convoi pénètre en gare de Metz. Foch est sur le quai. Des fillettes en costume lorrain apportent des fleurs. Aux accents de la *Marseillaise,* Poincaré et Clemenceau montent dans une voiture qui, au milieu des vivats de la population, les emporte lentement vers l'esplanade.

Là, des troupes sont rangées sur trois côtés, Pétain est devant elles. Le président de la République les passe en revue puis, se plaçant en face de Pétain, il lui adresse, d'une voix qui tremble, une allocution, lui remet le bâton de maréchal de France et lui donne l'accolade.

C'est alors que Poincaré, se souvenant de ce qu'il a dit à Clemenceau le 8 novembre ou peut-être poussé par un mouvement irrésistible du cœur, se tourne vers le « Tigre » :

— Et vous aussi, il faut que je vous embrasse.

— Bien volontiers, grogne l'autre, qui, lui aussi, a la larme à l'œil.

Les deux hommes s'étreignent. Des fenêtres et des tribunes partent des applaudissements frénétiques. Instant de gloire, instant de parfaite communion, de merveilleuse concorde : instant qui hélas ! ne durera guère...

L'après-midi, visite à l'Hôtel de Ville, à la cathédrale, au cimetière, à l'hôpital. Sur tout le parcours l'ovation se fait sans cesse plus chaude, plus frémissante. De vieilles femmes sanglotent, se mettent à genoux. « On a parlé d'un plébiscite : le voici ! » s'écrie l'ambassadeur d'Angleterre.

Le lendemain, Strasbourg. L'accueil est peut-être un peu moins délirant qu'à Metz — il y a beaucoup de civils allemands dans la ville — mais encore extrêmement chaleureux. Le maire exprime le désir de voir la France occuper définitivement, de l'autre côté du Rhin, la tête de pont de Kehl. Poincaré acquiesce avec empressement, mais Clemenceau fait la sourde oreille.

Le 10, c'est au tour de Colmar et de Mulhouse de recevoir la visite des présidents. Ils y retrouvent des acclamations enthousiastes, une joie profonde et vibrante. Le soir, recrus d'émotion, ils repartent pour Paris où ils doivent accueillir le président Wilson.

Tandis que le train roule dans la nuit, Poincaré et Clemenceau, silencieux, évoquent en eux-mêmes le passé. Le premier a souffert, enfant, de la défaite de 1870, le second l'a douloureusement vécue en homme. Tous deux, pourtant si dissemblables, ont eu tout le long de leur vie, la même pensée dominante : celle de la Revanche. Maintenant leur vœu suprême est accompli, leur destin rempli. Qu'importe le reste !

Et tandis que le « Tigre » s'enfonce dans son mutisme et glisse vers la somnolence, Poincaré, comme sortant d'un rêve, murmure :

« Je puis mourir. »

CHAPITRE XIV

LA PAIX

La Conférence de la Paix. — Discours inaugural de Poincaré. — Idée purement juridique qu'il se fait de ce que doit être la Paix. — La conception wilsonienne. — La pensée de Clemenceau. — Foch, d'accord avec Poincaré, revendique la rive gauche du Rhin. — Opposition de Wilson et de Lloyd George. — En échange de la rive gauche du Rhin, ils proposent à la France des pactes de garantie. — Satisfaction de Clemenceau, méfiance de Poincaré. — Malgré Foch, Clemenceau se contente d'une occupation temporaire des territoires rhénans. — Un manifeste de Dorten. — L'Alsace-Lorraine et la Sarre. — Le désarmement. — Les clauses de Réparations ; ce que Poincaré y voit. — Le Pacte de la Société des Nations. — Le Sénat américain refuse de ratifier le traité de Versailles et le pacte de garantie. — Ecroulement du système clemenciste, triomphe discret de Poincaré. — La France en 1919. — Premières difficultés. — Agitation syndicaliste. — Les manifestations du 1er mai. — Préparation des élections législatives. — Le « Bloc National ». — La Chambre « Bleu horizon ». — Les manœuvres de Briand empêchent Clemenceau d'être élu président de la République. — Election de Deschanel. — Formation du Cabinet Millerand. — Poincaré, son septennat terminé, se prépare joyeusement à quitter l'Elysée. — Il est élu sénateur de la Meuse. — Les Chambres déclarent qu'il « a bien mérité de la Patrie ». — Un autre prisonnier relaxé : Caillaux.

Le 18 janvier 1919, à 3 heures de l'après-midi, Poincaré inaugure sollennellement, parmi les ors et les damas rouges du Quai d'Orsay, la Conférence de la Paix.

Somptueux aréopage : vingt-sept nations alliées y sont représentées car, au fur et à mesure que les chances de celles qui ont d'abord soutenu le choc ont augmenté, d'autres, toujours plus nombreuses, sont venues s'agréger à leur bloc.

Point de délégués russes toutefois ni de représentants des puissances vaincues ; celles-ci ne seront invitées que lorsque le texte des traités aura été arrêté et elles ne seront pas admises à le discuter.

On se montre les forts ténors : Clemenceau, massif, le teint cireux, le regard voilé derrière la broussaille des sourcils, des gants gris aux mains ; Wilson, souriant aux anges et ne paraissant point se douter que déjà son pays le désavoue ; Lloyd George, pétulant, électrique, la crinière au vent ; l'Italien Orlando, tout en courbettes et gestes arrondis ; le Japonais Makino, impassible et secret ; l'alerte Benès, l'homme de la Tchécoslovaquie ressuscitée ; le Grec Venizelos, barbu et subtil ; le courtois polonais Romain Dmowski ; Foch, droit, râblé et frémissant ; bien d'autres encore... Sur l'auguste assemblée, la voix du président de la République passe, incisive, un peu sèche :

— «... La justice n'est pas inerte... Ce qu'elle réclame d'abord, lorsqu'elle a été violée, ce sont des restitutions et des réparations pour les peuples et les individus qui ont été dépouillés ou maltraités. En formulant cette revendication légitime, elle n'obéit ni à la haine ni à un désir instinctif et irréfléchi de représailles ; elle poursuit un double objet : rendre à chacun son dû et ne pas encourager le recommencement du crime par l'impunité... »

En ces quelques phrases toute l'idée que Poincaré se fait de ce que doit être la paix se trouve condensée : idée classique, idée de juriste.

Pas plus d'ailleurs que la plupart des contemporains, il ne se rend bien compte de l'ampleur de la catastrophe qui s'est produite et qui n'est rien de moins que l'effondrement de l'Europe, mère des civilisations.

En 1914 il y avait encore une Europe et, sinon un concert européen, du moins un équilibre des puissances qui, vaille que vaille, en tenait lieu. En 1919, la Russie se convulse dans les affres de la Révolution et de la guerre civile ; l'Autriche-Hongrie, cette Société des Nations au petit pied, a volé en éclats et, à sa place, s'agitent des nationalités sans traditions ; le Corps germanique gît à terre, pantelant, gravement touché, mais vivace encore et roulant déjà d'obscures pensées de revanche ; l'Italie est ruinée ; la Grande-Bretagne elle-même est atteinte dans sa structure financière ; la France enfin ruisselle du plus pur de son sang... La guerre a été gagnée certes, mais est-ce une véritable victoire que celle qui laisse la plupart des vainqueurs aussi épuisés que les vaincus, qui a volatilisé un patrimoine matériel et moral accumulé par des siècles d'efforts, qui, de surcroît, n'a été acquis que grâce au concours de l'Amérique et qui a définitivement anéanti la solidarité européenne ?

Tout cela Poincaré ne se le dit pas ; avec son tempérament, avec sa formation, il ne peut pas se le dire ; il ne voit dans la guerre qu'un immense procès, durement débattu, complètement gagné : la partie perdante doit, non seulement abandonner l'objet du litige, mais encore payer, intégraux, les dommages-intérêts et la partie gagnante est en droit strict de prendre, appuyée par la force publique, toutes précautions utiles pour que l'adversaire ne puisse plus jamais élever les prétentions dont il vient d'être débouté.

A cette conception s'oppose celle de Wilson telle qu'elle se dégage des Quatorze Points formulés en janvier 1918 et aussi du projet de *Covenant* dont le président des Etats-Unis a déjà saisi les Alliés. Conception généreuse celle-ci et nullement procédurière, mais vague, mais confuse, sans contact avec les réalités et imprégnée d'un optimisme mystique. Comme il faut avoir confiance dans la bonté des hommes, il faut avoir confiance dans l'esprit de justice des nations. Que chacune, par une exacte application du principe des nationalités, reçoive son dû et alors toute occasion de litige se verra normalement écartée. Que si toutefois il en surgissait un, l'arbitrage suffirait à l'apaiser, cet arbitrage étant prononcé par un organisme supérieur groupant tous les Etats du monde sur un pied d'égalité. Point de sanctions ou seulement pacifiques : la Vérité et la Justice n'ont besoin que de leur seul éclat pour faire reculer l'Esprit du mal.

Entre Poincaré et Wilson, Clemenceau.

Certes le « Tigre » se rapproche du premier par son patriotisme ombrageux et sa volonté de ne rien envisager que du point de vue français. Mais il est moins éloigné du second qu'on ne croit et qu'il ne croit lui-même. Il a beau railler la « noble candeur » du président des Etats-Unis, il est un Jacobin, comme Wilson est un Puritain ; or, entre Jacobinisme et Puritanisme, il y a des points communs : même esprit démocratique, même méfiance à l'égard des « forces obscurantistes », même foi dans le Progrès aussi et dans la Nature humaine. Clemenceau méprise les individus mais il croit dans l'Humanité.

« La France, hier soldat de Dieu, aujourd'hui soldat de l'Humanité, sera toujours le soldat de l'Idéal ! », s'est-il écrié lorsqu'il a annoncé à la Chambre la capitulation allemande et quand, dans son livre *Grandeurs et misères d'une victoire,* il parlera de cette *Europe du droit* rêvée par lui, ce sera en des termes qui par leur quasi-mysticisme comme par leur nébulosité, pourraient être wilsoniens. Si, en fait, il lui arrive de témoigner d'un réalisme frisant le cynisme, ce n'est que sous l'empire de sa passion patriotique et aussi, parfois, du démon incohérent qui habite en lui.

Contre Wilson, au-delà de Clemenceau, ce ne sera cependant pas Poincaré qui, au cours des travaux de la Conférence, défendra avec le plus d'énergie la position traditionnelle de la diplomatie réaliste, celle qui fonde la sécurité sur des garanties territoriales : ce sera Foch.

Poincaré en effet, la séance inaugurale une fois close, est rentré à l'Elysée et il s'y renferme dans son rôle constitutionnel qui est de « présider aux rapports des pouvoirs publics ».

Non, certes, qu'il se désintéresse des événements, mais il a du mal à en être exactement informé. La Conférence n'a guère tardé à abdiquer en fait tous ses pouvoirs entre les mains d'abord du Conseil des Dix, puis du Conseil des Quatre que préside Clemenceau et dont, avec lui, font seuls partie

Wilson, Lloyd George et Orlando. Sans doute le président du Conseil fait-il périodiquement son « rapport » au chef de l'Etat, mais ces comptes rendus, souvent tardifs et quelquefois incomplets, sont des monologues qui ne comportent aucune demande d'avis. Plus en pleine possession de ses moyens la plume à la main que dans la conversation, Poincaré est souvent tenté d'adresser des notes écrites au « Tigre ». Mais l'expérience lui appris à se méfier des réactions de ce dernier.

Foch, lui, est dans une situation particulière : commandant en chef des armées alliées, ce titre l'affranchit, croit-il, d'une étroite subordination à l'égard de Clemenceau et lui donne son franc-parler.

Contre le sentiment du président de la République, il a été d'avis de conclure l'armistice dès le 11 novembre parce que les clauses de cet armistice suffisaient à réduire l'Allemagne à merci. Mais maintenant, il pense que la France doit exploiter la situation jusqu'au bout : ce qu'il demande, c'est non seulement l'Alsace-Lorraine, mais encore le bassin de la Sarre et c'est aussi, sinon l'annexion de la rive gauche du Rhin, du moins son occupation permanente en même temps que sa séparation définitive du Reich allemand ; ce n'est qu'à ce prix que la sécurité française lui paraît pouvoir être définitivement assurée. Dès le 27 novembre 1918, il a exprimé cette thèse dans un note adressée au gouvernement et Poincaré y a donné son entière approbation.

Thèse raisonnable, la plus raisonnable même du point de vue militaire ; mais, pour la faire triompher, il faudrait que la France ait été seule à gagner la guerre ou, du moins, qu'elle possédât un gouvernement dictatorial pouvant braver toutes les conséquences de ses décisions. Or la France n'est victorieuse que grâce au concours de ses alliés et, de plus, elle comporte un Parlement au sein duquel tous les partis de gauche apparaissent conquis par l'idéologie wilsonienne. Poincaré s'en rend mal compte, mais Clemenceau le sait ; il a entendu Wilson et Lloyd George lui dire : « Vous n'allez pas créer une autre Alsace-Lorraine ! », il fait quelquefois une apparition dans les couloirs des Chambres et, mesurant l'impossibilité pratique de réaliser le système de Foch, ce n'est que du bout des lèvres qu'il s'y rallie. Déjà une idée a germé dans son esprit : échanger l'abandon partiel de la thèse française telle que l'exprime Foch contre une alliance militaire avec la Grande-Bretagne et les Etats-Unis.

Au milieu de février les travaux du Conseil des Quatre subissent un temps d'arrêt : Clemenceau, atteint d'une balle de revolver que lui a tiré un voyou du nom de Cottin doit garder quelques jours la chambre, Wilson est parti pour un mois aux Etats-Unis, Lloyd George est à Londres, Orlando en Italie.

Les délibérations actives recommencent en mars. Le 14, jour du retour de Wilson et à l'issue d'une discussion orageuse, Lloyd George prend le « Tigre » à part et lui déclare que, si la France renonce à l'occupation permanente de la rive gauche du Rhin, la Grande-Bretagne lui donnera sa garantie militaire contre toute agression allemande non provoquée. Il ajoute qu'il usera de toute son influence auprès du président des Etats-Unis pour obtenir du gouvernement américain le même engagement. Wilson, aussitôt consulté, donne son accord.

Clemenceau qui, s'est toujours senti attiré vers le monde anglo-saxon, a peine à contenir sa joie. Triomphant, il va à l'Elysée faire part de la bonne nouvelle au président de la République.

Celui-ci reste muet.

— « Je ne vois pas bien, » fait Clemenceau un peu décontenancé, « comment je proposerais au peuple français de refuser la garantie militaire de l'Angleterre et des Etats-Unis pour assurer la paix. »

Pas un mot de Poincaré.

— « Nous nous séparâmes, » écrira le « Tigre », « sous cette forme d'un échange de pensées. »

C'est que Poincaré, en bon juriste, estime qu'il n'est pas d'engagements qui vaillent des sûretés réelles. Le 17 mars, il se décide à écrire au « Tigre » pour lui indiquer combien il serait, à son sens, dangereux d'évacuer la Rhénanie avant l'achèvement du paiement intégral des réparations : « Ne serait-ce pas », ajoute-t-il, « réserver à l'avenir un problème terrible ? Comment la France fera-t-elle le jour où l'Allemagne ne voudra plus payer, si la date prévue pour l'évacuation est déjà annoncée ? »

Foch, se plaçant au point de vue militaire, est plus net encore et il demande à être entendu par le Conseil des Quatre : « Si nous ne tenons pas le Rhin de façon permanente, » s'y écrie-t-il le 31 mars, « il n'y a pas de neutralisation, de désarmement, de clause écrite d'une façon quelconque qui puisse empêcher l'Allemagne de se saisir du Rhin et d'en tirer avantage ; il n'y a pas de secours suffisant, arrivant à temps d'Angleterre ou d'Amérique, pour éviter un désastre dans les plaines du Nord, pour éviter à la France une défaite complète. »

Mais les Quatre ont leur siège fait et les adjurations du maréchal tombent dans le vide... Nouvelle audition cette fois devant le Conseil des ministres français : médusés par le « Tigre », les ministres n'osent souffler mot et Poincaré lui-même s'abstient.

Cependant Clemenceau s'efforce d'obtenir des Alliés le maximum de concessions. Pendant plus d'un mois il lutte d'arrache-pied. Finalement, on tombe en principe d'accord sur une combinaison hybride : la rive gauche du Rhin continuera à faire partie intégrante du Reich, mais elle sera perpétuellement démilitarisée (ainsi qu'une bande de cinquante kilomètres de largeur sur la rive droite); en outre, elle sera temporairement occupée par une force franco-anglo-belgo-américaine, la première zone d'occupation, celle de Cologne, devant en principe être évacuée au bout de cinq ans, la deuxième, celle de Coblence, au dout de dix ans, la troisième, celle de Mayence, au bout de quinze ans ; l'occupation pourra être abrégée si l'Allemagne observe fidèlement les conditions du traité et, dans le cas contraire, pourra être prolongée.

S'autorisant de cette dernière disposition, Clemenceau écrit au président de la République (une fois n'est pas coutume) :

— « Nous sommes sur le Rhin et nous resterons sur le Rhin. »

Mais Poinçaré demeure sceptique et, le 28 avril, il adresse à Clemenceau une lettre destinée à être communiquée à Wilson comme à Lloyd George et qui, joignant la question de la rive gauche du Rhin à celle des réparations, demande que l'occupation de la première soit prolongée aussi longtemps que les secondes n'auront pas été intégralement payées.

— « Rien ne peut nous garantir », écrit le président, « qu'après l'expiration des quinze ans et l'évacuation de la Rive gauche, les Allemands ne glisseront pas peu à peu des troupes dans cette région... Comment les empêcherons-nous de le faire le jour où nous voudrons réoccuper faute de payement ? Il leur sera facile de sauter dans une nuit sur le Rhin et de s'emparer, bien avant nous, de cette frontière naturelle et militaire. »

Avertissement prophétique, mais qui reste sans écho : le 6 mai, Wilson et, le 9, Lloyd George répondent par une fin pure et simple de non recevoir.

Foch, discrètement appuyé par le président de la République, fait entendre devant l'assemblée plénière de la Conférence une ultime protestation. En vain... L'avenir, hélas ! lui donnera raison.

Alors que le traité est à la veille d'être signé, Poincaré espère encore regagner quelque chose en invoquant la volonté des Rhénans eux-mêmes. Le 1er juin il reçoit un manifeste publié par un comité qui s'est constitué sous la présidence du Dr Dorten et qui réclame la création d'une République rhénane dans le cadre du Reich allemand. En transmettant ce manifeste à Clemenceau, le président de la République ajoute :

— « Il n'y a rien là, semble-t-il, qui puisse choquer le président Wilson et il serait, à mon avis, très fâcheux que nous puissions prendre parti contre ces velléités bien timides encore d'indépendance. »

Mais le « Tigre » hausse les épaules...

A propos du bassin de la Sarre, déception analogue :

L'Alsace-Lorraine nous a été restituée sans difficultés. Mais Poincaré souhaiterait qu'on y joignit le bassin de la Sarre qui en fit partie de 1793 à 1814. Nos Alliés refusent et consentent seulement d'en faire un territoire autonome, placé provisoirement sous l'administration de la Société des Nations et qui, au bout de quinze ans, décidera de son sort par voie de plébiscite. Pourtant la pleine propriété des mines de houille situées dans le bassin sera définitivement reconnue à la France.

Les clauses de désarmement, qui réduisent à cent mille hommes recrutés par voie d'engagement, les effectifs de l'armée allemande ne suscitent pas de réaction chez Poincaré. Tout au plus fronce-t-il le sourcil quand il lit, dans le projet de traité, que la limitation des armements sera ultérieurement étendue à l'ensemble des puissances et « fixé au minimum compatible avec la sécurité nationale et avec l'exécution des obligations internationales. »

Aux clauses concernant les Réparations, le président attache une importance particulière. Pendant toute la guerre, il n'a cessé de proclamer que l'Allemagne devrait intégralement réparer les dommages causés. Il a — sur le papier — satisfaction : le Reich se reconnaîtra responsable de la guerre et s'engagera, non seulement à payer la réparation de tous les dommages sur terre et sur mer, mais encore à assurer le service des pensions allouées aux blessés et invalides allliés. Une Commission des Réparations, composée des représentants des puissances lésées, arrêtera le chiffre de la dette ainsi créée et, en se basant sur la capacité de paiement de l'Allemagne, établira un état de paiements exécutoire dans un délai maximum de trente ans et toujours modifiable ; il appartiendra en outre à la Commission de surveiller l'exécution de ces paiements et de signaler au gouvernements intéressés les manquements éventuels.

Expert éminent en procédure, Poincaré aperçoit aussitôt tout le parti que les Alliés, et la France en particulier, peuvent tirer de ces dispositions : c'est, doit-on espérer, l'Allemagne mise pour longtemps en tutelle. Aussi quand le comte Brockdorff-Rantzau, premier plénipotentiaire allemand, propose de remplacer ce système indéterminé par le paiement d'une somme forfaitaire de cent milliards de marks-or payable en trente annuités sans intérêts, Poincaré s'indigne ; il est, cette fois, en complet accord avec Clemenceau et aussi, il faut le dire, avec l'ensemble de l'opinion publique française. « Le Boche paiera » affirme le ministre français des Finances: en contrepartie des ruines accumulées, il est plus commode d'escompter des rentrées incertaines, mais qu'on espère massives, que de tabler sur une somme fixe, mais manifestement insuffisante.

Quant aux dettes que la France a, au cours de la guerre, contractées à l'égard de la Grande-Bretagne et des Etats-Unis, Clemenceau n'a pas insisté pour en obtenir l'annulation. Il juge préférable de ne pas soulever prématurément une question que la solidarité interalliée ne peut manquer, croit-il, de finir par régler au mieux de nos intérêts. Poincaré, meilleur financier, en est moins assuré, mais il n'estime pas opportun d'intervenir. Pourtant, un grave avertissement nous a été donné : au début de l'année, Angleterre et Etats-Unis ont dénoncé les accords qui liaient le franc à la livre et au dollar et notre devise s'est mise à baisser sur le marché des changes. En matière financière c'est déjà, après l' « Union sacrée », l' « Egoïsme sacré ».

S'il est une partie du projet du traité qui doive choquer le juriste épris de logique qu'est le président de la République, c'est son préambule qui est aussi, selon Wilson, sa base : le Pacte de la Société des Nations. Texte diffus, rempli d'obscurités et de contradictions, texte surtout qui ne place aucune force effective entre les mains de l'organisme qu'il institue. Mais que faire ? Le Pacte est l'œuvre personnelle du président Wilson, il exprime sa pensée profonde. Dans tous les pays d'Europe tous les démocrates s'y rallient d'enthousiasme. Poincaré, quel que soit son scepticisme à l'égard de l'efficace du *Covenant,* n'est pas l'homme à braver tant de forces qui se prononcent en sa faveur. Aussi bien le considère-t-il comme un ornement sans utilité véritable, mais aussi sans danger. Le principal pour lui est que les puissances vaincues ne soient pas d'emblée admises dans la Société des Nations.

Le traité est maintenant arrêté. Il est rédigé en deux langues, l'anglais étant mis — et cela Poincaré le déplore profondément — sur le même pied que le français. Le 28 juin, la signature intervient à Versailles.

Le même jour sont signés les pactes de garantie franco-britannique et franco-américain qui sont la contre partie de notre renonciation à une occupation permanente de la rive gauche du Rhin.

Un peu moins de cinq mois plus tard, le 19 novembre, le Sénat de Washington se refuse à ratifier et le traité de Versailles et le pacte avec la France. Du même coup le pacte franco-britannique deviendra caduc. La France n'aura pas le bouclier rhénan, mais elle n'aura pas non plus le bouclier anglo-saxon. Sa déception sera vive et pesera lourdement sur l'histoire des années suivantes.

Poincaré pourra alors amèrement triompher et rappeler qu'il a insisté pour que la France s'installât définitivement sur le Rhin.

En vérité il l'a fait. Mais son insistance, au contraire de celle de Foch, n'a jamais été très véhémente et, à nul moment, il n'a mis sa démission dans la balance.

Il est d'ailleurs un point sur lequel il a partagé la cécité de Clemenceau : il ne s'est pas rendu compte — le fait était pourtant évident pour quiconque fréquentait des Américains non officiels — que, dans le temps même où Wilson débarquait en France au milieu des acclamations d'un peuple en délire, le président des Etats-Unis avait cessé de représenter la pensée de la majorité de ses concitoyens. Ou, s'il s'en est rendu compte, il ne l'a pas dit. Plus tard, Poincaré reprochera à Clemenceau d'avoir fait ratifier le traité par les Chambres françaises avant que le Sénat américain ait été appelé à se prononcer, mais le « Tigre » pourra rétorquer que, sur le moment, le président de la République n'a soulevé aucune objection à cette ratification et que c'est là une réflexion de l'escalier.

Tandis qu'à Washington la décision sénatoriale est encore en suspens et qu'au Quai d'Orsay les négociateurs s'efforcent de régler le sort des pays successeurs de l'Autriche-Hongrie, des Etats balkaniques et de la Turquie, le peuple français commence lentement à s'apercevoir que la victoire n'a pas ramené l'Age d'Or.

Certes on danse toujours beaucoup, on danse plus qu'on ne travaille ; sous l'influence des nègres américains, les premiers rythmes syncopés apparaissent, les galas succèdent aux galas, les commémorations aux commémorations ; le défilé sous l'Arc de Triomphe des grands chefs victorieux et des détachements de toutes les armées alliées suscite du délire ; on fête les démobilisés, les prisonniers qui rentrent ; à la Bourse, des fortunes s'édifient autour de l'ascension vertigineuse des valeurs de pétrole : l'afflux des étrangers suscite des modes nouvelles, des engouements nouveaux ; cabarets et boîtes de nuit ne désemplissent pas ; « Dada » esquisse ses balbutiements ; une sorte de frénésie internationale est dans l'air.

Mais, en même temps, les ménagères s'aperçoivent que leur marché leur coûte chaque jour davantage ; le prix de la vie, exprimé en francs, atteint presque le double de ce qu'il était en 1914 : « C'est la faute des accapareurs » grogne-t-on. Bien rares encore sont ceux qui comprennent que la France a dévoré une grande partie de son patrimoine, que les signes monétaires n'ont plus désormais qu'une valeur fictive et que les temps de la sécurité sont révolus.

Pendant la guerre, à quelques grèves près, la collaboration du gouvernement, des organisations patronales et des syndicats ouvriers a fonctionné de manière satisfaisante. Maintenant, sous la pression de la « vie chère », sous l'action aussi des nouvelles venues de Russie soviétique, cette collaboration se trouve rompue. Les syndicats élèvent des revendications auxquelles ni la loi du 25 mars 1919 définissant le statut juridique des contrats collectifs, ni la loi du 23 avril établissant la journée de huit heures ne suffisent à donner satisfaction.

Le 1er mai a eu lieu à Paris une grande manifestation. Le gouvernement l'avait interdite, les syndicats ont passé outre, la troupe a chargé, il y a eu des morts, de nombreux blessés ; la bourgeoisie, un moment affolée, respire mais la classe ouvrière est définitivement sortie de l' « Union sacrée ».

Chez les militants socialistes et syndicalistes eux-mêmes, la cohésion est loin d'être parfaite : tandis que les uns restent fidèles au réformisme de Jaurès et de Sembat, les autres, enthousiasmés par le succès des révolutionnaires bolcheviques, prêchent avec ardeur la guerre sociale. L'année suivante, ces dissentiments aboutiront à la création du parti communiste français.

L'agitation cependant est confinée aux grands centres et la majorité du pays reste confiante dans l'ordre établi et surtout dans Clemenceau. A peine celui-ci est-il un peu dégagé de l'effrayant labeur que lui imposaient les travaux de la Conférence qu'aidé par son subtil chef de cabinet Georges Mandel, il se met à préparer les élections législatives.

Une loi électorale est votée qui établit un système bâtard entre la représentation proportionnelle et le scrutin de liste majoritaire, mais qui a l'avantage d'esquiver le problème des désistements. En même temps un « Bloc National » est constitué qui se réclame encore de l' « Union sacrée » mais dont tous les socialistes et bon nombre de radicaux s'excluent volontairement.

Le scrutin intervient le 16 novembre et il marque un triomphe pour le « Bloc National ». La nouvelle Assemblée, plus orientée à droite qu'aucune de celles élues depuis 1876 comprend une majorité d'hommes nouveaux, anciens combattants pour la plupart : c'est la Chambre « bleu horizon ».

Les amis de Clemenceau poussent ce dernier à briguer la succession de Poincaré à l'Elysée et, aux yeux du grand public, l'accession du « Tigre » à la première magistrature de l'Etat paraît assurée. Mais déjà Briand, sorti de sa demi-retraite, glisse dans les couloirs du Palais Bourbon, la cigarette aux lèvres, l'air bonasse, liant connaissance avec les nouveaux élus ; et déjà il aperçoit la fissure qui va lui permettre de saper la popularité du « Tigre » auquel il en veut mortellement de ne l'avoir point utilisé à la Conférence de la Paix.

Pendant toute cette période, sévère, un peu contracté, Poincaré a rempli impeccablement son rôle d'ordonnateur en chef du cérémonial républicain. Il a reçu des souverains étrangers, donné des banquets, déposé des fleurs sur les cénotaphes, présidé aux grandes commémorations, prononcé tant à Paris qu'en Province, de multiples discours. Mais son grand désir est maintenant de quitter l'Elysée où le despotisme de Clemenceau l'a réduit à un rôle de figuration. Il a hâte de retrouver, avec sa liberté, sa toge d'avocat, sa plume de journaliste et sans doute aussi son fauteuil de sénateur. Aux adversaires du Tigre, qui le pressent de solliciter un second mandat, il répond par un « non » catégorique.

L'année 1919 s'achève dans la fièvre politique. Le 10 janvier 1920, Poincaré signe le décret promulgnant le traité de Versailles. « La paix sera une création continue », murmure-t-il. Mais le public songe surtout à l'élection présidentielle qui doit avoir lieu le 17 janvier. Briand active sa campagne. Abordant tel parlementaire radical, il fait nonchalamment allusion à l'autoritarisme de Clemenceau et insinue que son arrivée à l'Elysée pourrait bien mettre les libertés démocratiques en péril ; serrant la main à tel autre, d'obédiance socialiste, il rappelle la brutalité avec laquelle le « Tigre » a réprimé la manifestation du 1er mai ; puis traînant les pieds, il va vers un groupe de députés catholiques et il jette :

— Oh ! Clemenceau fera très bien comme président de la République et puis, quand il mourra, ça fera de superbes obsèques civiles.

— Pourquoi civiles ?

— Mais voyons ! Clemenceau est athée et il ne s'en cache pas !

La Chambre « bleu horizon » compte beaucoup de catholiques et le coup est porté...

Poincaré, que des familiers tiennent au courant de ces manœuvres, affecte de n'y prendre aucune part et fait volontiers l'éloge de Clemenceau. Mais, dans son cœur, il ne peut s'empêcher de souhaiter que le vieillard irascible reçoive, pour une fois, un camouflet.

Quel candidat toutefois opposer au Père la Victoire ?

Briand en a un sous la main : c'est Paul Deschanel, le président de la Chambre qui, ayant toujours refusé d'être ministre, ne s'est pas usé au gouvernement et dont chacun s'accorde à louer l'urbanité et le talent oratoire. Depuis quelque temps, il est vrai. Deschanel donne des signes d'émotivité, voire d'exubérance qui inquiètent son entourage. Mais sans doute n'est-ce là qu'un effet temporaire des chocs nerveux subis pendant la guerre. Et puis Deschanel ne laisse-t-il pas entendre qu'il est favorable à une reprise des relations diplomatiques avec le Vatican alors que Clemenceau y reste farouchement opposé et qu'il a même empêché le président de la République d'assister, le lendemain de l'armistice, à un *Te Deum* à Notre-Dame ?

Déjà, en 1913, Deschanel eut souhaité entrer à l'Elysée et assez longtemps il n'a pas excusé Poincaré d'y avoir pénétré à sa place. Mais les deux hommes se sont réconciliés et c'est sans déplaisir que le président sortant verrait son ancien rival lui succéder.

Le « Tigre » désire incontestablement être élu. L'orgueil toutefois l'emporte chez lui sur l'ambition et il voudrait que cette élection fût faite d'acclamation sans qu'il ait à poser officiellement sa candidature.

En vain ses amis, inquiets du travail souterrain de Briand, le pressent-ils de se manifester. Obstinément il refuse et, quand on insiste, il ironise :

— « Je ne suis candidat à rien, sauf à la retraite. »

Le 16, a lieu le traditionnel scrutin préparatoire des « groupes républicains » : Deschanel recueille quatre cent huit voix, Clemenceau trois cent quatre-vingt-neuf seulement.

Aussitôt, il saisit sa plume et écrit au président de l'Assemblée nationale :

— « Je prends la liberté de vous informer que je retire à mes amis l'autorisation de poser ma candidature. »

Le lendemain, à Versailles, Deschanel est élu sans concurrent.

Sa première visite est pour Clemenceau qui rugit :

— « Dites à ce Monsieur que je ne suis pas là ! »

Aussitôt après, le « Tigre » s'en va à l'Elysée porter à Poincaré la démission du Cabinet. Le président sortant prononce des paroles qu'il veut émues, mais l'autre demeure hérissé, mâchant sa colère.

Les deux hommes se séparent. Ils ne se retrouveront plus.

Ce n'est qu'un mois plus tard que Poincaré doit transmettre ses pouvoirs à son successeur et il lui reste un dernier devoir présidentiel à remplir : celui de constituer un nouveau ministère. D'accord avec Deschanel, il charge son vieux condisciple Millerand de le présider— Millerand, l'ancien socialiste devenu le chef le plus en vue du « Bloc national ».

Puis il songe à l'avenir car il ne considère nullement— bien loin de là — sa carrière comme terminée (« elle commence », confie-t-il à un ami).

Le renouvellement partiel de la Haute Assemblée auquel il a été procédé le 10 janvier lui a permis de retrouver, dans la Meuse, son fauteuil sénatorial et il est désormais assuré d'une tribune. Mais cela ne saurait suffire à son activité et déjà il aspire à un poste où il pourrait donner toute sa mesure : celui de président de la Commission des Réparations, de cette Commission qui semble alors la clef de voûte du traité de Versailles.

C'est Jonnart qui a été appelé par la confiance de Clemenceau à exercer cette présidence. Mais Jonnart, assez gravement malade et d'ailleurs peu enclin aux besognes arides, désire se retirer. C'est bien volontiers que Millerand promet à Poincaré sa succession : nul, autant que le Président de la République sortant, ne saurait avoir l'autorité nécessaire pour diriger un organisme international dans lequel il apparaît déjà que les Anglais joueront un jeu fort distinct de celui de la France.

Poincaré n'est plus que pour une semaine l'hôte de l'Elysée quand il lui survient une grande joie : les deux Chambres votent une loi déclarant qu'il a « bien mérité de la Patrie ».

Ce solennel hommage — inouï depuis les jours de la Révolution — avait été rendu à Clemenceau dès 1918 et le président de la République avait alors secrètement souffert d'être oublié. Il ne peut aujourd'hui qu'être profondément satisfait de voir cet oubli enfin réparé. Tandis que Clemenceau apparaît déjà comme l'homme de la veille, il se sent, lui, l'homme du lendemain.

Le 17 février, son septennat expiré et tous ses comptes rigoureusement soldés, il quitte en cérémonie l'Elysée où Deschanel l'est venu chercher et il gagne, au milieu d'une foule sympathique, le petit hôtel qu'il a acquis rue Marbeau et où l'attendent, avec Madame Poincaré, sa bibliothèque de style anglais, ses tapisseries, son salon Louis XV, ses tableaux de facture académique, ses livres, ses dossiers personnels et ses animaux favoris.

Le dernier personnage officiel sorti, il enlève son frac d'étiquette et d'une voix coupante :

— « Maintenant, mon veston. Et ma plume. »

Deux mois plus tard, un autre prisonnier est relaxé : après vingt-sept mois de détention préventive, Caillaux, traduit devant le Sénat constitué en Cour de Justice, est acquitté du chef des plus lourdes accusations portées contre lui et n'est condamné, pour imprudences graves, qu'à dix ans de privation de droits politiques et à cinq ans d'interdiction de séjour.

Mais le Libéré de la Santé gardera au Libéré de l'Elysée une rancune qui s'exhalera par-delà leurs deux tombes.

CHAPITRE XV

DE LA COMMISSION DES REPARATIONS A L'OCCUPATION DE LA RUHR

Poincaré président de la Commission des Réparations. — Ses désillusions. — L'Angleterre préfère le relèvement économique de l'Allemagne au paiement des réparations. — La conférence interalliée de Hythe empiète sur les attributions de la Commission. — Démission de Poincaré. — Il accepte de tenir, à la « Revue des Deux Mondes », la Chronique de politique étrangère. — Il s'y fait l'avocat de l'exécution intégrale du traité de Versailles. — Briand, redevenu chef du gouvernement, tend à se rapprocher de la thèse britannique. — « L'état de paiement » du 5 mai 1921. — Poincaré président de la Commission sénatoriale des affaires étrangères. — Son discours au Cercle National de Bordeaux. — Lloyd George, à Cannes, tente Briand par l'offre d'un pacte de garantie. — Poincaré contribue à la démission de Briand. — Il constitue un Cabinet dans lequel il prend, avec la présidence du Conseil, le ministère des Affaires étrangères. — Poincaré au Quai d'Orsay. — Philippe Berthelot. — Le projet de pacte de garantie franco-britannique n'aboutit pas. — La Conférence de Gênes. — Son échec. — Déception dans les milieux de gauche. — Campagne contre « Poincaré la Guerre ». — L'Allemagne demande un nouveau moratoire. — La question des dettes interalliées. — Tension croissante entre Paris et Londres. — Lloyd George remplacé par Bonar Law. — Poincaré à la Conférence de Londres de décembre 1922. — L'Angleterre propose une annulation de sa créance sur les Alliés en échange d'un moratoire accordé à l'Allemagne. — Position de Poincaré : « pas de moratoire sans gages ». — Poussé par Millerand, il envisage l'occupation de la Ruhr. — La Conférence de Paris. — Elle aboutit à une impasse et à la rupture de l'entente franco-britannique. — Occupation de la Ruhr.

Le 19 février 1920, deux jours après son départ de l'Elysée, Poincaré prend possession de son fauteuil sénatorial.

Le surlendemain paraît le décret le désignant, à la place

de Jonnart, démissionnaire, comme délégué de la France à la Commission des Réparations dont, en cette qualité, il va être de droit président.

La Commission a établi ses bureaux à l'hôtel Astoria, sur les Champs-Elysées. Poincaré s'y rend quotidiennement, maîtrise très vite le contenu des innombrables dossiers qui s'y accumulent et ne tarde pas à y étonner chacun par l'infaillibilité de sa mémoire comme par la clarté de ses exposés.

Fort des dispositions du traité de Versailles, il a cru que, de son nouveau poste, il allait présider souverainement à la détermination des dommages subis par les Alliés, à la fixation corrélative de la dette mise à la charge du Reich, à l'établissement de l'état des paiements et au contrôle de ces paiements — en d'autres termes qu'il allait être le véritable arbitre des destins allemands.

Il lui faut déchanter.

Dès l'abord il lui apparaît que les Anglais ont déjà en fait renoncé à tirer de l'adversaire battu la totalité des indemnités légalement dues. Leurs économistes, Keynes en tête, s'acharnent à démontrer que le transfert des sommes colossales théoriquement exigibles du Reich n'est pas souhaitable car il risquerait de désorganiser l'économie des pays vainqueurs et qu'enfin mieux vaut pour l'équilibre mondial une Allemagne grevée d'une dette modérée et se relevant rapidement qu'une Allemagne asservie, ruinée et glissant par désespoir vers l'anarchie et le bolchevisme. Le gouvernement de Londres s'est rallié à ce point de vue et son délégué à la Commission des Réparations, Sir John Bradbury, semble bien moins désireux d'appliquer à la lettre le traité de Versailles que de ménager les vaincus.

Entravé au sein de la Commission, Poincaré s'aperçoit en outre de la tendance qu'ont les gouvernements alliés à empiéter sur les attributions de celle-ci.

C'est le moment où s'ouvre ce qu'on peut appeler l'ère des Conférences internationales : pendant trois années, au cours desquelles les chefs des Cabinets européens sembleront saisis de manie ambulatoire, il ne s'en tiendra pas moins de vingt-quatre.

Poincaré, qui a toujours préféré le rapport écrit à la conversation et qui se méfie de l'étranger, désapprouve en principe la mode nouvelle ; « Un homme d'Etat français se trompe quand il s'éloigne de la place de la Concorde », déclara-t-il un jour.

Les deux premières Conférences postérieures à la signature des traités de paix avec les puissances centrales ont eu lieu à Londres : il y a surtout été question des affaires du Proche-Orient et d'une éventuelle reprise des relations commerciales avec l'Union Soviétique. Mais voici qu'à la Conférence tenue à San-Remo, en avril 1920, le sujet des réparations est abordé et que Lloyd George insiste pour que le gouvernement du Reich soit invité à proposer un paiement forfaitaire.

Quand, en mai, au cours d'une Conférence tenue à Hythe, il est décidé d'admettre l'Allemagne à discuter de sa capacité de paiements au lieu de se borner à exiger d'elle la réparation intégrale des dommages causés, Poincaré prend la mouche. « La voie dans laquelle on s'est engagé », écrit-il, le 18 mai à son beau-frère Lannes, « me paraît trop dangereuse pour que je ne reprenne pas ma liberté de parole et d'action. » Le même jour, il fait connaître au président du Conseil que « les conversations qui viennent d'avoir lieu entre les chefs des gouvernements britannique et français lui paraissent avoir déchargé la Commission des Réparations de la partie la plus difficile de sa tâche » et il se démet de sa double fonction de délégué de la France et de président de la Commission.

*
**

Ayant renoncé à un traitement considérable pour ne pas être ravalé au rang de docile fonctionnaire, voici Poincaré simple sénateur et dans l'obligation de songer à compléter son indemnité parlementaire par une occupation lucrative — non seulement en effet il n'a réalisé aucune économie au cours de son passage à l'Elysée, mais il s'y est, à force de charités, très appauvri. Et pour qu'il ait pu acheter le petit hôtel de la rue Marbeau, il a fallu que sa femme vendît la villa qu'elle possédait à Cabourg et aussi quelques terres en Normandie.

Un Pactole l'attend s'il reprend sa toge d'avocat. Certes nul métier ne lui plairait davantage. Mais, par un scrupule rare et qui le peint, il hésite à plaider devant des magistrats dont il a signé, comme président de la République, les décrets de nomination. On le verra parfois au Palais, il consentira à donner quelques consultations importantes, il présidera à certains arbitrages (tel celui réclamé par la famille princière de Monaco), mais il n'apparaîtra pas à la barre.

Que lui reste-t-il donc ? — La plume. Et on le voit accepter de tenir la Chronique de politique étrangère dans la *Revue des Deux Mondes,* et aussi d'adresser au *Temps* des *Lettres libres* bimensuelles (1).

C'est du haut de ces retentissantes tribunes que, pendant un an et demi, il va juger les événements extérieurs avec une clairvoyance non exempte de quelque causticité.

Causticité qui a motif de s'exercer. Un an à peine après la signature du traité de Versailles, que voit-on ?

Des Etats-Unis qui se désintéressent d'une paix à l'élaboration de laquelle ils ont pourtant pris une part prépondérante ; une Grande-Bretagne soucieuse de retrouver des marchés en Europe occidentale et de mettre la main sur le Proche-Orient ; une Italie agitée, amère et insatisfaite ; des pays danubiens qui se jalousent, s'enfoncent dans la détresse monétaire et ne parviennent pas à reconstituer, sur le cadavre de l'Autriche-Hongrie, un organisme sain ; une Union Soviétique qui, à peine dégagée de la guerre civile, ne songe qu'à allumer, hors de ses frontières, la flamme des révolutions ; une Allemagne qui, au prix de luttes intestines sanglantes, a sauvé, voire renforcé, son unité et que tourmente déjà un rêve de revanche ; une France enfin profondément déçue par

(1) D'après sa déclaration d'impôt sur le revenu — déclaration certes absolument sincère — ces collaborations, jointes à quelques consultations juridiques, lui rapportaient, en 1921, 129.000 francs sur un revenu total de 173.177 francs.

l'effondrement des pactes de garantie et qui se demande comment elle pourra concilier son besoin de sécurité avec son désir de percevoir intégralement les réparations qui lui sont dues.

Rien de tout cela n'échappe à Poincaré et il en analyse lucidement les causes comme les effets. Mais le chaos régnant en Europe centrale et orientale, ce chaos qui angoisse si fort les Anglais, ne le trouble pas outre mesure. Il est en particulier persuadé que l'Allemagne joue volontairement, dans le but d'attendrir ses vainqueurs, le jeu du désespoir et de la ruine. Aussi bien l'Europe, prise dans son ensemble, ne l'occupe-t-elle guère : ce qui le passionne c'est l'intérêt français et cet intérêt il l'estime indissolublement lié à l'exécution intégrale et littérale du traité de Versailles. Certes, ce dernier comporte des imperfections et des lacunes ; mais il existe, c'est un titre exécutoire et ce serait plus qu'une faute que de laisser abolir ou prescrire la moindre de ses dispositions.

Aussi Poincaré s'inquiète-t-il quand une Conférence d'experts réunie à Bruxelles en septembre dépose un rapport qui, par un nouvel empiètement sur les pouvoirs de la Commission des Réparations, conclut à fixer à trois milliards de marks-or le maximum des versements qu'il paraît possible d'exiger chaque année de l'Allemagne. En janvier 1921, il n'approuve guère le gouvernement français de proposer un forfait de deux cent vingt-cinq milliards de marks-or payables en quarante-deux ans ; mais il s'irrite de constater que ce chiffre est jugé ridiculement exagéré non seulement par les Allemands mais par les Britanniques.

Nouvelle et plus vive indignation en mars quand le gouvernement allemand, à titre de contre-proposition, n'apporte que l'offre d'une somme globale de trente milliards de marks-or. Applaudissements par contre quand, pour punir l'Allemagne de son évidente mauvaise volonté, les Alliés décident l'occupation provisoire de Düsseldorf, Ruhrort et Duisbourg, sur la rive droite du Rhin.

C'est maintenant Briand qui est en France chef du gouvernement et ministre des Affaires étrangères. En septembre précédent, Deschanel, frappé de troubles mentaux, a dû abandonner l'Elysée et Millerand l'y a remplacé. (On avait d'abord songé à Jonnart). La présidence du Conseil est échue à Leygues, aimable homme et ami personnel du nouveau chef de l'Etat. Mais en janvier, son Cabinet a été renversé et Briand est revenu aux affaires, un Briand plus adroit manœuvrier que jamais et qui a réussi à s'imposer, lui, l'homme des conversations avec Coppée et avec Lancken, à une majorité ardemment nationaliste.

Le fin renard fait ce qu'il faut pour retenir cette majorité : il rétablit — car les catholiques sont nombreux au sein du Bloc national — les relations diplomatiques avec le Vatican ; il se déclare résolu à « abattre une main ferme sur le collet de l'Allemagne ». Mais il ne renonce pas pour cela à ses tendances profondes qui sont toutes de conciliation. A la différence de Poincaré, il croit impossible d'arrêter, à une date donnée, le courant de l'évolution historique ; il n'entend nullement se servir du traité de Versailles et des réparations pour maintenir les Allemands en état de sujétion perpétuelle.

Insensiblement, il se rapproche de Lloyd George. Aussi bien les deux hommes sont-ils faits pour s'entendre, Celtes de race l'un et l'autre, opportunistes l'un comme l'autre, doués l'un et l'autre d'une sensibilité quasi féminine et d'un étrange magnétisme. De concert, ils chargent la Société des Nations de régler l'affaire du partage de la Haute-Silésie entre la Pologne et l'Allemagne, affaire qui, un moment, a vivement opposé les opinions publiques de France et de Grande-Bretagne. Puis, le 5 mai 1921, ils s'accordent pour faire entériner par la Commission des Réparations un « état de paiements » qui constitue en pratique une très importante concession faite au Reich.

C'est à cent trente-deux milliards de marks-or, dont soixante-neuf milliards destinés à la France, qu'est théoriquement fixé le chiffre de la dette allemande. Mais ce chiffre n'est qu'un trompe-l'œil. N'est assuré, et pour un temps indéterminé, qu'un versement annuel de deux milliards de marks-or ; pour le reste un prélèvement sur les exportations allemandes doit y pourvoir. Combinaison singulièrement aléatoire.

Le gouvernement de Berlin ayant accepté l' « état de paiements », les villes de la rive droite du Rhin occupées en mars sont évacuées.

Poincaré n'a pas la candeur des députés « bleu horizon » et il discerne la voie nouvelle vers laquelle Briand oriente la diplomatie française. Ce n'est pas seulement dans les colonnes de la *Revue des Deux Mondes* et du *Temps* qu'il manifeste ses appréhensions, mais aussi au sein de la Commission sénatoriale des Affaires étrangères dont il a été élu président et qui, sous son impulsion prend une autorité qui tient en balance celle du Quai d'Orsay.

Mais c'est à l'opinion tout entière que l'ancien président de la République veut faire appel. Aussi, le 27 novembre, lui voit-on prendre prétexte d'un dîner offert par le Cercle National de Bordeaux pour, après avoir trempé des lèvres médiocrement connaisseuses dans un Château Lafite 1905, prononcer un discours qui est un véritable manifeste :

— « Depuis deux ans, » s'écrie-t-il, « les alliés ont montré vis-à-vis de l'Allemagne une longanimité singulière dont elle a insolemment abusé et dont elle s'efforce, aujourd'hui encore, de tirer de nouveaux avantages... L'heure est venue de répéter aux Allemands comme à Verdun : *On ne passe plus ! Vous n'irez pas plus loin !* Assez longtemps ils ont piétiné le traité qu'ils ont signé. Ce traité, nous avons le droit d'exiger qu'ils le respectent ; nous en avons le droit, nous en avons les moyens. Ce serait le plus intolérable des scandales si une puissance qui a volontairement déclaré la guerre et qui l'a non moins volontairement conduite avec barbarie ne réparait pas les dommages qu'elle a causés. Fonder la paix sur une telle injustice serait encourager la guerre et déshonorer la paix.

« Les paroles sont femelles et il faut des mâles pour sauver un pays attaqué. Je ne mets en doute ni la sincérité ni la fidélité des nations en compagnie desquelles nous avons combattu... Mais elles nous estimeront d'autant plus que nous compterons d'abord sur nous-mêmes et que nous leur donnerons l'impression d'un peuple qui sait où il va, qui sait ce qu'il veut et qui a confiance en son destin ! »

La grande crainte de Poincaré est de voir l'Angleterre enchaîner la France à son char et la conduire peu à peu à se rallier à une politique de mansuétude à l'égard de l'ennemi vaincu. Crainte fondée : en décembre, lord Curzon, secrétaire d'Etat au *Foreign Office*, a une importante conversation avec Saint-Aulaire, notre ambassadeur à Londres, conversation au cours de laquelle il fait miroiter aux yeux de son interlocuteur la possibilité de ressusciter le pacte de garantie franco-britannique abandonné à la suite de la défaillance américaine ; mais, en contre-partie la France devrait octroyer au Reich un moratoire qui, en le dispensant provisoirement d'acquitter sa dette de réparations, lui permettrait peut-être de sauver le mark en voie d'effondrement.

Au début de janvier 1922, à l'occasion d'une Conférence réunie à Cannes, cette suggestion est précisée : Lloyd George offre à Briand un accord aux termes duquel la Grande-Bretagne viendrait militairement au secours de la France si celle-ci était attaquée par l'Allemagne.

Mais le mémorandum de Lloyd George stipule que l'engagement britannique ne vaudrait pas si la paix venait à être rompue ailleurs que sur le Rhin. En d'autres termes, l'Angleterre laisse au Reich les mains libres à l'Est et invite implicitement la France à en faire autant. Elle lui demande en même temps de coopérer « de tout cœur » à la reconstruction économique et financière de l'Europe.

Une leçon de golf donné à Briand par Lloyd George apparaît aux adversaires du chef du gouvernement français comme le symbole d'une périlleuse légèreté. Le 11 janvier, Poincaré réunit la Commission sénatoriale des Affaires étrangères ; une délibération est prise qui est aussitôt télégraphiée à Cannes : « La Commission estime... que rien ne peut devenir définitif sans la collaboration des Chambres. »

Le même jour, Briand reçoit un autre télégramme émanant celui-ci du président de la République et qui, rédigé au nom du Conseil des ministres, comporte une manière de désaveu.

Il rentre. Mais après avoir exposé au Conseil l'état des négociations et prononcé un discours à la Chambre, il porte, sans attendre le vote, sa démission à l'Elysée en disant : « D'autres feront mieux. »

Poincaré a été, après Millerand, le principal artisan d'une crise qui rappelle étrangement celle dont, au début de 1912, le Cabinet Caillaux fut victime. Cette fois encore, il s'est agi de couper court à une « politique d'abandon » ; cette fois encore l'opération a été ourdie entre les portes capitonnées d'une Commission sénatoriale ; cette fois encore Poincaré en est le bénéficiaire : c'est lui en effet que chacun désigne comme le chef du futur gouvernement et c'est à lui que le président de la République s'adresse pour le constituer.

Il souhaiterait reformer autour de sa personne l'*Union sacrée* ; mais il ne saurait en être question : les socialistes, qui redoutent la surenchère communiste, affirment une opposition irréductible et beaucoup de radicaux apparaissent vacillants.

Le ministère formé le 15 janvier comprend surtout des hommes du centre et du centre droit ; la gauche n'y a délégué que des personnalités de second plan — Albert Sarraut excepté auquel est échu le portefeuille des Colonies. Poinçaré a pris pour lui, en même temps que la présidence du Conseil, le ministère des Affaires étrangères ; Barthou est garde des Sceaux ; Maginot, ministre de la Guerre; Léon Bérard, ministre de l'Instruction publique ; trois nouveaux venus, Maunoury, Le Trocquer et Lasteyrie sont respectivement ministres de l'Intérieur, des Travaux Publics et des Finances.

La déclaration du gouvernement, lue aux Chambres le 19, porte la griffe de Poincaré :

« Le problème des Réparations, » y lit-on, « domine tous les autres et si l'Allemagne, dans cette question capitale, manque à ses obligations, nous aurons à examiner, après avis de la Commission des Réparations, les mesures à adopter... »

Il est fait ensuite allusion à la Conférence qui doit se réunir en avril, à Gênes, Conférence à laquelle ont été invités et le gouvernement allemand et le gouvernement soviétique, bien que celui-ci ne soit pas encore reconnu *de jure* :

« Nous insisterons pour qu'aucune des stipulations du Traité ne puisse être, même indirectement, débattue par la Conférence. Faute de garanties précises à cet endroit, nous serions forcés de reprendre notre liberté d'action... »

Ayant fait approuver, à une forte majorité, son programme par la Chambre, le nouveau chef du gouvernement se met à l'œuvre.

*
**

Quand Poincaré pénètre pour la deuxième fois au Quai d'Orsay, quelqu'un vient d'en sortir qui, depuis plusieurs années dominait la maison : c'est Philippe Berthelot.

Avec son front surélevé, ses cheveux bouclés, ses yeux clairs, ses traits verticaux, sa parole martelée et sa courtoisie distante, Berthelot compose une figure qu'on n'oublie pas. Fils de l'illustre chimiste qui fut un moment ministre des Affaires étrangères, il a rempli une longue mission en Extrême-Orient et en a gardé un goût très vif pour les choses de la Chine. Passé au Département, il en a rapidement, grâce à sa puissance de travail et à son intelligence filtrante, gravi les échelons jusqu'à en devenir, avec lé titre de Secrétaire général, le véritable despote.

Singulier mélange de fonctionnaire passionné pour le bien public et d'esthète affamé de sensations neuves, il s'est fait une clientèle ardemment dévouée parmi les diplomates que tourmente le démon littéraire : Paul Claudel, Jean Giraudoux, Paul Morand, Alexis Léger, Henri Hoppenot, d'autres encore. Bien qu'il fût lui-même homme plutôt de 1900 et paradoxal à la façon d'Oscar Wilde, son universelle curiosité se complaît aux ardeurs de la jeune littérature et son appartement du Boulevard Montparnasse, où des chats siamois s'étirent dans chaque pièce, est devenu un des foyers intellectuels du Paris d'après-guerre, de ce Paris frémissant, cocasse et cynique.

Le train qu'il mène coûte assez cher et il n'a point de fortune personnelle. Mais il possède un frère, qui est un financier opulent et qui fait avec lui bourse commune.

En faveur de la Banque industrielle de Chine, que dirige ce frère, il a pris une initiative qui n'était peut-être pas contraire à l'intérêt français mais qui, divulguée, a ému les Chambres et que Poincaré, dans son rigorisme, juge très sévèrement. Aussi quand le départ de Briand a paru vraisemblable, Philippe Berthelot, sans attendre l'arrivée du redoutable successeur, a-t-il spontanément renoncé à ses fonctions de Secrétaire général du Quai d'Orsay. Mais ce geste n'a pas suffi à désarmer Poincaré qui bientôt traduira Berthelot devant un Conseil de discipline et prononcera sa mise en disponibilité.

Justifiée ou non, cette mesure vaudra à l'ancien président de la République l'inimitié durable d'une bonne partie du personnel diplomatique ; elle lui vaudra aussi le terrible portrait que, dans *Bella,* Giraudoux tracera de lui sous le nom de « Rebendart ».

En attendant, Poincaré s'initie aux affaires en cours. Il a demandé aux services de lui établir une note sur chacune d'entre elles ; mais, ces notes reçues, il les juge insuffisantes et ce sont les dossiers eux-mêmes qu'il exige. Pendant quelques jours ces dossiers s'accumulent sur sa table de travail ; il les dépouille un à un, puis, au fur et à mesure, il les renvoie aux services. Il ne les réclamera plus : dates, chiffres et textes sont à jamais gravés dans sa mémoire.

La première décision qu'il lui appartient de prendre a trait au projet de pacte de garantie soumis par Lloyd George à Briand.

Dès le 23 janvier, il adresse à Londres un contre-projet qui se distingue du texte britannique en ce qu'il est bilatéral.

« Réciproquement » y lit-on, « dans le cas d'une agression non provoquée de l'Allemagne contre la Grande-Bretagne, la France se rangera immédiatement aux côtés de la Grande-Bretagne avec ses forces militaires, navales et aériennes. » Ainsi la France n'apparaîtrait plus comme une nation *protégée* par l'Angleterre, mais traiterait avec elle sur le pied d'égalité.

Le contre-projet français prévoit en outre une entente permanente entre les Etats-Majors des deux pays. Il propose enfin un concert des deux gouvernements « sur toute question de nature à mettre la paix en danger ou à porter atteinte à l'ordre général établi par les traités de paix dont ils sont signataires. »

Ce serait là étendre la portée du pacte bien au-delà de la frontière rhénane. Ce serait en somme affirmer l'*intangibilité* des traités de 1919. Et voici justement ce à quoi le Cabinet britannique répugne... Dès lors, Londres va cesser de s'intéresser au projet. La conversation traînera, languira et n'aboutira pas.

Le chef du gouvernement doit maintenant s'occuper de la Conférence qui va se réunir à Gênes avec, pour objet, le relèvement économique et financier de l'Europe.

Poincaré pense à part lui que rien d'utile à la France ne saurait sortir de cette nouvelle palabre. Mais, lié par la parole qu'a donnée Briand, il estime que le gouvernement de la République ne saurait se refuser à y prendre part. Il ne se rend pourtant pas lui-même à Gênes et il y délègue Barthou, non sans lui donner pour instructions impératives d'écarter des débats tout ce qui pourrait avoir trait soit à la sécurité, soit aux réparations.

La Conférence, montée à grand spectacle, s'ouvre le 8 avril. Lloyd George s'y trouve en personne ; le chancelier Wirth y représente l'Allemagne ; la délégation soviétique est dirigée par le subtil Tchitchérine, commissaire du peuple aux Relations extérieures.

Les premières discussions se sont déjà révélées pénibles quand survient un coup de théâtre : Wirth et Tchitchérine signent à Rapallo un accord aux termes duquel l'Allemagne reconnaît *de jure* le gouvernement soviétique et renonce à toutes réclamations touchant les biens allemands confisqués par les bolcheviks.

Cet accord est contraire à une disposition du traité de Versailles. Poincaré proteste par une note très sèche et enjoint à Barthou de se refuser à toute concession. Le 19 mai, la Conférence se sépare sans avoir donné aucun résultat.

Grande est en Europe la déception, surtout dans les milieux de gauche fidèles à l'idéal wilsonien de pacification universelle. En France, les communistes, alors violemment antimilitaristes, déclenchent contre Poincaré — « Poincaré-la-Guerre » — une campagne véhémente. Tous les moyens sont bons qui peuvent servir à le représenter comme un des grands responsables non seulement du marasme d'après-guerre mais du conflit lui-même : une photographie a été prise de lui inaugurant dans un cimetière un monument aux morts ; comme le soleil le frappait dans les yeux, il y apparaît le visage plissé et contracté par un rictus ; cette photographie est largement répandue avec comme légende : *L'homme qui ricane devant les tombes.*

Ces odieuses accusations et d'autres plus nuancées touchent l'ancien président de la République en un point atrocement sensible. Devant elles, son habituel sang-froid lui fait parfois défaut et, à un député communiste qui s'en fait l'écho, il lui arrive de lancer en pleine Chambre : « Vous êtes un misérable gredin ! »

En juillet, il prononce un discours-plaidoyer qui remplit deux séances et dans lequel il s'attache à démontrer, une fois de plus, que la responsabilité de la guerre incombe à la seule Allemagne.

Le fossé cependant s'élargit entre la conception statique qu'il a de la paix et la conception évolutionniste qui est celle du gouvernement britannique.

En proie à une inflation désordonnée que les grands Industriels encouragent en sous-main, l'Allemagne se déclare, le 12 juillet, hors d'état d'exécuter l' « état de paiements » arrêté l'année précédente et réclame un moratoire de trois ans. Il faut prendre parti : ou bien, comme le voudrait Poincaré, agir par voie de coercition contre le débiteur récalcitrant, ou bien, comme le souhaiterait Lloyd George, composer avec lui.

La question se trouve encore compliquée par le réveil de l'affaire des dettes interalliées.

Au cours de la guerre, la France s'est considérablement endettée envers les Etats-Unis et la Grande-Bretagne. Cette dernière, de son côté, est largement débitrice de l'Amérique. Tandis qu'on négociait le traité de Versailles on a évité de soulever le problème car on pensait que les paiements allemands en rendraient la solution aisée. Mais l'Allemagne n'a encore presque rien payé et voici que le gouvernement de Washington vient de nommer une Commission chargée de faire rentrer les quarante milliards de francs-or que lui doivent ses anciens associés.

Ainsi menacée d'une mise en demeure, la Grande-Bretagne se tourne vers la France et l'invite à établir un plan de remboursement. Le public français se cabre. Comment peut-on songer à lui réclamer quelque chose alors que les versements allemands sont en suspens ? Fidèle interprète de l'opinion, Poincaré fait savoir à Londres qu'en droit comme en équité, le paiement des Réparations doit avoir la priorité sur tout autre règlement.

Le Cabinet anglais, qui comprend l'inévitabilité de certains sacrifices, publie, le 1er août, une note dans laquelle il se déclare prêt à ne réclamer à l'Allemagne, au titre des réparations, et à ses anciens alliés, au titre des dettes, que ce qu'il devra payer lui-même aux Etats-Unis.

Mais Poincaré maintient son point de vue. Au cours d'une Conférence qui se tient à Londres du 7 au 14 août et à laquelle il s'est rendu sans enthousiasme, il l'affirme avec netteté : point de règlement, même partiel, des dettes tant que le Reich ne se sera pas exécuté.

Entre Paris et Londres la tension se précise et elle s'accroît encore en septembre, quand le gouvernement français décide le retrait du contingent français qui, en liaison avec un corps britannique, défendait les lignes de Tchanak, lesquelles couvrent Constantinople menacée par l'avance victorieuse des troupes de Mustapha Kemal, le futur Ataturk (1).

En octobre luit un espoir : les élections générales qui ont eu lieu dans le Royaume-Uni ont abouti à l'écrasement des libéraux et au triomphe des conservateurs. Lloyd George se voit contraint de se retirer et la direction du gouvernement

---

(1) Importantes sont les négociations menées alors, sous la haute direction du chef du gouvernement, avec le gouvernement turc et qui aboutiront le 24 février 1923 à la signature du traité de Lausanne revisant la traité de Sèvres. Importantes aussi sont celles poursuivies avec le Saint-Siège en vue d'organiser, dans le cadre de la législation française, les « Associations diocésaines ». Mais les unes ni les autres ne doivent leur impulsion initiale à Poincaré et leur détail dépasserait le cadre de sa biographie.

britannique passe à Bonar Law, un honnête *tory* dont la solidité un peu terne contraste avec la pétulance et la versatilité de son prédécesseur.

***

C'est sur ces entrefaites que, le 9 décembre, une nouvelle Conférence se réunit à Londres pour statuer définitivement sur la demande de moratoire présentée par le Reich. Poincaré y représente la France, la délégation britannique est présidée par Bonar Law, celle de la Belgique par le premier ministre Theunis ; quant à l'Italie, son porte-paroles est un homme nouveau, arrivé tout récemment au pouvoir, qui a l'air d'un terrassier endimanché et que Poincaré considère avec une condescendance dénuée de bienveillance : on le nomme Benito Mussolini.

Pendant trois jours, dans la salle verte et blanche de Downing Street, les points de vue français et britannique vont s'affronter sans se rapprocher sensiblement.

Poincaré, il est vrai, accepte maintenant de réduire la dette de l'Allemagne dans la mesure où la créance de la Grande-Bretagne sur la France sera annulée ; mais, pour la partie subsistante, il ne saurait consentir à aucun moratoire sans être en possession de gages et ces gages, il le précise, ne peuvent être constitués que par les mines de la Ruhr.

De son côté, Bonar Law fait une nouvelle concession allant au delà de la note du 1er août ; il déclare l'Angleterre disposée à payer à l'Amérique plus qu'elle ne recevra de l'Allemagne et de ses anciens alliés. Mais l'indispensable règlement définitif ne saurait en aucun cas être précédé ou accompagné de prise de gages.

C'est en vain que Mussolini s'efforce de trouver une formule transactionnelle. Les délégués se séparent sans avoir rien décidé sinon de se réunir à nouveau à Paris vingt jours plus tard.

De retour en France, le chef du gouvernement trouve les milieux politiques de la majorité nettement favorables à des mesures de force. En particulier Millerand, le président de la

République, insiste énergiquement pour que avec ou sans l'assentiment britannique, le bassin de la Ruhr soit occupé.

Mais la manière brutale n'est pas celle de Poincaré et, en face du Rubicon, on le voit hésiter. En tous cas, avant d'agir, le juriste qu'il est à besoin d'un titre et ce titre ne saurait, de par le traité de Versailles, consister qu'en une délibération de la Commission des Réparations constatant le manquement de l'Allemagne à ses obligations.

Il en est une pour laquelle aucune excuse ne saurait être invoquée : le Reich s'était engagé à livrer, avant le 30 septembre, cinquante-cinq mille mètres cubes de bois et deux cent mille poteaux télégraphiques ; or il n'a encore livré que trente-cinq mille mètres cubes de bois et cinquante-cinq mille poteaux.

Ce manquement peut paraître assez mince. Il a en revanche l'avantage d'être flagrant et le 26 décembre, à la demande du représentant français, la Commission des Réparations le constate officiellement. La délibération est prise à la majorité de trois voix (France, Belgique, Italie) contre une (Grande-Bretagne). Rapport en est fait aux gouvernements : aux termes des paragraphes 17 et 18 de l'annexe II à la partie VIII du traité de Versailles, la voie des sanctions est désormais ouverte.

Poincaré a son titre en poche. Mais, avant de s'en servir, il ne peut moins faire que d'attendre les résultats de la Conférence — suite de celle de Londres — qui a été convoquée à Paris pour le 2 janvier 1923.

Elle se réunit au Quai d'Orsay dans une atmosphère tendue : Poincaré la préside, c'est encore Bonar Law et Theunis qui dirigent respectivement les délégations britannique et belge, mais Mussolini s'est abstenu de venir et s'est fait remplacer par le souriant et fluet marquis della Torretta.

On échange des notes, puis on passe à la discussion. Poincaré indique que si tous les Alliés consentaient à imposer à l'Allemagne d'une part leur contrôle sur les mines de la Ruhr, de l'autre la saisie à leur profit des douanes rhénanes et des taxes perçues sur les charbons rhénans, on pourrait provisoirement s'en tenir là.

« Par contre, » ajoute-t-il « si la France ne peut se mettre d'accord avec les Alliés, il lui faudra bien envisager le recours à des sanctions militaires. »

Le Belge comme l'Italien donnent, sous certaines réserves, leur assentiment. L'Anglais refuse le sien. Les débats se prolongent pendant deux jours sans apporter d'éléments nouveaux et chacun reste sur ses positions. Millerand, dans la coulisse, presse Poincaré de ne pas céder et Poincaré lui-même répugne invinciblement à reconnaître — ce qui est le fond de la thèse anglaise — que le traité de Versailles est inexécutable.

Le 4 janvier, il déclare :

— « Il existe un abîme entre la proposition française et la proposition britannique. Si la Délégation britannique est disposée à le franchir, l'accord peut être réalisé dès ce soir. Mais si elle persiste à considérer que la saisie de gages est une faute à laquelle elle ne veut pas s'associer, il ne reste plus qu'à constater l'impossibilité où l'on se trouve d'arriver à une entente. »

Après que quelques observations ont été encore échangées, Bonar Law, très pâle, donne lecture de la déclaration qu'il vient de rédiger :

— « Le Gouvernement de Sa Majesté, après avoir examiné de la manière la plus sérieuse les propositions françaises, est nettement d'avis que ces propositions, si on les met à exécution, non seulement ne réussiront pas à atteindre les résultats visés, mais risquent d'exercer des effets désastreux sur la situation économique de l'Europe... Mais le Gouvernement de Sa Majesté, tout en regrettant extrêmement qu'il existe une divergence d'opinion inconciliable sur un sujet aussi grave, tient à assurer le Gouvernement de la République que les sentiments d'amitié éprouvés par le peuple britannique à l'égard du Gouvernement et du peuple de France restent sans changement. »

Et déjà Poincaré a griffonné sa réponse sur une feuille de papier :

— «... Le Gouvernement de la République regrette vivement de n'avoir pas pu se mettre d'accord sur ces graves questions avec le Gouvernement britannique, mais il remercie le Gouvernement britannique de ses déclarations amicales et il peut lui donner l'assurance que, malgré cette différence de vues, les sentiments du Gouvernement de la République et de la nation française envers l'Angleterre demeurent invariablement cordiaux. »

Les dés sont jetés. On se sépare. L'entente franco-britannique, scellée par tant de sang, est rompue.

Le 9 janvier, la Commission des Réparations, à la majorité des voix, constate un nouveau manquement de l'Allemagne, relatif celui-ci aux livraisons de charbon.

Le 11, une mission franco-italo-belge d'ingénieurs (la M. I. C. U. M.) appuyée de deux divisions d'infanterie et d'une de cavalerie pénètre dans le bassin de la Ruhr pour y prendre possession des mines et des usines. C'est l'armée française qui fournit la presque totalité de l'escorte et c'est un Français, le général Degoutte, qui la commande. Le même jour, Poincaré, après avoir informé la Chambre de l'opération, ajoute :

— « L'Angleterre est dominée par l'idée de la nécessité de relever le crédit de l'Allemagne. Nous aussi, nous croyons utile, dans notre intérêt même, de surveiller ce relèvement et d'y aider. Mais nous sommes convaincus que l'Allemagne ne fera aucun effort sérieux dans ce sens si une pression n'est pas exercée sur son gouvernement et surtout sur ses grands industriels. »

Ces déclarations sont approuvées par quatre cent cinquante-deux voix contre soixante-douze. Les socialistes et les communistes ont voté contre. Une trentaine de radicaux, dont Edouart Herriot, se sont abstenus.

Le 18 janvier, la Haute Commission interalliée des Territoires Rhénans, à la majorité de deux voix contre une (celle du Haut-Commissaire britannique) décrète la saisie de certains revenus du Reich en Rhénanie occupée (douanes, forêts domaniales, recettes fournies par l'impôt sur le charbon).

Le 26, la Commission des Réparations constate le « manquement général de l'Allemagne à ses obligations » et, à titre de sanctions, les gouvernements français et belge décident d'interdire tout envoi de coke et de charbon de la Ruhr à destination de l'Allemagne non occupée.

Le vœu de Foch est exaucé et au-delà : Rhénanie et bassin de la Ruhr sont coupés du reste du Reich.

CHAPITRE XVI

DE LA RUHR AU CARTEL

Poincaré, à la veille de l'opération de la Ruhr, encore irrésolu. — L'aspect financier de l'opération l'emporte chez lui sur les considérations de sécurité. — « La Résistance passive ». — Ingénieurs, cheminots et mineurs français la combattent victorieusement. — Echange de notes acerbes entre Poincaré et lord Curzon. — Effondrement du mark. — Stresemann, devenu chancelier du Reich arrête la Résistance passive. — Possibilités ouvertes à la France par la capitulation du Reich. — Soudure de l'économie allemande à l'économie française ou installation définitive de la France sur le Rhin. — Poincaré ne choisit ni l'une ni l'autre de ces politiques. — Il repousse les avis de Millerand comme de Foch et se laisse manœuvrer par l'Angleterre. — Il accepte la constitution de deux Comités internationaux d'experts. — Réaction du gouvernement central du Reich contre les tentatives séparatistes. — Raisons qu'a eues Poincaré de renoncer aux bénéfices politiques de l'opération de la Ruhr. — Schacht crée le « Rentenmark ». — Le Plan Dawes. — Poincaré s'y rallie. — Difficultés financières en France. — La crise des changes. — Le vote du « double décime » uni à un emploi judicieux de crédits étrangers permet à Poincaré de mener une contre-offensive victorieuse. — La proximité des élections législatives rend la Chambre nerveuse. — Elle émet un vote de méfiance contre le ministre des Finances à la suite duquel le Cabinet est démissionnaire. — Poincaré forme un nouveau gouvernement. — Attaques menées contre sa politique par le « Cartel » des radicaux et des socialistes. — Position qu'il prend au-dessus des partis. — Les élections du 11 mai 1924 donnent la victoire au « Cartel ». — Démission de Poincaré. — Confiance qu'il garde en lui-même.

Poincaré s'est-il, de gaîté de cœur, résolu à l'opération de la Ruhr ? Quand il s'y est décidé, à quelle considération déterminante a-t-il obéi ?

Pour répondre à la première question, il faut encore une

fois se rappeler que l'ancien président de la République est d'abord un avocat. Un avocat beaucoup plus qu'un juge et surtout qu'un gendarme.

Le dossier de l'affaire, il l'a étudié à fond ; il a pesé tous les arguments en faveur d'une action positive et, s'étant pénétré de leur bien-fondé, il les a exposés, devant les Conférences de Londres et de Paris, avec toute sa science, tout son talent et toute sa conviction. Il eut passionnément souhaité persuader son auditoire ; n'étant pas parvenu à le faire, il est resté troublé.

Aussi, les Anglais s'obstinant dans leur opposition, l'a-t-on vu, à la veille de sauter le pas, hésiter et il a fallu, pour le décider, l'insistance de Millerand jointe à celle de Maginot, le ministre de la Guerre. « Si je fais pas l'opération moi-même » a-t-il confié à un familier, « c'est un autre qui en sera chargé. Et il la fera moins bien. »

Quel profit espère-t-il qu'en retirera la France ? Sera-ce, le gouvernement de Berlin mis enfin à la raison, une reprise des paiements de réparations ? Ou sera-ce plutôt un affaiblissement durable du Reich, voire la rupture de l'unité allemande et peut-être l'annexion à la France de la rive gauche du Rhin ? En d'autres termes, Poincaré voit-il dans l'expédition de la Ruhr une opération *financière*, ou bien une opération de *sécurité* ?

Les deux hypothèses contiennent chacune une part de vérité mais sans doute cette part est-elle plus grande dans la première que dans la seconde.

Certes, le chef du gouvernement français qui, depuis son accession au pouvoir encourage — discrètement d'ailleurs — les tendances autonomistes en Rhénanie, n'est pas sans penser que l'occupation du grand arsenal industriel portera un coup très dur au potentiel de guerre allemand, désorganisera pour un temps l'économie du Reich, y favorisera les mouvements centrifuges et contribuera d'autant à assurer la sécurité de la France. Mais cela — ses propos et ses écrits en témoignent — il ne se le dit qu'accessoirement. Plaidant la cause devant les Conférences interalliées comme devant les Chambres françaises, il n'a cessé de proclamer que l'occupation de la Ruhr ne devait être que temporaire et n'aurait pour objet que de contraindre l'Allemagne à remplir ses obligations. Pourquoi douter de sa sincérité ? Des paiements chiffrés ne sont-ils pas d'ailleurs plus aisés à noter, à mettre en fiches et à classer sous dossiers qu'une notion aussi impondérable que celle de sécurité ?

***

A peine la mission d'ingénieurs et son escorte armée ont-elles, le 11 janvier 1923, pénétré dans le bassin de la Ruhr que le gouvernement de Berlin adresse à tous les signataires du traité de Versailles une note véhémente de protestation.

Ce gouvernement est maintenant dirigé par le chancelier Cuno qui est l'homme des grands industriels. Ceux-ci se sentent atteints au cœur même de leur pouvoir et, poussé par eux, Cuno provoque ce qu'on nommera la *résistance passive* et qui se transformera vite en hostilité déclarée.

Sur ses instructions, tandis que les prestations au titre des réparations sont complètement suspendues, les services publics de la Ruhr se refusent à toute coopération avec les autorités d'occupation ; une grève générale éclate dans le bassin qui s'étend aux territoires de la rive gauche du Rhin ; les trains cessent de circuler ; la poste cesse de fonctionner ; les hauts fourneaux s'éteignent ; il ne sort plus des mines une tonne de charbon ; les sabotages et les attentats criminels se multiplient. (Au cours du seul mois de mars, leur nombre dépassera quatre-vingts). La mort s'abat sur une région qui, la veille encore, était une des plus intensément vivantes du globe.

On peut se demander si la résistance passive ne va pas avoir raison de l'occupation et Poincaré a quelque peine à dissimuler son inquiétude. Mais ingénieurs, cheminots et mineurs de la mission réussissent un tour de force : en quelques semaines ils parviennent à faire de nouveau marcher, ou à peu près, les trains, à remettre certaines usines en activité et à réamorcer l'exploitation des houillères. Le gouvernement du Reich a interdit à ses nationaux d'emprunter les voies ferrées gérés par la Régie franco-belge des chemins de fer rhénans. Celle-ci tourne l'interdiction en multipliant les trains qui partent à la pointe du jour et que les ouvriers allemands peuvent prendre sans risquer d'être observés.

De son côté, la Haute Commission interalliée de Coblence, malgré l'opposition du délégué anglais, a organisé la gestion, au profit des puissances occupantes, des douanes et des forêts rhénanes. Pour faciliter les échanges, une monnaie provisoire, le « franc-régie », est créée. Les « gages » tendent à devenir productifs. C'est le triomphe du « débrouillage » français : dès le mois de mai la *résistance passive* apparaît vouée à l'échec.

Cependant le Cabinet de Londres qui, dès le début de l'opération, a officiellement manifesté sa désapprobation, multiplie les protestations. C'est que, en dépit des assurances de Poincaré, il reste persuadé que ce que cherche la France c'est la désagrégation de l'Allemagne ; et cette désagrégation lui apparaît, politiquement aussi bien qu'économiquement, désastreuse pour l'Angleterre. Tandis que l'ambassadeur britannique à Berlin, lord d'Abernon, un homme d'affaires assez cynique, encourage le gouvernement allemand à la fermeté, lord Curzon, chef du *Foreign Office,* bombarde le quai d'Orsay de notes plus acides les unes que les autres.

Mais le noble lord trouve vite son maître : à chaque alinéa de ses communications, Poincaré répond, de sa main, par un alinéa plus long, plus serré, plus documenté, plus pertinent et quelquefois plus aigre.

Tandis que ce dialogue stérile se poursuit, la machine allemande se disloque : faute des produits de la Ruhr et des territoires rhénans, le commerce extérieur devient impossible, les fabrications s'arrêtent, le chômage s'étend comme une lèpre. Les hauts industriels gardent précieusement à l'étranger des devises qu'ils y ont accumulées, les paysans et les commerçants montent en armes la garde devant leurs récoltes et leurs stocks, mais les ouvriers et les petits bourgeois meurent de faim : le dollar, qui valait dix mille marks en janvier 1923, monte à cent dix mille marks en juin et à trois cent-cinquante mille marks en juillet.

Le 10 août, le ministère Cuno passe la main à un cabinet

de grande coalition présidé par le Dr Gustave Stresemann, un juriste subtil qui a été le conseil d'importantes entreprises industrielles. Cette « union sacrée » qui va des sociaux-démocrates aux populistes de droite inclus n'empêche pas le dollar de s'envoler jusqu'à quatre millions six cent mille marks.

Le 26 septembre, devant l'anarchie menaçante, le gouvernement allemand se reconnaît à bout de force et décrète la cessation de la résistance passive : « Pour conserver la vie au peuple et l'Etat, » déclare, dans une proclamation, le président du Reich Ebert, « nous sommes placés aujourd'hui devant la nécessité de cesser de lutter. » (A cet aveu tragique fera écho, dix-sept ans plus tard, un aveu plus tragique encore et conçu presque dans les mêmes termes : il sera signé du maréchal Pétain).

Aussitôt, dans la Ruhr et en Rhénanie le travail reprend, sabotages et attentats cessent comme par enchantement : les ingénieurs, les mineurs, les cheminots et les gabelous français ont gagné la partie. Poincaré, sous son masque d'impassibilité, se sent, dans le fond de l'âme, profondément soulagé.

Une splendide partie s'offre alors à la France qui, en cet automne de 1923, apparaît incontestablement plus victorieuse — parce qu'elle est victorieuse *seule* — qu'elle ne l'était en novembre 1918.

En dépit de tous les obstacles, l'entreprise de la Ruhr a réussi ; la cessation de la résistance passive, loin d'avoir mis un terme à la décomposition du Reich, semble, par la déception qu'elle a causée chez les Allemands, l'avoir au contraire accélérée ; plus de vie économique ; plus de monnaie (il faudra en octobre vingt-cinq milliards de marks pour acheter un dollar ; on remettra en circulation de vieux billets surchargés d'innombrables zéros et les particuliers finiront pas s'arroger le droit de créer des signes monétaires) ; presque plus d'autorité publique.

Partout les ferments séparatistes qui se sont manifestés en 1919 et s'étaient depuis assoupis, se réveillent : sans prendre attache avec leur gouvernement, les deux plus puissants magnats de l'industrie allemande, Stinnes et Thyssen, passent des accords privés avec l'industrie française ; à Munich, le Dr von Kahr organise un gouvernement provisoire dont la devise est « Rompre avec Berlin ! » et qui se propose de remettre les Wittelsbach sur le trône de Bavière ; à Cologne, l'Oberbourgmestre Adenauer et l'archevêque Schulte, affolés par l'extension du chômage, offrent leur collaboration aux autorités françaises ; à Aix-la-Chapelle, l'agitateur Matthes, suivi d'une poignée de partisans, proclame la République rhénane ; dans le Palatinat enfin, l'essai d'une autre République autonome sera bientôt tenté.

Deux hardies politiques semblent possibles, politiques très différentes mais présentant l'une comme l'autre, à côté de risques certains, de fortes chances de succès.

La première consisterait dans une prise de contact avec les éléments les plus solides de l'Allemagne, c'est-à-dire avec les grands industriels, prise de contact dont l'objet serait un accord général liquidant sur une base réaliste (celle des prestations en nature) l'affaire des réparations, facilitant le rétablissement financier du Reich, soudant l'économie allemande à l'économie française et préparant, sur le terrain de l'intérêt commun, un durable rapprochement franco-allemand ; un bloc pourrait être ainsi créé qui exercerait une invincible attraction sur les pays voisins — Belgique, Hollande, Etats Scandinaves, Suisse, Italie, Pologne, Etats danubiens — et ce serait alors, *sous la direction de la France,* la naissance d'une Europe continentale organisée et cohérente.

Le seconde politique comporterait un appui total donné, au besoin par la force, aux mouvements séparatistes, la constitution et la mise sous protectorat français d'un Etat rhénan indépendant de Berlin et l'installation permanente de garnisons françaises sur le Rhin : ce serait le rêve de Foch réalisé et la sécurité de la France pour longtemps assurée.

De ces deux conceptions qui eussent, soit l'une soit l'autre, séduit un Richelieu, Poincaré ne choisit ni l'une ni l'autre.

Plus juriste et comptable qu'homme d'imagination et que négociateur, adversaire à la fois des combinaisons d'affaires et des coups de force, hypnotisé enfin par le texte sacro-saint du traité de Versailles, il va se laisser manœuvrer par l'Allemagne assistée de l'Angleterre et finira, bon gré mal gré, par lâcher la proie pour l'ombre.

Millerand, en la circonstance, voyait plus loin que Poincaré ; il eût passionnément souhaité qu'aussitôt après la cessation de la résistance passive des négociations fussent entamées avec l'Allemagne, tendant à la conclusion d'un nouveau traité complétant à notre profit celui de Versailles, nous assurant sur le Rhin une sécurité permanente et organisant la symbiose du charbon de la Ruhr avec le minerai de Lorraine.

Dès le jour où la nouvelle de la capitulation allemande parvint à Paris, il s'en ouvrit à Charles Reibel, ministre des Régions Libérées, et le chargea de sonder le Président du Conseil. Mais celui-ci prit fort mal cette intervention et déclara sèchement :

— « Causer avec l'Allemagne, ce serait nous brouiller avec l'Angleterre. Si l'on voulait me forcer à cette politique, je donnerais la démission du Cabinet. »

Foch, mis au courant par Reibel, fulgura :

— « Cette journée est décisive. Il dépend de M. Poincaré qu'il n'y ait plus de guerre possible entre la France et l'Allemagne. Entendez-moi bien, M. Poincaré tient aujourd'hui entre ses mains toute la victoire de la France. Si on ne cause pas immédiatement avec l'Allemagne, c'est une occasion irrémédiablement perdue. »

Mais c'est en vain qu'il essaya, le jour même, de persuader le chef du Gouvernement. Celui-ci resta figé dans son attitude négative.

Millerand eut alors la pensée d'amener le Président du Conseil à renoncer au portefeuille des Affaires Etrangères au profit de Maurice Colrat, alors garde des Sceaux (et, comme Reibel, ancien collaborateur de Poincaré au Palais). Cette velléité, bien entendu, n'eut pas de suite, car Poincaré n'était pas homme à jouer les guillotinés par persuasion.

Vers le même temps, Margerie, notre ambassadeur à Berlin, adressa au Quai d'Orsay un très long télégramme exposant les raisons qu'il y avait d'entrer en conversation immédiate avec les chefs de l'industrie allemande. Sur le texte déchiffré qui lui fut remis, Poincaré écrivit simplement : « Mettre les frais de ce télégramme à la charge personnelle de l'Ambassadeur. »

Stresemann lui ayant à son tour fait demander l'ouverture de négociations, Poincaré répondit qu'elles seraient pour l'instant sans objet : il ne saurait provisoirement y avoir lieu qu'à des arrangements locaux entre les populations des territoires occupés et les autorités d'occupation ; ce ne serait que si les livraisons de charbon reprenaient selon le programme arrêté par la Commission des Réparations que le Gouvernement français pourrait considérer la résistance passive réellement terminée.

Le temps irrémédiablement perdu par la France est mis à profit par le gouvernement britannique.

« En occupant la Ruhr, » écrira bientôt Hitler dans *Mein Kampf*, « la France arrachait à l'Angleterre tout le profit de la Guerre. » Le Cabinet de Londres s'en rend compte et, renonçant aux vaines protestations, il joue serré pour rétablir la situation.

Sur les conseils de lord d'Abernon, le gouvernement allemand, mande, le 24 octobre, à Paris et à Bruxelles qu'il est prêt à reprendre, dans le cadre du traité de Versailles, les livraisons de charbon dues au titre des réparations mais il demande en même temps que la Commission des réparations considère à nouveau la capacité de paiement du Reich.

Traité de Versailles, réparations, Commission des réparations : ces vocables exercent sur Poincaré une fascination invincible ; il se sent de nouveau dans son élément et, dès le 26, il répond que la France accepte d'engager des pourparlers sur ces bases.

Mais si l'on se replace sur le terrain du traité de Versailles, on rentre du même coup dans le cadre interallié. Le gouvernement britannique saisit la balle au bond et propose la désignation de deux Comités internationaux d'experts chargés l'un de préparer la restauration monétaire de l'Allemagne, l'autre de déterminer sa capacité de paiement et d'établir un nouveau plan de réparations.

Le Cabinet de Londres a eu l'adresse de mettre dans son jeu, au moins officieusement, le gouvernement de Washington et, tandis que le premier comité sera présidé par un banquier anglais, la présidence du second — le plus important — sera confié à un citoyen américain, le général Dawes qui agira à titre privé puisque les Etats-Unis ne sont pas signataires du traité de Versailles.

Dans la forme c'est la Commission des Réparations qui doit nommer les Comités. Les apparences sont ainsi sauvées et Poincaré se résout, le 30 novembre, à adhérer à la proposition britannique.

Les nouveaux organismes se constituent à Paris mais ne tardent pas à s'installer à Berlin. C'en est désormais fait : on est retombé dans l'ornière d'où le coup de force de la Ruhr semblait avoir fait sortir la question des relations franco-allemandes. Placée un moment sur son vrai plan — le plan politique — elle glisse de nouveau sur le plan financier, plan limité où elle ne saurait trouver d'ample et durable solution.

Déjà le gouvernement de Berlin a pris avantage des conjonctures nouvelles : en Rhénanie, les autonomistes, mal soutenus par les autorités françaises, se voient pourchassés. A Düsseldorf, dès le 30 septembre, les policiers prussiens ont ouvert un feu de mitrailleuse sur une foule qui manifestait pacifiquement en faveur de la République rhénane ; des femmes et des enfants ont été tués ; ce fut le « dimanche rouge » ; le 8 novembre à Munich, Ludendorff, ancien quartier maître général des armées impériales, et Adolf Hitler chef d'un parti « national-socialiste » qui ne compte encore que quinze mille adhérents, ont tenté de renverser le gouvernement autonomiste de von Kahr et leur échec ne les a pas empêchés de prendre, aux yeux des patriotes allemands, figure de héros nationaux. Quand Poincaré s'est définitivement lié les mains en acceptant le projet anglais, la réaction centralisatrice se fait plus brutale encore ; le 12 février 1924, elle culminera, dans le Palatinat, par le massacre, dans des conditions atroces, de vingt-sept « séparatistes ». Se conformant à une consigne de neutralité venue de Paris, le représentant de la Haute

Commission interalliée restera passif et nos soldats assisteront, l'arme au pied, à cette boucherie.

*
**

Pourquoi Poincaré a-t-il ainsi laissé glisser les cartes qu'il avait dans la main ? Plusieurs motifs semblent l'avoir simultanément guidé.

D'abord, il ne s'est jamais rendu clairement compte des immenses possibilités politiques que comportait la réussite de l'opération de la Ruhr. Dès le début, il a solennellement répudié toute arrière-pensée d'annexion et il s'est ensuite refusé à toute prise de contact direct avec les hommes d'affaires allemands. Semblable en cela à la plupart des Français, il redoute un tête-tête avec l'Allemagne ; dès lors que celle-ci s'affirme disposée à reprendre les paiements des réparations, il envisage avec satisfaction un retour à la procédure interalliée.

En second lieu, la situation financière de la France est alors médiocre. Le déséquilibre de son budget s'accentue et il apparaît de plus en plus manifeste que la totalité des dépenses « recouvrables » sur l'Allemagne ne sera jamais recouvrée. Les remboursements des bons du Trésor excèdent les souscriptions et la spéculation internationale, encouragée par la Cité de Londres comme par Wall Street, commence à jouer contre le franc : le dollar qui, en novembre 1922 valait environ treize francs en cote dix-huit, un an après. D'où répugnance à continuer d'encourir la mauvaise humeur de Londres et de Washington.

En troisième lieu, les élections législatives vont prochainement avoir lieu en Grande-Bretagne qui, on le peut prévoir, donneront le pouvoir au parti travailliste plus hostile encore que le parti conservateur à l'occupation de la Ruhr. Le futur premier ministre, Ramsay Mac Donald, annonce déjà que son soin initial sera de reconnaître *de jure* le gouvernement soviétique. Et Poincaré s'effraie devant la perspective d'un front anglo-germano-soviétique orienté contre la France.

Enfin et surtout, l'année 1924 va être, en France aussi,

une année d'élections. Or le pays, terriblement affaibli par la saignée de la guerre, apparaît las des vastes entreprises, ennemi de toute tension prolongée, soucieux surtout de tranquillité et plus épris de jeux intellectuels que de gloire — c'est l'année où Gide publie *Corydon* revisé et Jean Cocteau *Thomas l'Imposteur*. Des progrès certains sont réalisés par l'opposition de gauche qui s'est, dès le début, prononcée contre l'occupation de la Ruhr. Pour lutter contre une campagne qui s'annonce redoutable, Poincaré voudrait être en mesure d'annoncer aux électeurs que cette occupation, loin d'entraîner des charges nouvelles, a abouti à la reprise des paiements de réparations.

Aucun de ces arguments n'est sans valeur. Mais, pour en revenir à un plan très voisin de celui que le gouvernement britannique proposait dès la fin de 1922, valait-il vraiment la peine de faire une opération qui a eu le grave inconvénient de polariser contre la France les ressentiments de l'Allemagne ?

Quoi qu'il en soit la crise extérieure née de l'occupation de la Ruhr est maintenant terminée. Arrivé à Berlin, le Comité Dawes a trouvé en face de lui le Dr Schacht, président de la *Reichsbank*, qui a déjà amorcé le redressement financier de l'Allemagne en décidant le gouvernement de Berlin à créer une monnaie nouvelle, le *Rentenmark*, lequel s'échange à raison d'une unité contre mille milliards d'anciens marks-papier. (Le Rentenmark est gagé par l'ensemble des immeubles allemands, ce qui ne signifie pas grand'chose, mais il est émis en quantité strictement limitée, ce qui lui assure provisoirement une valeur constante).

Schacht n'a aucune peine à démontrer aux experts anglo-saxons que la prospérité de l'Allemagne permettrait de reprendre les paiements de réparations et surtout qu'elle favoriserait les exportations britanniques et américaines. « Il est tout à fait conforme aux intérêts des Alliés, » note le général Dawes dans son Journal, « que l'Allemagne connaisse un rapide redressement. »

Après étude, le Comité, sans préjuger du montant théorique de la dette allemande, propose un plan comportant l'affectation aux paiements de réparations d'un certain nombre de recettes domaniales et fiscales (chemins de fer, taxe sur les transports, taxe sur l'industrie, etc). Un contrôle sera établi sur ces recettes en même temps que sur la Reichsbank. L'annuité ainsi couverte sera, au début, d'un milliard de marks-or et pourra, par la suite, s'élever jusqu'à un maximum de deux milliards et demi.

Ainsi les finances du Reich se verront placées sous tutelle étrangère et traitées comme l'étaient naguère celles de la Turquie et de la Grèce. En revanche les paiements allemands échapperont au contrôle de la Commission des Réparations, organisme dans lequel la France occupe une place prépondérante, et passeront sous celui d'un agent général de nationalité américaine. C'est l'esprit d'affaires anglo-saxon qui se substitue à l'esprit juridique français.

Le 31 mars, au cours d'une déclaration faite à la Chambre, Poincaré affirme sa position nouvelle : « La France a le ferme espoir qu'après le rapport établi par les experts qu'a désignés la Commission des Réparations deviendront possibles un règlement général et une liquidation rapide. » Le 9 avril, le général Dawes dépose son rapport. Le 11, la Commission des Réparations l'entérine et signe du même coup sa propre déchéance. Le 18, le gouvernement français donne, sous certaines réserves, son approbation et, par là, s'engage implicitement à faire évacuer, dans un avenir prochain, le bassin de la Ruhr.

Pendant quelques années le plan Dawes va fonctionner de manière satisfaisante mais une cloison étanche sera dressée entre le problème des réparations et celui de la sécurité : nulle possibilité dorénavant d'exciper des manquements financiers du gouvernement allemand pour se saisir en Allemagne de gages territoriaux. Il ne restera plus à la France qu'à se rejeter du côté des garanties collectives ; c'est ce qu'elle fera — Poincaré ayant quitté le Quai d'Orsay — avec une allégresse non exempte d'illusions.

*
**

Du moment que Poincaré avait admis la désignation d'experts, il lui était bien difficile de ne pas se rallier à leurs conclusions. Mais ce ralliement fut rendu inévitable par les difficultés financières et politiques auxquelles se heurta son gouvernement au cours des premiers mois de 1924.

Ami de la clarté en matière budgétaire comme en tout, le président du Conseil, a, dès la fin de 1923, affirmé la nécessité de fondre le budget des dépenses dites « recouvrables » avec le budget ordinaire et d'équilibrer l'ensemble par des recettes normales. En accord avec son ministre des Finances, Charles de Lasteyrie, il a déposé un projet créant six milliards de recettes nouvelles grâce notamment à une majoration de vingt pour cent de tous les impôts : c'est le « double décime. »

Mais on avait trop longtemps vécu dans la facilité pour que cet acte de courage ne fût pas fort mal accueilli par l'opinion. Soucieuse de gagner sans encombre la date des élections, la Chambre ajourne la discussion du texte gouvernemental et, renonçant même à voter le budget de 1924, se contente de reconduire pour un an celui de 1923.

Privés, par la création du *rentenmark* de leur terrain favori d'activité, les spéculateurs étrangers prennent prétexte de cette tergiversation pour redoubler d'attaques contre le franc : le 2 janvier, le dollar cotait vingt francs, le 4 mars, il en valait vingt-cinq. La monnaie française allait-elle s'engager sur la pente fatale au bout de laquelle s'était anéantie la monnaie allemande ? En France même, bien des épargnants cessent de renouveler, à leur échéance, leurs bons du Trésor et en échangent le produit contre des valeurs étrangères ou contre de l'or. Un problème de Trésorerie vient ainsi compliquer celui des changes.

Justement alarmés, Poincaré et Lasteyrie ont repris leur projet financier : pour donner satisfaction aux tendances anti-étatistes d'une partie de la majorité, ils ajoutent au « double décime » une disposition remplaçant par une taxe fiscale le monopole des allumettes ; ils y joignent aussi des mesures destinées à réduire le nombre des fonctionnaires.

Grand émoi à gauche : les radicaux-socialistes, maintenant franchement passés dans l'opposition, s'unissent aux socialistes pour combattre avec acharnement à la fois le « double-décime » et le transfert des usines d'allumettes à des sociétés privées : « Le gouvernement, » s'écrie à la Chambre le président du Conseil, « demande à la majorité de former le carré avec lui pour sauver notre devise nationale. » En dépit de cet appel pressant et d'autres qui le suivent, les débats se prolongent, la situation empire et le 8 mars, le dollar atteint le cours de vingt-huit francs. En même temps, le bilan de la Banque de France accuse une augmentation de la circulation fiduciaire se chiffrant par neuf cent millions.

Poincaré voit le péril et, conseillé par Finaly, directeur de la Banque de Paris il agit : le 9 mars, un Conseil des ministres extraordinaire se réunit à l'Elysée auquel assistent le gouverneur et les sous-gouverneurs de la Banque. Il y est décidé de passer à la contre-offensive, en d'autres termes d'intervenir sur le marché des changes.

Les armes sont fournies par un crédit de quatre millions de livres ouvert par des établissement anglais et par un prêt de cent millions de dollars consenti par la Banque Morgan. La direction technique de l'opération est confiée à la Maison Lazard.

La conjoncture est favorable car, fouettée par Poincaré, la majorité du Parlement s'est enfin résignée à voter d'abord les mesures d'économie, puis l'ensemble des textes fiscaux. Devant les achats de francs opérés pour compte français sur les principaux marchés mondiaux, le cours des devises étrangères se met à baisser : dès le 12 mars, le dollar ne cote plus que vingt-quatre francs soixante-dix, le 31 mars il tombe à dix-huit francs vingt.

La tendance est retournée, la confiance revenue et la spéculation internationale, changeant de camp, se met à jouer la hausse du franc. Vers la fin d'avril, le dollar vaut moins de seize francs.

Poincaré laisserait volontiers s'accentuer cette hausse mais ses conseillers lui représentent qu'elle risquerait à la longue de paralyser nos exportations et de susciter une crise industrielle. D'accord avec lui, la Banque de France rachète des devises et bientôt le « fonds anglais » et le « fonds Morgan » sont intégralement reconstitués, le cours du dollar se stabilisant aux environs de quinze francs.

Le président du Conseil a remporté cette victoire en alliant une sûre tactique cambiste à d'efficaces mesures législatives. Mais cela n'a pas suffi à calmer la nervosité de la Chambre de plus en plus dominée par le souci des élections, maintenant toutes prochaines. Et cette nervosité a été poussée si loin que, le 28 mars, en pleine bataille des changes, il s'est trouvé une majorité de sept voix pour repousser une disposition relative aux pensions, disposition à propos de laquelle le ministre des Finances a posé la question de confiance.

Poincaré aurait pu ne pas se considérer personnellement atteint par ce vote. Il n'en a pas moins porté à l'Elysée la démission du Cabinet tout entier ; mais Millerand l'a aussitôt chargé de former un nouveau gouvernement : seuls des ministres démissionnaires y sont entrés, outre le président du Conseil, le ministre de la Guerre Maginot et le ministre des Travaux publics Le Trocquer, tous deux grands artisans du succès de la Ruhr.

S'étant ainsi allégé de ses collaborateurs impopulaires, Poincaré a succédé à Poincaré. Mais cet avatar n'a pas suffi à désarmer une opposition qui se fait plus véhémente que jamais.

Tous les arguments sont bons, même contradictoires, qui tendent à discréditer, aux yeux des électeurs la politique du président du Conseil et celle du « Bloc national ». On taxe cette politique d' « impérialisme », on lui fait grief de l'occupation de la Ruhr et des dépenses qu'elle a entraînées, (1) on lui reproche d'avoir distendu les liens de l'amitié franco-britannique, on lui reproche d'avoir fait la paix avec l'Eglise, on lui reproche aussi d'avoir, dans l'affaire des allumettes, porté une main sacrilège sur un Monopole d'Etat ; on lui impute à crime à la fois la crise financière et les énergiques mesures

(1) En fait ces dépenses sont inférieures aux recettes : d'après les déclarations que Poincaré fera en 1929 aux Commissions compétentes du Parlement, l'occupation de la Ruhr a laissé entre les mains des Alliés un solde créditeur de quatre cent vingt-quatre millions de marks-or, dont trois cent soixante-quatre pour la France.

qui ont été prises pour y mettre fin ; on va même jusqu'à accuser Poincaré de n'avoir redressé le franc qu'en apparence et dans un but purement électoral. Un réseau de Comités tendu à travers le pays par le « Cartel » des radicaux et des socialistes sert à diffuser ces thèmes qu'orchestre habilement la « Ligue de la République ».

Poincaré cependant, tout à ses négociations diplomatiques et à son œuvre financière, considère de haut cette redoutable campagne. A la différence de Millerand qui, dans un discours prononcé à Evreux, s'est nettement solidarisé avec le « Bloc national », il affecte, lui, de se tenir au-dessus des partis de mépriser les attaques et ne travailler que pour le bien de la France.

Quand le président de la République, lors de la cessation de la résistance passive, lui a suggéré de profiter de la circonstance pour obtenir du Sénat la dissolution de la Chambre et pour procéder à des élections qui ne seraient déroulées sous le signe de la capitulation allemande, il s'y est refusé : un procédé aussi exceptionnel n'est pas dans son tempérament. Et maintenant que l'échéance électorale normale est imminente, il attend avec confiance le verdict du suffrage universel.

Ce semi-détachement évitera à Poincaré l'indélébile étiquette de « réactionnaire » et le servira personnellement, mais il ne facilite pas la tâche des candidats du « Bloc national ». Les *slogans* de leurs adversaires (« Pour la paix », « Pour les petits » et « Contre le double-décime ») portent leur plein effet et, le 11 mai, les listes du « Cartel des gauches » qui groupent radicaux, socialistes indépendants et socialistes S. F. I. O. connaissent un éclatant succès. Le déplacement des voix est à vrai dire assez faible par rapport aux élections de 1919, mais il suffit à renverser complètement la majorité parlementaire : dans la Chambre nouvelle, le « Cartel », grossi des radicaux indépendants, obtient environ trois cent trente sièges ; les communistes en ont une trentaine et le « Bloc national » en conserve à peine deux cent vingt.

Poincaré est trop respectueux de la légalité républicaine pour suivre le président de la République dans ses velléités de résistance. « Décidément, les Français sont trop fatigués pour me suivre, » a-t-il confié, le jour du scrutin, à ces collaborateurs immédiats. Dès le 1er juin, sans attendre la réunion de la nouvelle assemblée, il quitte le pouvoir.

Il le fait sans amertume apparente, mais non sans tristesse. Sur le front extérieur comme sur le front financier il a lutté, il croit avoir triomphé et ce qu'il nomme à part lui, l'incompréhension de ses concitoyens choque son intelligence plus encore qu'elle ne blesse son cœur. Mais sa foi dans le triomphe final de la raison l'assure dans la pensée que l'heure des justes retours sonnera et que le pays, après s'être laissé égarer par les bergers incompétents, se tournera encore vers lui.

Il ne se trompe pas. Il n'en a pas moins laissé échapper, dans la Ruhr, une occasion qui ne se représentera plus.

CHAPITRE XVII

LE SAUVETEUR DU FRANC

« Toutes les places et tout de suite ». — Millerand chassé de l'Elysée et remplacé par Doumergue. — Herriot président du Conseil. — Evacuation de la Ruhr. — Difficultés financières. — La « Crise de confiance ». — Poincaré renverse, au Sénat, le ministère Herriot. — Cabinet Painlevé. — Crise de trésorerie et baisse du franc sur le marché des changes. — Le « Comité d'Experts » ; son rapport. — Chute du Cabinet Briand-Caillaux. — La livre sterling à deux cent quarante francs. — Le Cartel se disloque, l'éphémère ministère Herriot s'effondre et Poincaré est appelé à former un gouvernement. — Sérénité nouvelle de Poincaré ; son prestige. — Sa seule arrivée aux affaires rétablit la confiance. — Mesures financières qu'il fait immédiatement voter. — Ce qu'il emprunte au plan des Experts. — Ce qu'il n'adopte pas. — Poincaré mal résigné à la dévaluation définitive de l'ancien franc-or. — Devant le danger que présentent l'afflux des devises étrangères et la baisse trop rapide du franc, il se résout à une stabilisation de fait. — Se répugnance à transformer cette stabilisation de fait en stabilisation légale. — Les élections de 1928 témoignent de l'approbation donnée par le pays à l' « expérience Poincaré ». — Poincaré se décide à faire voter une loi consacrant la nouvelle parité-or du franc et rétablissant la convertibilité des billets de banque. — L'assainissement définitif de la Trésorerie et le super-équilibre du budget incitent les députés à des imprudences. — Au congrès d'Angers, le parti radical oblige ceux de ses membres qui font partie du ministère à s'en retirer. — Démission du gouvernement. — Poincaré en constitue un nouveau, n'assumant que la présidence du Conseil sans portefeuille. — Fléchissement de sa santé. — Son énergie physique

« Toutes les places et tout de suite, » a écrit le *Quotidien*, organe du Cartel des Gauches triomphant. La première des places, c'est la Présidence de la République : Millerand, qui est sorti de sa réserve constitutionnelle pour se compromettre avec le Bloc National, ne trouve, dans la nouvelle majorité, aucun homme d'Etat, qui veuille accepter de lui la charge de former un ministère. Il se rabat sur François-Marsal, ministre des Finances dans le Cabinet Poincaré. Mais la Chambre refuse d'entrer en contact avec ce gouvernement « présidentiel » et le chef de l'Etat se voit acculé à la démission.

Le Cartel voudrait, à sa place, porter Paul Painlevé à l'Elysée. Mais le Sénat a ici son mot à dire. Or, si le Sénat, composé en majorité de vétérans du radicalisme, a fait naguère grise mine au Bloc National, il reste très opposé à toute « aventure ».

Il possède un président à son image : Gaston Doumergue, « laïque » incontestable, mais aussi éloigné que possible du socialisme. La candidature de Doumergue est lancée et, par le seul fait qu'elle s'oppose à celle de Painlevé, elle recueille aussitôt l'adhésion des modérés de la Chambre. Au scrutin de Versailles, Doumergue est élu à une forte majorité président de la République. Poincaré, qui a repris sa place sur les bancs du Luxembourg, est loin d'avoir été étranger à son succès.

Le nouveau chef de l'Etat joue le jeu constitutionnel et donne, le 15 juin 1924, mission à Edouart Herriot, leader du Cartel, de constituer un Gouvernement qui sera purement radical, car les socialistes, tout en promettant leur concours, refusent d'y entrer.

Ce gouvernement va avoir la vie difficile.

Sur le terrain extérieur, la marche apparaît d'abord aisée. A peine installé, Herriot, qui a pris le portefeuille des Affaires Etrangères, franchit le Pas-de-Calais et a une entrevue avec le travailliste Mac Donald, devenu premier ministre du Royaume-Uni. Au cours de cette entrevue, il accepte définitivement, au nom de la France, le plan proposé par le Comité Dawes et s'engage à évacuer la Ruhr.

Mais cette évacuation effectuée et l'affaire des réparations provisoirement réglée, la question de sécurité demeure entière. Herriot croit pouvoir la résoudre par un système qui ferait dépendre d'un arbitrage préalable l'entrée en jeu des garanties internationales de sécurité, garanties permettant à leur tour l'élaboration d'un plan général de désarmement. C'est le fameux tryptique « arbitrage, sécurité, désarmement » qui inspire le Protocole adopté en septembre à Genève par l'Assemblée de la Société des Nations.

Hélas ! le 29 octobre, des élections générales qui ont lieu en Grande-Bretagne donnent la majorité aux conservateurs. Le Cabinet Mac Donald se démet et, le 5 novembre, il est remplacé par un ministère conservateur que préside Baldwin et qui se refuse à ratifier le Protocole. En France, une partie de l'opinion commence à s'émouvoir et réclame le retour à une politique d'énergie inspirée de celle de la Ruhr.

Aussi bien, cette même opinion a-t-elle d'autres sujets d'inquiétudes : la situation financière empire gravement.

Le parti socialiste, élément essentiel du Cartel des Gauches, a publié un programme financier élaboré par Vincent Auriol et qui comporte l'établissement d'un impôt sur le capital ainsi que la consolidation forcée des bons du Trésor. Gros émoi chez les capitalistes, grands et petits : les bons parvenus à échéance ne sont plus renouvelés que partiellement, les billets se thésaurisent, le Trésor public a du mal à faire face à ses engagements.

Il y a d'autant plus de mal qu'une loi limite strictement le maximum, le « plafond », des avances qu'il est autorisé à solliciter de la Banque de France. A plusieurs reprises, à la fin de 1924, ce plafond menace d'être crevé ; il l'est tout à fait au début de 1925.

Pendant quelques mois, le Trésor masque l'irrégularité en obtenant des établissements de crédit les sommes destinées à rembourser la Banque de France le jour où celle-ci publie son bilan. Mais cet expédient, fort irrégulier en soi, répugne à la fois aux Conseils des établissements de crédit et aux régents de la Banque, les uns et les autres hostiles au Cartel. Les chefs de l'opposition parlementaire reçoivent des confidences dont ils ne vont pas tarder à se servir.

Tout cela transpire dans le public, la « crise de confiance » éclate et les épargnants qui ont voté « cartelliste » ne sont point les derniers à se refuser au renouvellement de leurs bons, ni à faire, quand ils le peuvent, passer leur argent à l'étranger.

Le 2 avril 1925, Clémentel, ministre des Finances, avoue cette « crevaison » du plafond qui n'est déjà plus qu'un secret de Polichinelle. Le 9, un bilan sincère est enfin établi, qui fait apparaître les illégalités commises.

C'est alors que Poincaré rentre en scène.

La défaite électorale du Bloc National, si elle l'a forcé à abandonner le pouvoir, n'a pas compromis, au moins au Sénat, sa situation personnelle : prudent, vigilant, sarcastique avec modération, volontiers silencieux, il reste, aux yeux de ses collègues, l'homme fort qui n'a pas dit son dernier mot.

Déjà, en décembre précédent, au cours d'une conférence donnée à la salle Malakoff, il est sorti de sa réserve pour dénoncer « ceux qui ont refusé les ressources nécessaires, ceux qui ont fait des promesses imprudentes, qui ont flatté les électeurs au lieu de leur parler franchement ».

« Un grand nombre de ceux qui ont voté le double-décime, » ajoutait-il, « sont restés sur le champ de bataille électoral. Leur désintéressement a cependant mieux servi la Chambre actuelle que la dédaigneuse indifférence de ceux qui, les dernières années, votaient les dépenses et ne votaient pas les recettes. »

Maintenant, c'est du haut de la tribune du Luxembourg qu'il va parler au pays.

Le 10 avril, devant le Sénat, Herriot commet l'imprudence, pour tenter d'excuser la politique financière de son gouvernement, de mettre en cause celle du précédent Cabinet. Poincaré réplique, et dans un discours coupant, tranchant, il réduit en poussière l'argumentation du président du Conseil. On passe au vote : le ministère Herriot est renversé par cent cinquante-six voix contre cent trente-deux.

Ce scrutin sénatorial n'empêche pas la majorité de la Chambre de demeurer solidement cartelliste ; il ne saurait être question de rappeler Poincaré aux Affaires et c'est Painlevé qui est invité par le président de la République à prendre la tête d'un nouveau gouvernement dans lequel Briand reçoit le portefeuille des Affaires Etrangères et Caillaux, amnistié, celui des Finances.

Pendant quinze mois, les finances de la France vont aller

se détériorant à une vitesse sans cesse accrue et les neuf ministres qui, au cours de cette période, se succéderont rue de Rivoli ne parviendront pas à renverser le courant.

Non pas que la situation internationale apparaisse inquiétante : le plan Dawes fonctionne normalement et, sous la double impulsion de Briand et du *Foreign Office*, un rapprochement franco-allemand s'esquisse qui aboutit, le 16 octobre 1925, aux accords dits de Locarno. Non pas davantage que l'économie soit déficiente : les affaires connaissent alors une prospérité qui, pour être quelque peu artificielle, n'en est pas moins marquée et seul l'exode des capitaux empêche notre balance des comptes de se révéler créditrice. Nonpas, enfin, que la situation sociale soit troublée : la classe ouvrière, depuis ses soubresauts de 1920, traverse une période d'apathie, la Confédération générale du Travail, d'obédience socialiste, collabore avec les pouvoirs publics et les effectifs de sa rivale, la Confédération unitaire communiste, sont en baisse sensible...

Mais la confiance fait défaut, cette confiance qu'il n'est au pouvoir d'aucun gouvernement de décréter. On n'a pas encore brisé le thermomètre des changes et ce thermomètre témoigne d'une fièvre croissante : le 7 mai 1924, le dollar valait quinze francs vingt-trois ; il en vaut vingt-six quatre-vingt-six le 31 décembre 1925 ; le 30 avril 1926 il en vaudra trente cinquante.

Parallèlement, les difficultés du Trésor deviennent plus angoissantes. C'est en vain que des lois successives ont relevé à la fois le « plafond » des avances de la Banque à l'Etat et celui de la circulation fiduciaire : la dérobade persistante des capitaux fait qu'à peine décrétées ces mesures apparaissent insuffisantes et qu'il faut en envisager de nouvelles. Le cycle infernal est amorcé.

De cette situation, la majorité cartelliste accuse le « mur d'argent » et elle n'a pas tout à fait tort. Mais ce qu'elle ne voit pas c'est que ce mur, bien moins que l'œuvre des « puissances financières », est celle de la masse, autrement puissante, des petits détenteurs de bons et de billets, des rentiers et des pensionnés de l'Etat. L'époque où le franc avait un pouvoir d'achat constant n'est alors pas si lointaine que cette masse ne s'affole devant les fluctuations du cours des changes.

La vérité est que le Cartel souffre d'une grave contradiction interne : unis sur le terrain de la politique pure, socialistes et radicaux s'opposent sur le terrain financier et économique et tandis que les premiers réclament des mesures de contrainte, les seconds demeurent attachés à la liberté. Il en résulte, dans l'action gouvernementale, une discontinuité qui cumule les inconvénients des deux méthodes sans présenter les avantages d'aucune d'elles : vers les capitaux qui s'évadent, on pointe des fusils qui les font fuir plus vite, mais qui jamais ne font feu sérieusement.

En mai 1926, en présence de la catastrophe menaçante, Raoul Péret, alors ministre des Finances dans un cabinet Briand qui a succédé au ministère Painlevé, décide la constitution d'un groupe de techniciens chargé de présenter au Parlement, en dehors de tout esprit de parti, un rapport sur les moyens propres à résoudre la crise. Ce comité d'experts est officiellement créé le 1er juin ; la présidence en est confiée à un ancien haut fonctionnaire des Finances, Charles Sergent.

Le 4 juillet, le Comité dépose un rapport inspiré du plus orthodoxe libéralisme : une stabilisation monétaire est préconisée, destinée à être réalisée dans le plus bref délai possible. Deux conditions préalables sont posées à cette stabilisation : la première étant un équilibre budgétaire réalisé à l'aide d'impôts nouveaux et d'écomonie, la seconde consistant dans l'obtention de crédits étrangers. « Il faut, » proclament les experts, « que Français et étrangers aient une confiance absolue dans la sécurité des capitaux, dans le respect des engagements et dans une continuité de vues sans lesquels le plan ne saurait être exécuté. »

Sages propos, mais qui n'ont pas le don de calmer l'effervescence. Si compétents que soient les Experts, ils ne jouissent pas, auprès du grand public, d'une autorité telle qu'elle suffise à entraîner une adhésion générale. Le 17 juillet, sur l'intervention d'Herriot, la Chambre refuse à Caillaux, redevenu dans l'intervalle ministre des Finances, les pleins pouvoirs qu'il sollicite pour appliquer le plan des techniciens. Le Cabinet Briand-Caillaux se démet, et le dollar bondit jusqu'à quarante-six francs quand Doumergue oblige Herriot — évidemment pour le compromettre — à assumer la présidence du Conseil.

Le dernier ministère du Cartel ne durera que quatre jours. Le 21 juillet, le dollar vaut cinquante francs et la livre sterling deux cent quarante (elle n'en cotait que soixante en pleine opération de la Ruhr). La rente six pour cent tombe à cinquante et un francs. Le Trésor est vide et la marge disponible de ses prélèvements à la Banque de France, qui était encore de sept cents millions au 15 juillet, s'effondre à soixante millions. Le gouverneur Moreau et les Régents se refusent à augmenter illégalement cette marge. La nervosité est à son comble ; une atmosphère d'émeute flotte sur Paris. Dans la nuit, tandis qu'une foule hostile bat les grilles du Palais-Bourbon, la majorité cartelliste de la Chambre se disloque et le Cabinet Herriot est mis à terre.

Le lendemain matin, on apprend que Poincaré, mandé d'extrême urgence à l'Elysée, a accepté de constituer un gouvernement.

Encore qu'âgé de soixante-six ans, l'ancien président de la République est en pleine forme physique et intellectuelle.

Sans doute, depuis quelques années, sa silhouette s'est-elle un peu épaissie, ses joues se sont-elles empâtées, sa barbe a-t-elle blanchi, ses cheveux sont-ils devenus rares. Mais son regard, sous la broussaille des sourcils, est resté pétillant, son geste est toujours aussi précis, sa démarche aussi rapide, sa voix aussi nette.

Sa mémoire demeure impeccable, sa puissance de travail prodigieuse. Peut-être sa nervosité contenue, sa tension interne ont-elles diminué et une sérénité nouvelle apparait-elle sur ses traits. Ce n'est plus le « roquet rageur » de jadis, toujours prêt à japper et à mordre, celui dont le spirituel sénateur Henry Boucher disait en 1913 : « Je ne sais pas s'il a du caractère, mais je sais qu'il l'a mauvais. » Ce n'est plus le perpétuel candidat à tous les Prix d'Excellence : c'est l'homme d'Etat chevronné qui, ayant goûté des suprêmes honneurs, ne saurait nourrir d'ambitions médiocres, c'est l'illustre serviteur du pays que son passé, son expérience et sa probité environnent d'un halo perceptible aux yeux mêmes de ses adversaires.

Il recueille maintenant le bénéfice de la réserve dont il a témoigné lors de la campagne électorale de 1924. Nul ne songe véritablement à le traiter de « réactionnaire », il est resté un « ferme républicain », son mépris du fascisme est de notoriété publique au même titre que sa méfiance à l'égard de l'idéologie wilsonienne, et les gens de la vieille gauche, pour se consoler de le voir revenir aux affaires, se répètent la phrase qu'il jetait, dès 1912, au conservateur Charles Benoist : « Nous sommes séparés par toute l'étendue de la question religieuse ! »

Fidèle à son idéal, son dessein serait de former un cabinet d' « Union sacrée ». Il n'y réussit pas tout à fait, car les socialistes, et bien entendu les communistes, restent à l'écart. Mais tous les autres partis sont représentés et le nouveau ministre compte, outre son chef (lequel prend pour lui le portefeuille des Finances), cinq anciens présidents du conseil : Aristide Briand aux Affaires Etrangères, Louis Barthou à la Justice, Painlevé à la Guerre, Georges Leygues à la Marine, Edouard Herriot à l'Instruction Publique. André Tardieu, l'ancien collaborateur de Clemenceau dans l'élaboration du traité de Versailles, est ministre des Travaux Publics ; Louis Marin, aux Pensions, représente la droite nationaliste.

Quand Poincaré prend, le 23 juillet, possession de son fauteuil rue de Rivoli, la marge disponible du Trésor à la Banque de France est tombée à un million. Mais déjà la livre sterling qui, deux jours avant, cotait deux cent quarante francs, est retombée à deux cent huit francs ; trois jours plus tard, elle fléchira à cent quatre-vingt-dix francs ; le 7 août, elle n'en cotera plus que cent soixante-deux : la seule présence à la barre du vieux timonier a réalisé ce miracle.

« On ne vous voit que dans les temps de malheur ! », jette un député d'extrême-gauche au président du Conseil alors que, le 26 juillet, il s'apprête à lire la déclaration du gouvernement. Apostrophe qui se veut outrageante, mais en réalité désigne le sauveur... La Chambre, cette Chambre qui a été élue contre Poincaré, s'incline devant lui : par trois cent cinquante-huit voix contre cent trente et une, elle lui donne sa confiance.

***

C'est dans une atmosphère entièrement changée qu'il se met à l'œuvre. La méfiance du public s'adressait moins à la monnaie qu'à la politique monétaire. Maintenant que la tendance est renversée, un petit nombre de mesures techniques va suffire à rétablir la situation.

Plusieurs de ces mesures ont déjà été indiquées dans le plan des Experts : Poincaré les adopte parce qu'à la vérité elles sont de simple bon sens ; il faut évidemment augmenter les recettes, comprimer les dépenses, assainir la Trésorerie et équilibrer la balance des comptes :

Recettes et dépenses : la loi du 3 août, dont le vote, en dépit de l'opposition socialiste menée par Vincent Auriol, est obtenu après un minimum de discussion, crée de nouvelles ressources fiscales et autorise le gouvernement à réaliser par décret « toutes les économies compatibles avec la bonne marche des services publics »... Des économies : le « Français moyen » comprend mieux cela que les plus ingénieuses manipulations monétaires. Le résultat ne se fait guère attendre et le budget de 1926, dont le déficit probable a été évalué à deux milliards et demi se soldera par un excédent d'un milliard.

Assainissement de la Trésorerie. La loi du 7 août crée une Caisse de gestion des bons du Trésor et d'amortissement de la Dette publique. L'autonomie de cette Caisse est, le 10 août, inscrite spectaculairement dans la Constitution par un vote de l'Assemblée nationale convoquée à Versailles. Aussitôt, le montant des souscriptions de bons se met à dépasser celui des remboursements et bientôt on pourra supprimer les bons à très court terme en même temps qu'on réduira le taux d'intérêt porté par ceux qui subsistent.

Equilibre de la Balance des comptes : ce sont les exportations de capitaux qui ont mis en déficit cette balance dont le solde devrait normalement être positif. Une hausse brutale du taux d'escompte de la Banque, décidée le 31 juillet, amorce le retour des capitaux émigrés ; la confiance revenue précipite le mouvement que la spéculation étrangère ne tarde pas à accélérer encore : avant la fin de l'année, le franc exercera un attrait universel et la Banque de France sera littéralement submergée sous le poids des dollars, des livres et de l'or qu'on lui demandera d'échanger contre sés billets. Le taux élevé de l'escompte perdra alors son utilité et, en l'espace de dix-huit mois, il pourra être, au plus grand bénéfice du commerce, ramené progressivement de 7½ % à 3½ %.

Encore une fois, cette politique financière, essentiellement classique, a été préconisée, avant l'avènement de Poincaré, par les Experts. Mais sans son prestige, sans la confiance qu'il inspire, les conditions psychologiques indispensables à la réussite n'eussent point existé.

Aussi bien y a-t-il deux très importantes recommandations du plan des Experts que le chef du gouvernement se refuse à faire siennes : l'une a trait à l'emploi de crédits extérieurs, l'autre à la stabilisation rapide du franc.

Les Experts eussent voulu que, pour défendre la monnaie contre de nouvelles attaques, le Trésor se constituât, à l'aide d'emprunts émis à l'étranger, des munitions en dollars et en livres. Poincaré, guidé par son sentiment de fierté nationale, estime cet appel inutile et l'événement lui donne raison : les devises étrangères qui, sans être sollicitées, affluent spontanément en France suffisent, et bien au-delà, à briser toute offensive.

Les Experts préconisaient aussi, après une courte période de préstabilisation, le retour aussi prompt que possible à la convertibilité du franc en or. Et cette convertibilité, il ne pouvait être question, selon eux, de la décréter au cours de l'ancien franc de germinal (c'est-à-dire au cours de 290 milligrammes 32 d'or fin pour un franc) mais bien à un taux tenant compte de la dévaluation de fait subie par le franc depuis 1914.

Or, à cette dévaluation de fait, Poincaré se résigne mal. Il admet certes que, sous peine de porter un coup mortel au commerce extérieur de la France, il soit impossible de ramener brutalement le franc à son ancienne valeur-or, il admet même que de longues étapes intermidiaires soient indispensables, mais la pensée lui répugne de déposséder définitivement les patriotes qui, pendant la guerre, ont échangé leur or contre des billets, de déposséder aussi les petits rentiers, les pensionnés, les porteurs de valeurs à revenu fixe, bref tous ceux qui ont eu, ou dont les parents ont eu, confiance dans l'honnêteté de l'Etat français. Son instinct profond, le pousse, en dépit de toutes les objections, vers le retour progressif au franc de germinal, au vrai franc-or, à celui qui, multiplié par cinq, suffisait à acheter un dollar et, multiplié par vingt-cinq, une livre.

Tout inexprimé qu'il soit, ce sentiment est deviné et c'est là qu'il faut trouver l'explication de la véritable panique, qui, durant l'automne de 1926, précipite vers le franc les porteurs de devises étrangères : à la fin de novembre le dollar ne vaut plus que vingt-sept francs et la livre cent trente ; ils coteront respectivement vingt-cinq et cent vingt-deux francs à la fin de décembre.

Les chefs de service du ministère des Finances et le gouverneur de la Banque de France ne sont pas sans s'inquiéter de cette hausse, trop brutale à leur gré : la France risque de devenir le pays le plus cher du monde et de se trouver, par suite, hors d'état d'exporter ; une paralysie du commerce et de l'industrie peuvent s'ensuivre et le spectre du chômage peut se dresser ; une baisse des salaires peut devenir inévitable, génératrice de troubles sociaux ; enfin les francs qu'il faut créer pour acheter les devises s'offrant en quantités croissantes constituent, par leur masse, une inflation qui, encore que gagée, ne va pas sans péril : ces francs, en effet, acquis dans un but spéculatif, appartiennent, pour une très grande part, à des étrangers ; qui sait quel usage ces étrangers en feront ? Si la tendance venait à se retourner, ce pourrait être un véritable écroulement. « La pyramide est sur sa pointe », disent les critiques.

Peu familier avec les techniques des places financières (il se méfie congénitalement des banquiers et n'a jamais personnellement voulu se faire ouvrir de compte ailleurs qu'à la Banque de France), mais suprêmement intelligent, Poincaré reconnaît la valeur des arguments qui lui sont présentés. Sans renoncer pour cela à l'espoir sentimental que la revalorisation intégrale deviendra peu à peu possible, il autorise, le 22 décembre, la Banque de France à prendre en main le marché du franc de manière à assurer à celui-ci une stabilité de fait. Le cours choisi est celui du jour : cent vingt-deux francs vingt-cinq pour une livre sterling ; c'est le plus bas qui soit compatible avec le maintien des salaires alors pratiqués. Pendant dix-huit mois, la Banque le maintiendra en achetant ou en vendant, selon le cas, les devises nécessaires.

Bientôt les spécialistes demandent au chef du Gouvernement de transformer cette stabilisation de fait en stabilisation légale et de créer un nouveau franc-or valant environ le cinquième de celui d'avant-guerre. Mais, se refusant toujours à consacrer la dévaluation de la vieille monnaie, de celle qu'ont connue ses parents, il se contente, le 16 mars 1927, de déclarer à la Chambre : « Tout ce que je peux dire, sans rien indiquer, ni sur la date d'une stabilisation légale, ni sur le cours, ni sur les conditions, c'est que je crois nécessaire de faire effort pour maintenir, pendant une période nécessairement prolongée, les cours actuels. »

— « Une monnaie garantie contre toute baisse et pour laquelle on laisse entrevoir des possibilités de hausse, » dit alors le gouverneur de la Banque d'Angleterre à celui de la Banque de France, « quoi d'étonnant, dans ces conditions, que les capitaux affluent chez vous ? C'est à désespérer d'arrêter l'invasion des devises !.... »

En fait, pendant toute l'année 1927, cette invasion se poursuit et la Banque de France finit par posséder assez de livres sterling pour pouvoir acheter tout l'or de la Banque d'Angleterre.

Les dangers d'inflation latente augmentent et, autour de Poincaré, les avertissements des techniciens se font plus pressants. Mais à ces avertissements s'opposent les adjurations de ceux qui, ne se piquant pas de technicité, se proclament les défenseurs de la petite épargne et de la moralité publique. C'est que la date des élections législatives approche et que la plupart des hommes politiques ne se soucient pas de se présenter devant le suffrage universel immédiatement après avoir amputé officiellement le franc de la plus grande partie de son ancienne valeur. Et cette appréhension correspond trop bien au sentiment profond du président du Conseil pour qu'il n'en soit pas confirmé dans sa volonté de procrastination.

En février 1928, il rappelle, dans un discours qui remplit deux séances, les détails de l'œuvre financière accomplie depuis dix-huit mois, mais il tourne court sur la question de la stabilisation et il se contente de dire : « Il me semblerait prudent, pour les partis et pour les Chambres, de ne pas donner, en cette matière, au gouvernement de conseils trop impérieux et d'attendre qu'il vienne prendre devant elles ses responsabilités à une heure qui n'est point encore sonnée. »

La stabilisation de fait a suffi, en écartant la perspective d'une baisse prolongée des prix, à encourager la consommation nationale et à enrayer la crise économique qui s'amorçait à la fin de 1926. En 1927 et 1928, la production, aussi bien agricole qu'industrielle, s'améliore sensiblement, le chômage est presqu'inexistant, le pouvoir d'achat des masses laborieuses augmente de manière sensible. La France, après une longue crise, entre dans une période de stabilité.

Cette réussite de l' « expérience Poincaré » ne désarme cependant pas l'opposition de gauche : privée de ses arguments d'ordre économique, privée aussi (par la politique extérieure que Briand conduit au Quai d'Orsay) de ses arguments « anti-bellicistes », elle fonde ses attaques sur des raisons d'ordre social soulignant surtout les injustices existant dans la répartition des biens.

Les adversaires, patents ou secrets, du président du Conseil, ont cru marquer un point important : ils sont parvenus à faire remplacer, pour les élections législatives, la représentation proportionnelle bâtarde, en vigueur depuis 1919, par le scrutin uninominal d'arrondissement à deux tours : pour adopter cette réforme, favorable en théorie aux partis de gauche, radicaux et socialistes se sont réconciliés.

Leur tactique se voit pourtant déjouée par l'événement et les élections qui ont lieu en avril 1928 infligent un désaveu aux tenants de l'ancien Cartel : si, dans la Chambre nouvelle, les socialistes restent une centaine et les républicains socialistes une quarantaine, les radicaux-socialistes tombent de cent trente à moins de cent vingt. Ce glissement est dû en partie à la tactique des communistes qui, au second tour, ont partout maintenu leurs candidats ; mais elle leur a peu réussi car, au lieu de trente sièges, ils n'en détiennent plus que quatorze.

Indubitable succès pour Poincaré. Mais échec à l' « Union nationale ». La majorité de l'Assemblée est désormais orientée vers la droite et les radicaux-socialistes, désireux de se préparer une revanche, vont glisser insensiblement dans l'opposition.

En face d'une Chambre qui a devant elle quatre années d'existence et que les soucis électoraux n'assiègent point, le président du Conseil ne peut plus différer de prendre parti dans la grande question de la stabilisation légale du franc.

Il tergiverse cependant encore, mais ses conseillers redoublent d'insistance :

— « Je vais voir M. Poincaré, » note le 31 mai, le gouverneur de la Banque de France, « et je le préviens nettement que si, le 15 juillet prochain, la réforme monétaire n'est pas accomplie, je lui remettrai ma démission en faisant connaître publiquement les raisons de cette démission... »

Poincaré pèse encore le pour et le contre : le pour, c'est son intelligence qui le lui présente ; le contre, c'est son tempérament qui le lui offre. Mais l'intelligence l'a toujours emporté chez lui et, une fois encore — comme dans l'affaire de la Ruhr — il se décide à faire ce qui, au fond, lui déplaît.

En juin, sa décision est prise. « Ce n'est un mystère pour personne », déclare-t-il le 21 juin à la Chambre, « que nous sommes à la veille de proposer des mesures monétaires importantes. » Et, il expose longuement les raisons qui l'ont amené à juger indispensable la stabilisation légale : « Qu'importe, » s'écrie-t-il en terminant, « si un homme, quel qu'il soit, concentre ensuite sur lui-même les mécontentements inévitables et s'il paye la rançon de l'assainissement monétaire enfin réalisé ? L'essentiel est que l'œuvre nécessaire soit accomplie et qu'elle soit capable par elle-même, si on ne la renverse pas demain, de survivre à ses ouvriers. »

Les textes sont déposés le samedi 23 juin après la fermeture de la Bourse ; le dimanche 24, ils sont votés par la Chambre et par le Sénat ; le lundi 25, ils sont promulgués.

La loi nouvelle, payant la rançon de la guerre, consacre la dévaluation du franc traditionnel à deux cent quatre-vingt-dix milligrammes trente-deux d'or fin. Le franc nouveau se voit défini (et cette définition ratifie la parité des changes) par un poids de cinquante-huit milligrammes d'or fin.

Du même coup, la convertibilité des billets de la Banque de France en métal précieux est rétablie. L'or retrouve sa pleine liberté de transfert et, si la frappe des louis est encore ajournée, tout particulier n'en peut pas moins acheter à la Banque des lingots en les payant en billets.

Parallèlement, l'encaisse-or de la Banque est, en comptabilité, réévaluée à la parité nouvelle et cette réévaluation, dont le bénéfice, chiffré par dix-sept milliards, est porté au crédit du Trésor, suffit amplement à solder le compte débiteur de ce dernier.

Trésorerie désormais parfaitement saine ; budget non moins sain ; l'exercice 1927 s'est clos par un excédent de plus de deux milliards. Moins de deux ans après les terribles journées de 1926, les Finances françaises, grâce à Poincaré, apparaissent les plus solides du monde. (1)

Cette apparence ne va pas toutefois sans inconvénients politiques : libérés de la pression des échéances, les députés commencent, pour satisfaire leurs électeurs, à réclamer des augmentations de dépenses d'une part, des diminutions de recettes de l'autre. Poincaré, en s'appuyant sur le Sénat, résiste autant qu'il le peut, mais il lui faut parfois céder, et près de trois milliards de crédits nouveaux vont être inscrits dans le budget.

(1) Les budgets 1926, 1927, 1928 et 1929 — « budgets Poincaré » — sont les seuls, depuis le début du siècle, à se solder par un excédent de recettes.

Ces revendications sont surtout présentées par les représentants de la gauche, et leur insistance, que le président du Conseil relève parfois avec aigreur, rend difficile la position des radicaux-socialistes qui font partie du ministère.

En octobre, un grave incident se produit : le Congrès du parti radical-socialiste, réuni à Angers, s'élève avec véhémence contre un article inséré à la demande de Briand dans le projet de budget et qui comporte autorisation de certaines congrégations missionnaires.

En dépit du « laïcisme » bien connu de son chef, le gouvernement se voit accusé d'être le prisonnier de la « réaction cléricale », et une motion de blâme est votée contre lui. Soucieux de rester fidèles à la discipline de leur parti, satisfaits aussi peut-être de sortir d'une situation équivoque, les ministres radicaux, Painlevé et Herriot en tête, adressent leur démission à Poincaré qui, privé ainsi d'une bonne partie de ces collaborateurs, s'en va aussitôt porter à l'Elysée celle du Cabinet entier.

Le prestige du sauveur du franc est pourtant demeuré intact et Gaston Doumergue insiste pour qu'il accepte de reconstituer le gouvernement.

Après quelques hésitations, il s'y décide. Désireux de maintenir au moins la fiction de l'Union nationale, il remplace, le 11 novembre, les radicaux défaillants par des socialistes indépendants ; il confie à Tardieu l'important portefeuille de l'Intérieur ; enfin, il se décharge du fardeau des Finances sur Henry Chéron, ne conservant pour lui que la présidence du Conseil avec les services d'Alsace-Lorraine.

Souci bien nouveau chez lui de ménager ses forces : l'écrasant labeur qui est le sien depuis vingt-six mois a fini par avoir raison de la robustesse de sa constitution ; il se sent physiquement las et connaît des troubles organiques. Mais son âme intrépide est toujours aussi maîtresse du corps qu'elle anime et il ne laisse rien paraître des douleurs lancinantes qui, parfois, l'assaillent...

C'est que, toute éclatante qu'ait été la réussite de sa politique financière, il n'estime pas son œuvre terminée et se juge encore nécessaire au pays : en particulier, alors qu'on envisage la réunion d'une Conférence pour la limitation des Armements, il tient à surveiller la politique extérieure de Briand, un peu trop idéaliste à son gré, et il tient aussi à régler la question, devenue brûlante, des dettes interalliées.

Sans un instant de défaillance, toujours aussi vigilant, aussi méticuleux, aussi précis, le pilote vétéran va rester au banc de quart jusqu'à ce que la nature reprenne ses droits sur lui et que la maladie, le terrassant, l'arrache de son poste.

CHAPITRE XVIII

LE CHENE FOUDROYE

Euphorie de la France à la suite du redressement opéré par Poincaré. — Les ombres au tableau. — Les Etats-Unis réclament le remboursement des dettes interalliées et l'Allemagne demande, avec l'évacuation anticipée de la Rhénanie, la révision du plan Dawes. — Réunion du Comité Young. — Il aboutit à un nouveau « plan de réparations » favorable à l'Allemagne. — Poincaré se décide à faire ratifier par le Parlement les accords relatifs aux dettes interalliées.— Opposition à laquelle il se heurte, énergie qu'il déploie. — Son argumentation finit par convaincre la Chambre, mais ses forces le trahissent. — Contraint de s'aliter, il se démet de ses fonctions. — Il entre en clinique et subit l'opération de la prostate. — Désormais il se survivra à lui-même. — Son activité intellectuelle demeure pourtant intacte, il collabore à la « Nacion » et poursuit la publication de ses « Souvenirs ». — Il doit, par deux fois, refuser la présidence du Conseil. — Sa sensibilité. — Une embolie cérébrale vient aggraver son état. — Il est élu bâtonnier du barreau de Paris mais n'en peut remplir les fonctions. — Déchéance physique, gêne matérielle. — Ecroulement de l'œuvre diplomatique et de l'œuvre financière de Poincaré. — Son ultime écrit à propos de l'assassinat de Barthou. — Sa mort. — Emotion qu'elle suscite. — Obsèques de Poincaré. — Cérémonie civile devant le Panthéon. — Cérémonie religieuse à Notre-Dame. — Inhumation à Nubécourt. — Une page de l'Histoire de France.

1929. — Stabilité de la monnaie, budget en excédent, abondance des capitaux, industrie prospère, commerce actif, agriculture florissante, hausse des valeurs boursières, revenu national supérieur à celui de 1913, chômage nul, agitation sociale et politique presque inexistante. Les Français ont repris confiance, en même temps que dans leur franc, dans leurs institutions : les organisations anti- parlementaires qui s'étaient développées au début de 1926 sont tombées en sommeil, le communisme est en régression, la Confédération Générale du Travail collabore avec les pouvoirs publics, les néo-socialistes rêvent d'adapter à la France les méthodes américaines... Relations cordiales avec l'Angleterre, tendres avec les pays de la Petite-Entente, correctes avec l'Allemagne, aimables caquetages des « précieuses de Genève » autour de la Société des Nations, guerre « mise hors la loi », espoirs de paix éternelle. Nul n'aperçoit la contradiction existant entre l'édification de la ligne Maginot, qui traduit une politique militaire purement défensive, et les engagements d'intervention active pris par notre diplomatie dans l'est européen : après deux ans et demi de gouvernement Poincaré, la France est en pleine euphorie.

On se pense revenu à l'âge d'or d'avant 1914 et les deux grands événements dont s'entretiennent les milieux avertis sont d'une part, l'allongement, par l'arrière, des jupes féminines et la remontée des tailles vers leur place naturelle, de l'autre, l'apparition sur les écrans à la fois des premiers dessins animés et des premiers films « cent pour cent parlants ».

Et pourtant, derrière cette riante façade, quelques craquements commencent à se faire entendre perceptibles aux seules oreilles très exercées.

Les Etats-Unis sont en proie à une fièvre de spéculation à la hausse et à une inflation corrélative qui inquiètent le gouvernement de Washington et l'amènent non pas, comme le bon sens l'exigerait, à restreindre les crédits libéralement octroyés par les banques américaines à l'Allemagne, mais à réclamer le remboursement des dettes de guerre contractées par la Grande-Bretagne et par la France. « Il n'y a aucune raison », a déclaré en octobre 1928 le président Coolidge, « de réduire les paiements que les Alliés doivent effectuer aux Etats-Unis. Je ne vois aucun lien entre la question des dettes et celle des réparations allemandes ». Et il presse le gouvernement de Paris de faire ratifier par les Chambres l'accord dit accord Mellon-Bérenger qui, en avril 1926, a fixé, de manière d'ailleurs libérale, le montant de la dette française et l'échelonnement des paiements.

En Allemagne, le cabinet Müller mène une lutte pénible contre les nationalistes d'Hugenberg et contre les nationaux-socialistes d'Hitler. Ceux-ci exigent impérieusement la répudiation intégrale du traité de Versailles et accusent de trahison le ministre des Affaires étrangères, le sagace mais prudent Stresemann.

Désireux de donner un début de satisfaction à ces furieux, le cabinet Müller demande à la fois l'évacuation anticipée de toute la Rhénanie occupée (seule la zone de Cologne a été jusqu'ici libérée) et la révision du plan Dawes.

Sur le premier point, Poincaré résiste et quand, le 27 août 1928 il a rencontré Stresemann à Paris, il lui a dit nettement que, tant que l'Allemagne n'aurait pas réellement achevé de désarmer, il ne pourrait être question par les Alliés d'évacuer les zones de Coblence et de Mayence (1). Mais Stresemann ne s'est pas tenu pour battu, il a approché Briand, plus souple que le président du Conseil, et il a fini, le 16 septembre, par obtenir la conclusion d'un accord franco-belgo-allemand prévoyant l'ouverture prochaine de négociations relatives à la question des réparations et à celle de l'évacuation des territoires occupés.

Poincaré, tout en faisant force réserves, a donné son adhésion ; c'est qu'il reste l'œil rivé sur le problème financier et que la révision du plan Dawes signifie pour lui, non pas l'allè-

(1) C'est au cours de cette conversation, dont le compte rendu figure dans les *Papiers* de Stresemann, que Poincaré a déclaré au ministre allemand qui soulignait la nécessité où se trouvait le Reich d'être en bons termes à la fois avec les Etats-Unis et avec la Russie. « Ce que vous me dites de la situation de l'Allemagne à l'égard des Etats-Unis est intéressant. Plus ou moins nous nous trouvons, en Europe, tous logés à la même enseigne vis-à-vis des Etats-Unis. Par contre je ne puis souscrire à tout ce que vous me dites de la Russie. Vous ne devez pas oublier qu'en France nous sommes considérablement plus réservés que l'Allemagne à l'égard de la Russie. La Russie fait en France beaucoup de propagande communiste et anti-gouvernementale et y consacre certains fonds... »

Ces propos sont encore, en 1948, de quelqu'actualité...

gement des charges allemandes, mais une fixation définitive de ces charges, laissées jusqu'ici partiellement indéterminées.

Le doigt est pourtant dans l'engrenage et quand, le 9 février 1929, un Comité d'experts internationaux désigné par la Commission des Réparations se réunit à Paris, on s'aperçoit vite qu'il sera dominé par les Etats-Unis et que ceux-ci auront pour premier souci de faire consacrer à leurs créances privées la plus grande partie possible des paiements extérieurs de l'Allemagne.

Comme il a été fait pour le Comité Dawes, c'est à un citoyen américain qu'est confiée la présidence du nouvel organisme. Mais, par une fiction persistante, ledit citoyen, Owen Young, ne représente officiellement que lui-même et le gouvernement américain, non signataire du Traité de Versailles, prétend se désintéresser de l'affaire. On n'en espère pas moins en Europe que ce gouvernement finira pas accepter qu'une partie au moins de sa créance sur les Alliés soit réglée à l'aide d'obligations souscrites par l'Allemagne.

Espoir fallacieux : Young ne cesse d'insister pour que la dette allemande de réparations soit réduite au minimum, mais il se refuse à prendre aucun engagement au nom des Etats-Unis.

C'est en vain qu'Emile Moreau, principal délégué français, lutte pied à pied, c'est en vain qu'au mois d'avril, d'accord avec Poincaré, il menace de se retirer du Comité : la pression des banquiers américains ne se ralentit pas, et l'arrangement auquel on parvient au mois de juin, après quatre mois d'âpres discussions, se révèle hautement favorable à l'Allemagne.

Aux termes de ce qu'on nommera désormais le « plan Young », la mise sous tutelle des finances allemandes, telle qu'elle fut établie par le plan Dawes, est levée. La dette de réparations est, il est vrai, fixée à un chiffre prétendu *ne varietur,* mais ce chiffre est fort inférieur à tous ceux qui avaient été antérieurement envisagés. Enfin les annuités prévues sont réparties entre une tranche « inconditionnelle » et une tranche « conditionnelle », cette dernière ne présentant que peu de chances d'être longtemps honorée.

Les conclusions du Comité Young sont loin de satisfaire

complètement Poincaré. Toutefois, comme elles ne doivent devenir définitives qu'après ratification des gouvernements intéressés, il se réserve de les discuter à la Conférence convoquée à cet effet à La Haye pour le début du mois d'août.

Mais il pense avoir une autorité plus grande à cette Conférence s'il s'y présente au nom d'une France ayant réglé la question de ses propres dettes. Il a d'ailleurs une autre raison de hâter ce règlement : pour que la dette commerciale provenant du rachat des stocks américains soit traitée comme dette de guerre et admise au bénéfice des dispositions favorables de l'accord Mellon-Béranger, il est indispensable que ce dernier soit ratifié par les Chambres françaises avant la fin de juillet.

C'est donc cette ratification préconisée par les Experts dès 1926, que le président du Conseil se détermine à obtenir sans plus tarder. En même temps, il se propose de faire ratifier l'accord dit Churchill-Caillaux, complémentaire de l'accord Mellon-Bérenger et fixant, lui, les modalités du remboursement de la dette française envers la Grande-Bretagne.

Tâche ardue : l'opinion française est mal au courant des concessions qui nous ont été faites par les Trésoreries de Washington et de Londres ; elle ne sait qu'une chose : c'est qu'alors que la France a supporté, en pertes humaines comme en destructions matérielles, le principal poids de la lutte commune, ses anciens Alliés exigent d'elle des sommes considérables destinées à « rembourser le prix des capotes dans lesquelles ses fils se sont fait tuer ». Le Français, volontiers prodigue de son sang, ne l'est point de son argent et, à la face de ses impérieux créanciers, on l'entend lancer l'épithèle de : « Shyloks » !

Les douleurs physiques qui assaillent Poincaré se font alors plus vives et ses médecins lui disent que la dangereuse opération de la prostate peut devenir à brève échéance indispensable. Mais il se raidit et, un peu plus pâle seulement que de coutume, les traits un peu plus crispés, il ne laisse rien paraître, même à ses familiers, de ses malaises.

Le dossier de l'affaire des dettes est complexe, il est immense : mais ce n'est point pour rebuter l'illustre avocat. Certes ce n'est pas lui qui a négocié l'accord Mellon-Bérenger ni l'accord Churchill-Caillaux et l'eût-il fait, qu'ils eussent peut-être été différents. Tels quels, ils existent et leur ratification lui paraît conforme à l'intérêt national. Cela suffit.

Pendant deux semaines consécutives, il plaide, presque chaque après-midi, soit devant la Commission des Finances, soit devant la Commission des Affaires extérieures de la Chambre. Plaidoiries massives, lourdes de dates et de chiffres, épuisant le sujet sous tous ses aspects, claires cependant et aisées à suivre.

Les Commissions convaincues, il s'agit de persuader l'Assemblée. L'opposition est rude car, à celle des hommes de gauches hostiles par principe au gouvernement, se joint celle des nationalistes de droite. Tandis qu'au cours de trois longues séances, Poincaré occupe, sans désemparer, la tribune, les interruptions fusent, pertinentes quelquefois, le plus souvent sans portée. A toutes, le président répond et sa voix aigrelette, son geste un peu court, son prestige immense dominent la Chambre.

La chaleur est accablante ; une buée monte de l'hémicycle ; les députés, affalés, se laissent aller à la fatigue. Le 16 juillet, sans une défaillance, le Président achève sa démonstration. Mais, le 17, alors que la discussion continue sur un amendement Léon Blum, au banc des ministres sa place reste vide.

Emotion générale. On apprend que, terrasé par la fatigue, pris d'une crise de fièvre, Poincaré a dû, sur l'ordre des médecins, s'aliter. Lui, cependant, écrit à son chef-adjoint de cabinet, Marcel Ribière : « Il est *indispensable* de poursuivre les débats parlementaires sans interruption. Voulez-vous prévenir MM. Barthou, Briand, Chéron, pour qu'ils me suppléent. Prévenez aussi le président de la Chambre, mais que tout continue comme si j'étais là. »

Tout continue en effet, mais point comme s'il était présent

et, le 21 juillet, ce n'est que par huit voix de majorité que les accords relatifs aux dettes interalliées se voient ratifiés par la Chambre.

On croit encore que l'indisposition du président du Conseil ne sera que de brève durée quand, le 26, on apprend qu'arguant de l'impossibilité où il se trouve de se rendre à la Conférence qui va s'ouvrir à La Haye, il a adressé sa démission au chef de l'Etat.

Le 31 juillet, il rentre à la clinique de la rue de la Chaise où, le 1er août, le Docteur Marion exécute sur lui la première opération de la prostate.

***

C'est fini. Le grand serviteur de la France ne la servira plus. Bien qu'il ait à peine dépassé sa soixante-neuvième année, l'effort qu'il vient de fournir au cours de ce torride mois de juillet, ajouté à l'écrasant labeur des trois ans précédents, a eu raison de sa robuste constitution. Trop longtemps et trop durement tendue, la corde de l'arc s'est rompue et désormais Poincaré se survivra à lui-même.

La première phase de l'opération a réussi, mais un point congestif qui s'est déclaré a obligé le chirurgien à ajourner la seconde phase. Celle-ci n'a lieu qu'en septembre et elle laisse le patient cruellement affaibli.

Il n'en renonce pas pour cela à tout labeur. Le voulût-il que la modicité de ses revenus ne le lui permettrait pas. Aussi lui voit-on adresser tous les quinze jours un article au journal *La Nacion* de Buenos-Ayres, article que reproduisent un journal chilien, un journal brésilien et le journal français *Excelsior.* (Il écrira aussi, un peu plus tard, pour *l'United Press* et pour l'*Illustration*). Dans ces articles, il se montre toujours informé, toujours lucide, un peu désabusé. En même temps, il se met à classer et revoir les notes qui vont lui permettre de poursuivre la publication de ses *Souvenirs* dont les trois premiers volumes ont déjà paru en 1926, le quatrième en 1927 et le cinquième en 1928.

Au Service de la France : c'est le titre choisi pour ces

Mémoires presque entièrement politiques et qui débutent avec l'accession de leur auteur à sa première présidence du Conseil, en janvier 1912. Titre fier, mais tel qu'il ne saurait en être imaginé de plus exact. Les premiers tomes en ont été rédigés de la main de Poincaré et, dans leur élégance un peu prolixe, on devine parfois, non certes des retouches apportées aux faits, mais certaines présentations de ces faits sous un jour favorable. Les derniers tomes — il y en aura dix en tout, le dernier se terminant avec l'année 1918 — seront peut-être plus intéressants : la maladie en effet va empêcher le vieil homme d'Etat de reprendre en sous-œuvre ses notes quotidiennes et il se contentera, aidé par Madame Poincaré, de les juxtaposer et de les publier, sauf certains ajustements et certaines éliminations, à peu près telles quelles, au plus grand bénéfice de la vérité historique et psychologique (1).

L'année 1929, commencée sous de si heureux auspices, s'achève dans un sourd malaise : Briand, qui a succédé à Poincaré comme chef du gouvernement, a dû, sous la pression anglaise, promettre l'évacuation rapide et intégrale de la Rhénanie ; il a été ensuite renvervé, mais son remplaçant, Tardieu, l'a conservé aux Affaires étrangères et inaugure une dangereuse politique financière « de prospérité », le plan Young, à peine adopté, se heurte en Allemagne aux protestations furibondes d'un parti national-socialiste dont les effectifs ne cessent de s'accroître ; enfin la crise économique américaine, déclenchée aux termes de folles imprudences, menace déjà d'avoir en Europe de profondes et désastreuses répercussions. On dirait que la foudre qui a abattu Poincaré a, du même coup, précipité le monde sur une pente fatale.

Au début de février 1930, le convalescent prend six semaines de repos sur la Côte d'Azur, chez son vieil ami Gabriel Hanotaux — repos relatif car il se lève tous les matins à six heures et travaille à peu près toute la journée. Puis il rentre à Paris en meilleure santé. On le revoit au Sénat et

(1) Un onzième volume sera annoncé, destiné à couvrir les négociations de paix. Mais Poincaré ne pourra en établir qu'une quinzaine de pages et il ne paraîtra jamais.

lorsque le très éphémère cabinet Chautemps, qui vient de succéder au cabinet Tardieu, est à son tour mis à terre, c'est à lui que songe d'abord le président de la République pour prendre la tête d'un nouveau gouvernement. Mais, se sentant encore mal remis, il se récuse et Tardieu reprend le pouvoir.

Bien que physiquement affaibli, Poincaré a conservé intacte, avec sa vigueur intellectuelle, sa sensibilité profonde (cette sensibilité qu'un voile tissé de pudeur est trop souvent venu masquer). C'est ainsi que son ancien chef adjoint de cabinet Ribière ayant perdu sa mère, il lui écrit le 14 avril :

— « Il n'y a pas de consolation possible dans un malheur aussi affreux que le vôtre. Mais peu à peu le souvenir de votre mère remplacera sa présence et s'incorporera de telle façon dans votre esprit et dans votre cœur que vous souffrirez moins de son absence et qu'elle revivra positivement en vous. C'est ce qu'éprouvent, à un moment donné, tous ceux qui ont eu une mère digne de ce nom et qui l'ont aimée... »

Peut-on imaginer rien de plus *senti ?*

Quand arrivent les beaux jours, il se rend à Sampigny, dans sa chère maison du Clos que les Allemands ont naguère détruite et qu'il a fait reconstruire sans une modification (on lui a pourtant signalé diverses améliorations possibles, mais il a déclaré qu'il violerait l'esprit de la loi sur les dommages de guerre s'il se permettait la moindre innovation).

Le 3 août, il préside la distribution de prix des écoles de la commune et prononce, à cette occasion, une touchante allocution. Autre allocution, le 23 septembre, à Bar-le-Duc quand il est réélu, à l'unanimité, président du Conseil général de la Meuse. Le 4 décembre enfin, il prend la parole très brièvement au Sénat.

En apparence, ses forces sont revenues mais, intérieurement, il se sent gravement touché et quand, le 6 décembre, le deuxième cabinet Tardieu étant tombé, la présidence du Conseil lui est de nouveau offerte, il refuse encore : « Je ne me sens pas, » déclare-t-il, « en état d'assumer une charge aussi lourde et je craindrais d'être inférieur à ma tâche. »

Le 13 décembre, Poincaré est brusquement frappé de ce que les médecins nomment pudiquement un « spasme vasculaire », mais qui n'est rien de moins qu'une embolie cérébrale. Il n'en meurt pas mais, quand il se relève, il est à peu près privé de l'usage du bras gauche et ne marche plus que difficilement. Son intelligence, pourtant, n'est qu'à peine obscurcie et, avec la collaboration attentive et tendre de sa femme, il ne tarde pas à se remettre au classement de ses notes et à la publication de ses *Souvenirs*. Il lit encore beaucoup, non seulement en français, mais en italien, en anglais, en allemand, en latin et en grec, il répond de sa main à toutes les lettres qui lui parviennent, il reçoit des familiers, caresse ses animaux, sort en voiture, va même parfois à l'Académie, mais, ne voulant pas se montrer diminué sur le plus haut théâtre de ses succès oratoires, il ne paraît plus au Sénat.

Au mois de juin 1931, une joie suprême lui est réservée : l'Ordre des avocats parisiens l'élève au Bâtonnat.

Devenir bâtonnier, chef élu du Barreau, c'est le rêve de tout avocat et il a toujours été celui de Poincaré, l'Avocat par excellence. Quand il était mêlé intimement à la vie publique, il ne pouvait guère ambitionner cette consécration. Sa retraite forcée lui a permis de l'obtenir et jamais aucun honneur, ni son élection à l'Académie française, ni celle même à la Présidence de la République, ne lui ont causé une si intime émotion : quand la nouvelle du scrutin lui est apportée, ses yeux s'emplissent de larmes.

Hélas ! ses forces l'ont définitivement abandonné et son état physique, loin de s'améliorer, va empirant. Il ne pourra jamais remplir effectivement les fonctions de Bâtonnier et sa conscience l'obligera bientôt à s'en démettre.

Il a dû interrompre toute collaboration régulière aux journaux et la gêne, gêne relative, décente, mais réelle, s'est installée à son foyer. Un jour, Germain-Martin, alors ministre des Finances, reçoit de Madame Poincaré un coup de téléphone le priant de passer rue Marbeau. Il accourt et il trouve l'ancien président de la République qui, sanglotant presque, lui demande de hâter la liquidation de la pension de deux cent mille francs que lui ont votée les Chambres. Le ministre sort bouleversé.

Les larmes, dans ces yeux que l'on croyait imperturbablement secs, se font d'ailleurs fréquentes. Certains mots ont désormais le pouvoir de les faire jaillir : celui de « France » en particulier et surtout celui d' « Alsace ».

Les mois, les années se traînent entre la rue Marbeau, Sampigny et la Côte d'Azur. L'œuvre diplomatique de Poincaré est maintenant ruinée : dès 1930, la totalité de la Rhénanie a été évacuée ; dès 1932, il n'est plus rien resté des clauses « Réparations » du traité de Versailles et ses clauses militaires vont s'effritant ; en 1933, Adolf Hitler, dont la raison d'être est l'anéantissement du traité, accède au pouvoir : la France a perdu tous les avantages que lui avait conférés une victoire chèrement payée et elle roule, dans une situation moins forte que celle de 1914, vers une nouvelle guerre... Pour l'œuvre financière du grand Meusien, elle n'est pas moins atteinte : les prodigalités budgétaires ont recommencé, la crise économique, partie des Etats-Unis, a atteint notre pays ; en 1933 les finances publiques vont de nouveau à la dérive et le franc-or de Poincaré s'apprête à rejoindre, dans la fosse où pourrissent les monnaies défuntes, le franc-or de Bonaparte. En même temps, l'agitation renaît dans les milieux ouvriers, agitation que compliquent l'apparition d'un mouvement agraire et le développement d'organisations à tendance « fasciste ». Tout cela aboutira à la sanglante bagarre du 6 février 1934 : avant même la paix internationale, la paix intérieure apparaît morte, cette paix intérieure dont Poincaré, autant qu'il l'avait été des finances, fut naguère le restaurateur.

***

Le malade se rend-il clairement compte de cette débâcle ? Sans doute, car il lit et surtout il écoute. En revanche, il parle maintenant assez peu et plus du passé que du présent. Parfois pourtant, derrière ses yeux embués, on voit passer comme un éclair d'angoisse.

Le 9 octobre 1934, après un été passé à Sampigny, il est de nouveau rue Marbeau quand il apprend la mort de Louis Barthou, ministre des Affaires étrangères, tombé à Marseille, en même temps que le roi Alexandre, sous la balle d'un assassin yougoslave.

Louis Barthou ! Que de souvenirs ce nom évoque à Poincaré, souvenirs de collaboration, d'émulation, quelquefois de rivalité, toujours de camaraderie. Celui qui lui est le plus présent est peut-être le plus lointain : le souvenir du jour, vieux de huit lustres, où lui âgé de trente-trois ans et Barthou de trente et un, sont devenus ensemble ministres dans le deuxième Cabinet Charles Dupuy. On les surnommait : « *les deux gosses* »... Et Poincaré de soupirer : « Pourquoi n'est-ce pas moi qui ai eu cette fin ? », de prendre sa plume et d'ébaucher un article :

— « Vous n'avez pas connu les deux gosses de ma jeunesse... La presse parlait beaucoup d'eux. Elle favorisa même leur arrivée concomitante au ministère. Ils étaient eux-mêmes encore très jeunes et assez inexpérimentés mais on comptait sur leur avenir. L'un d'eux vient de donner brillamment sa mesure au ministère des Affaires étrangères. Il s'est signalé par une intelligence des plus vives, par des conversations prudentes et habiles, par un sens très éveillé des grands intérêts français, par des voyages très habilement combinés, par des discours brûlants de patriotisme. Il a défendu la paix dans le monde en défendant la France et en parlant au nom de notre pays.

« L'autre gosse a vieilli beaucoup plus que lui et aujourd'hui, dans sa vieillesse morose, il pleure son ami perdu. Cherchez son nom à la signature de cet article. — *R. Poincaré.* »

L'article ne paraîtra pas et ce texte sera le dernier qu'écrira Poincaré. Le lendemain du jour où il l'a rédigé, il est frappé d'une nouvelle attaque et doit être porté dans un lit d'où il ne se relèvera plus. Sa conscience a de longues défaillances alternant avec des moments de lucidité au cours desquels il adresse de tendres regards à Madame Poincaré qui, infirmière jamais lasse, s'empresse autour de lui. Fidèle jusqu'au bout à ses convictions philosophiques, il ne réclame à aucun moment les secours de la religion et ce n'est que lorsqu'il aura sombré dans le coma qu'un prêtre apparaîtra à son chevet.

SÉNAT

Vous n'avez pas connu les deux
gosses de ma jeunesse. Ils vivaient
et suivaient les travaux parlementaires vers 1910 et 1912. La presse
parlait beaucoup d'eux. Elle favorisa
même leur accès concomitant au
privilège. Ils étaient eux-mêmes encore
très jeunes et assez inexpérimentés
mais on comptait sur leur avenir.
L'un d'eux vient de donner brillamment sa mesure au ministère des
affaires étrangères. Il s'est signalé
par une intelligence des plus vives, par
des conversations prudentes et habiles,
par un sens très éveillé des grands intérêts
français, par des voyages très habilement
combinés, par des discours brûlants de patriotisme. Il a défendu la paix dans le
monde en défendant la France et en
parlant au nom de notre pays.
L'autre gosse a vieilli beaucoup plus
que lui et aujourd'hui, dans sa vieillesse
morose, il pleure son ami perdu. Content
son nom à la signature de cet article.

R Poincaré

Le dernier autographe de Poincaré

Le 14 octobre, le cœur s'arrête et tout espoir paraît perdu. L'agonisant ne semble guère souffrir et c'est doucement que, le 15, à trois heures trente du matin, en présence de sa femme, de sa belle-sœur et du Dr Boidin, il rend le dernier soupir. Son fidèle collaborateur, Marcel Ribière, accouru aussitôt, lui ferme les yeux.

La nouvelle connue à Paris y suscite un émoi extrême. Au cours de sa longue retraite, l'illustre homme d'Etat avait été quelque peu négligé. Sa mort ravive les souvenirs, suscite des nostalgies, réveille des échos endormis. Il semble qu'avec lui, le serviteur et l'amant de la France, ce soit quelque chose de la France qui ait disparu. Une foule silencieuse se groupe devant la maison de la rue Marbeau. Dans l'après-midi, le *Temps* paraît liseré de noir et publie, sur vingt-cinq colonnes une biographie du mort.

Des obsèques nationales sont décidées et le 20 au matin, une imposante cérémonie a lieu place du Panthéon autour du catafalque sur lequel repose la bière de Poincaré.

Le président de la République, qui est maintenant Albert Lebrun, — un Meusien lui aussi — est présent. Le gouvernement apparaît au complet, ayant à sa tête Gaston Doumergue, devenu, à la suite des événements du 6 février, président du Conseil. Les Missions étrangères, les bureaux des deux Chambres, un grand nombre de parlementaires, les délégations des grands Corps de l'Etat, de l'Institut, de la magistrature, de l'Ordre des Avocats, de l'Université, des Conseils supérieurs de la Guerre, de la Marine et de l'Aviation emplissent cinq tribunes de leurs uniformes, de leurs écharpes et de leurs toges. Les troupes rendant les honneurs sont sous les ordres du général Gouraud, glorieux manchot. Partout flotte la bannière tricolore : une démocratie ne peut rendre de plus éclatant hommage à la mémoire d'un de ses enfants.

Devant le cercueil de cet homme qui, de son vivant, prononça tant et de si excellentes oraisons funèbres, c'est à Gaston Doumergue qu'est réservé le devoir redoutable de prendre la parole.

Il s'en acquitte avec une gravité que vient pimenter une pointe d'accent méridional. Tel Poincaré, Doumergue, après avoir été président de la République, a été rappelé à la barre pour faire franchir au vaisseau de l'Etat une passe difficile. Mais il n'est pas Poincaré et sans doute, dans sa finesse, s'en rend-il compte. Son discours, convenablement ému, un peu terne, se termine par cette phrase :

— « Qu'à sa mémoire, qui demeure associée aux fastes de notre histoire, aille le tribut d'admiration et de reconnaissance d'une nation unanime dans sa douleur. »

Les pompes civiles terminées, voici le tour des pompes religieuses. Tout « laïque » fut-il, Poincaré était trop représentatif de la France entière pour que l'Eglise n'ait point de part à ses obsèques.

Entre deux haies de curieux respectueux, traîné par six chevaux caparaçonnés de noir et d'argent, suivi d'une foule chamarrée mais recueillie, le corbillard, qui disparaît sous les couronnes de fleurs, prend lentement le chemin de Notre-Dame. Les cordons du poële sont tenus par Edouard Herriot, ministre d'Etat, Millerand, ancien président de la République, le général Bourgeois, vice-président du Sénat, Gabriel Hanotaux, de l'Académie française, le général Weygand, l'amiral Lacaze, le général Pujo, représentant respectivement l'Armée, la Marine et l'Aviation, William Thorp, bâtonnier de l'Ordre des Avocats, Payelle, président honoraire de la Cour des Comptes, Bry, conseiller d'arrondissement du canton de Thiaucourt, Pierens, secrétaire général de la Confédération des Anciens combattants, Ferry, président de l'Union des Officiers de réserves... Toute la République bourgeoise, sous son double aspect civil et militaire.

Du sommet des tours jusqu'au parvis, un voile de crêpe masque la façade de la cathédrale. La bière est portée dans le chœur, un service solennel est célébré sous la présidence du cardinal Binet, archevêque de Besançon, et les chants liturgiques s'élèvent, parmi les volutes de l'encens, autour de la dépouille de celui qui fut le moins mystique des hommes mais le plus respectueux de toutes les croyances.

Hommage de l'Etat, hommage de l'Eglise... les funérailles de Poincaré seraient pourtant incomplètes si elles n'aboutissaient qu'à quelque caveau parisien, fut-il sis au Panthéon.

Mais le grand Lorrain a exigé d'être inhumé en terre lorraine et c'est au petit cimetière de Nubécourt, dans la Meuse, ce petit cimetière où reposent ses parents et que les Allemands ont, en 1918, partiellement profané, qu'il va trouver sa dernière demeure.

Autant les cérémonies parisiennes ont été somptueuses, autant sera simple la cérémonie de Nubécourt.

Le corps y a été transporté dans la soirée du 20, en fourgon automobile. L'enterrement a lieu le lendemain par une pluie battante. Force fleurs encore, mais plus d'uniformes, plus de toges. Autour de la famille sont groupés les amis, d'ailleurs nombreux, beaucoup de paysans des environs et aussi quelques hommes politiques. Edouard Herriot, en particulier, est présent qui, oubliant les dissentiments passés répète : « Moi aussi, dans la question des dettes interalliées, j'ai fait du poincarisme. »

Dans la modeste église, l'évêque de Verdun, Mgr Ginisty, donne l'absoute et prononce une allocution. Puis porté par le maire et les conseillers municipaux de la commune, le cercueil va vers l'enclos du cimetière réservé aux Poincaré. Il y est enfoui à même le sol sous une simple dalle, car — est-ce simplicité, est-ce orgueil ? — les Poincaré n'ont jamais voulu se faire construire ni chapelle, ni même caveau.

Quelques pelletées de sable. Tout est consommé : une page — page solidement pensée, nettement écrite, page en somme glorieuse, — de l'Histoire de France est définitivement tournée.

CONCLUSION

De plus séduisantes figures que celle de Raymond Poincaré, il en est dans l'Histoire de France, voire de plus hautes. On n'en trouve point de plus respectable.

Avec ses vives lumières et ses quelques ombres, elle apparaît suprêmement représentative d'une classe sociale sans laquelle cette Histoire n'aurait pas sa grandeur.

Poincaré était, au sens le plus solide du terme, un bourgeois français, un bourgeois provincial de l'espèce légiste.

Toutes les qualités qui ont fait l'efficace de la bourgoisie provinciale et légiste, il les possédait sublimées. Et il ne laissait pas de présenter quelques-uns des défauts qui constituent l'envers de ces qualités.

Il était intelligent, d'une intelligence merveilleuse, clarifiante comme un filtre, lumineuse comme un phare. Mais intelligence sans ailes, médiocrement intuitive et plus génératrice d'argumentation que de décision.

Il était laborieux, laborieux avec acharnement et allégresse, mettant avant toute autre la volupté du travail. Mais se rendant insuffisamment compte que le commerce des hommes révèle souvent plus de vérité que l'étude des dossiers.

Il était probe, d'une probité absolue, méticuleuse et intrangiseante. Cette probité toutefois, si innée fut-elle chez lui, présentait quelque chose d'agressif : elle lui était une arme.

Il était cultivé, d'une culture aussi riche que vaste. Mais culture surtout d'humaniste et assez négligente du domaine de la fantaisie et du rêve.

Il était sérieux, d'un sérieux profond, nullement teinté d'hypocrisie et tenant à l'idée même qu'il se faisait de l'existence. Mais ce sérieux, quand, pour masquer sa pudeur native, il l'accentuait en raideur, dissimulait sa très réelle sensibilité et suscitait, trop souvent, entre lui et les autres êtres, on ne sait quelle barrière de contrainte.

Il possédait le sens du Droit — et celui du Devoir qui lui est corrélatif — à un point rarement égalé. Mais son incorruptible justice restait abstraite, s'appliquant davantage aux catégories qu'aux individus.

Il avait, et poussé aussi à un degré extrême, le sens de l'Etat. Non point de cet Etat-Moloch qui dévore les esclaves des pays totalitaires, mais d'un Etat surtout guide et arbitre, d'un Etat promoteur de la grandeur nationale. Serviteur de cet Etat et dévoué à lui jusqu'à l'abnégation, il avait l'honorable ambition d'en être le premier serviteur. Mais apercevait-il suffisamment que depuis cent ans le monde a changé de fond en comble et que la technique du pouvoir doit, de toute nécessité, s'adapter au développement des autres techniques ?

Il était libéral, incroyant mais respectueux de toutes les croyances, ami de l'ordre mais indéfectiblement attaché aux institutions parlementaires, et il eût volontiers répété, après Cavour, que « la pire des Chambres vaut mieux que la meilleure des antichambres ». Faut-il dire que la liberté, au sens où l'entendait ce démocrate, est surtout l'aspiration d'une élite et malheureusement ne répond peut-être pas à un besoin instinctif des masses ?

Enfin, avant tout, il était patriote et, de cet homme essentiellement raisonnable, le patriotisme était la seule passion. Mais la France, justement parce qu'il l'aimait d'amour, il la concevait comme une personne réelle, une sorte de Walkyrie rayonnante et casquée, entièrement distincte des Français. Et, pour la plus grande gloire de la France, il s'est résigné — lui qui avait le cœur tendre — à voir pendant quatre années couler à flots le sang des Français sans rien tenter pour en arrêter l'effusion. Quant à l'Europe, quant à l'Humanité, elles lui restaient, viscéralement sinon intellectuellement, étrangères.

Tel quel, avec ses dons et ses limitations, il a rendu à

son pays des services hors de conteste et il reste, pour les hommes d'Etat républicains, un modèle exemplaire.

Ses contemporains ne s'y sont pas trompés et, quoique Poincaré n'ait jamais rien fait pour capter la faveur des foules, il a été véritablement populaire.

Que dans cette popularité soit entrée une part de légende, c'est possible : Poincaré volontiers hésitant, circonspect et manœuvrier, n'a jamais été l'homme tout d'une pièce, coulé en bronze et acier, le combattant sans peur ni reproche que, sur la foi de la grande presse, beaucoup de Français se sont imaginé. Encore cette légende, comme l'a remarqué M. André Siegfried, a-t-elle réagi sur lui et, par un cas de mimétisme dont l'Histoire offre d'autres exemples, est-elle finalement devenue presque exacte. En tout cas, elle a contribué à faire de l'homme le lieu géométrique autour duquel se sont nouées, aux heures graves, les meilleures forces de la patrie.

Mais la légende ne suffit pas à expliquer l'estime et le respect qu'ont eus, pour sa personne, la plupart des Français ; elle n'explique pas des lettres telles que celle que lui écrivait, en 1928, un obscur employé : « Longtemps, pour des raisons politiques, j'ai essayé de résister à mon admiration pour vous. Et voici que, peu à peu, en vous regardant agir, j'ai été forcé de vous la donner tout entière... »

C'est ici que deux fortes pensées viennent à la mémoire :

L'une est de La Bruyère :

« *Le caractère des Français demande du sérieux dans le souverain.* »

L'autre est de Bonaparte :

« *La probité est une disposition intéressée, mais naturelle aux hommes nés pour le gouvernement.* »

Sérieux, probité. On a vu à quelle suprême puissance Poincaré possédait ces deux qualités. A elles seules, elles devaient lui assurer la confiance réfléchie de ses compatriotes.

— « Il y a en France, » a écrit finement Emmanuel Berl (1), « deux popularités très différentes : celle de la sympathie et celle de la considération. Ce peuple aime les poignées de

(1) E. Berl, *Raymond Poincaré*, dans *La Nef*, janvier 1947.

main effusives, les discours chaleureux, les verres qu'on lève, les coupes qu'on entrechoque ; il aime Numa Roumestan. Mais il ne se fie pas à lui ; il ne se fie qu'aux jansénistes, aux hommes qui, même à l'agonie, disent *Monsieur* à leur propre frère... Dès que l'on en vient au faire et au prendre, à la bourse, à la vie, les Français inclinent automatiquement vers le plus sobre, le plus économe, le plus laborieux, les lampes qui brillent tard, les gourmandises mortifiées.... »

Voilà bien pourquoi Poincaré, ce bourgeois de pleine bourgeoisie, par deux fois au moins, en 1914 d'abord, puis en 1926, a vu se tourner vers lui, en un élan spontané, les masses profondes de la nation.

C'est l'originalité de la longue carrière publique de Poincaré de se situer de part et d'autre de ces sanglantes années 1914-1918 qui ont déterminé le clivage entre l'ordre ancien et le désordre moderne.

Avant, c'est encore la suprématie incontestée de l'Europe, l'équilibre, sinon le concert, des grandes puissances, la sécurité monétaire, l'épargne possible, l'échange relativement libre des produits et des idées, la croyance généralement admise en des valeurs stables.

Après, c'est l'Europe progressivement reléguée dans sa position de petit cap au bout du continent asiastique, c'est le déséquilibre installé en permanence, c'est l'avènement des « guerres froides » préparant les « guerres chaudes », ce sont les signes monétaires à la dérive, c'est l'inquiétude du lendemain planant sur les intelligences et les énergies, c'est la mise en doute de toutes les croyances traditionnelles, ce sont des fois nouvelles, dynamiques et destructives, surgissant.

Les Français, cuirassés par leur conservatisme foncier et peut-être aussi par un certain défaut d'imagination, ont été longs à se rendre compte de ce bouleversement. Pourtant, si la guerre de 1914-1918 a moins atteint politiquement et idéologiquement la France que d'autres pays, elle l'a davantage frappée organiquement.

Un million trois cent soixante-quatre mille tués, sept cent quarante mille mutilés, voilà de quoi affaiblir définitivement une nation de quarante millions d'âmes : 1914 explique 1940.

Poincaré, en dépit de toute son intelligence, n'a pas vu cela clairement. Et peut-être en a-t-il été mieux ainsi. Un homme d'Etat, à moins de risquer de se perdre dans les nuées — comme cela est arrivé à Briand — ne peut guère travailler que dans l'immédiat. Qui a raison trop longtemps à l'avance a pratiquement tort — ou en tout cas n'est pas suivi — et les prophètes sont martyrisés avant que d'être canonisés.

Bien que l'activité la plus efficace de Poincaré se soit appliquée aux années postérieures à 1914-1918, il est resté jusqu'au bout un homme d'avant-guerre, on pourrait presque dire un homme du XIXe siècle.

C'est le positivisme et le scientisme du XIXe siècle qui ont modelé *ne varietur* son esprit et c'est au sein du parlementarisme du XIXe siècle qu'il a fait ses premiers essais politiques, parlementarisme encore semi-oligarchique, obéissant strictement aux règles d'un jeu subtil, parlementarisme qui ne connaissait guère les grossièretés et où les impertinences se réglaient par des duels.

Ce jeu — bien qu'autour de lui, sous la pression ascendante des couches nouvelles, on tendit à l'oublier — il l'a joué jusqu'au bout et il n'y a rien sans doute de plus pathétique dans sa carrière que la réserve que cet homme, au fond coléreux, s'est imposée alors qu'il était président de la République, en dépit de toutes les provocations qui lui étaient adressées. « Il avait jugé, » a écrit Hanotaux qui le connaissait bien, « que toute immixtion directe, en le mêlant aux responsabilités, risquait de détruire le seul pouvoir stable existant dans cette fragile République... » Il n'est sorti de cette réserve que pour combattre avec obstination toute tentative de « paix prématurée »... C'est qu'il voyait se lever devant lui, voilée de crêpe, l'image chérie de l'Alsace-Lorraine.

C'est encore le traditionnel jeu parlementaire qu'il a correctement joué lorsque, libéré des servitudes élyséennes, il a été de nouveau appelé à la barre du gouvernement : il a fait l'opération de la Ruhr parce que certes, il la jugeait conforme à l'intérêt national, mais aussi parce que la majorité de la Chambre — d'accord avec la majorité de l'opinion — la réclamait. Cette opération ayant, contre beaucoup de chances adverses, réussi, il a tourné court parce que le pays était las et qu'il se sentait désormais mal suivi.

Opportunisme, dira-t-on. Non. Prudence plutôt, sens du possible et respect profond, hérité du XIXe siècle, non pas de la volonté de chaque Français en particulier (il était sévère pour ses compatriotes et surtout pour leurs élus) mais de la volonté populaire *in abstracto*.

Le pays comme les Chambres ont senti cette déférence et jamais Poincaré n'a été sérieusement traité de « réactionnaire », jamais sérieusement accusé d' « aspirer à la dictature ». Et c'est sans arrière-pensée qu'à l'heure angoissante de la crise financière de 1926, on se jeta entre ses bras.

1926 : c'est l'apex de la carrière de Poincaré. Le fléchissement de la monnaie nationale semble aux Français, qui n'en ont point encore l'habitude, le signe avant-coureur des pires catastrophes. La rue bouge. Les Assemblées vont à la dérive. Tous les coups de main paraissent possibles, et toutes les aventures... Poincaré paraît, s'assied dans le fauteuil du ministre des Finances : à ce seul geste, sans qu'aucune mesure ait été encore prise, le cours de la livre sterling s'abat de deux cent-quarante à cent quatre-vingt-dix francs, les évasions de capitaux cessent, le calme renaît, la nation reprend confiance.

Qu'importe, à côté de cela, quelques erreurs de technique : en ce mois de juillet 1926, Poincaré a démontré par l'exemple, qu'au sein même des soubresauts du monde moderne, l'ordre, et la saine administration ne sont incompatibles ni avec la stricte légalité, ni avec le respect des engagements de l'Etat, ni avec la liberté.

Il y a là un grand sujet offert à la méditation de ceux qui aspirent aujourd'hui à l'honneur redoutable du gouverner les Français. En se penchant sur lui, ils s'apercevront que la réussite de Poincaré — réussite qui, hélas, ne lui a pas survécu — ne fut pas due à un miracle. Elle venait de son sérieux et de sa probité. Elle venait aussi de ce que ce Lorrain si modéré possédait une de ces âmes dont parle Saint-Evremond (Caillaux, dans ses *Mémoires,* cite l'expression en se l'appliquant à lui-même mais elle s'ajuste mieux encore à son rival détesté) — une de ces âmes « immodérées dans le bien de l'Etat ».

Tout considéré, et les imperfections mêmes, l'historien peut dire de lui ce qu'il disait de Renan comme conclusion à un discours prononcé à Tréguier en 1923 :

— « Il vivra dans le cœur de la France qu'il a comprise et aimée. »

FIN

APERÇU BIBLIOGRAPHIQUE

La bibliographie du sujet est considérable. On ne citera ici que les sources ou ouvrages qui ont été effectivement consultés.

I. — *ŒUVRES PRINCIPALES DE POINCARE*

La Correspondance d'un avocat (feuilleton de l'*Echo de l'Est*), Nancy 1880.
Idées contemporaines, Paris 1906.
Questions et figures politiques, Paris 1906.
Messages, discours et allocutions (1914-1920), 4 vol., Paris 1919-1921.
Histoire politique (chroniques de la *Revue des Deux-Mondes*), 4 vol., Paris 1921-1922.
Lettres libres (articles parus dans *le Temps*), Paris 1921-1922.
Les Origines de la guerre, Paris 1921.
Au Service de la France. Neuf années de souvenirs (1912-1920), 10 vol., Paris 1926-1933.
L'Œuvre financière du gouvernement, (discours des 2 et 3 février 1928), Paris 1928.
La Réforme monétaire, Paris 1928.
Paroles françaises, Paris 1929.
Les Responsabilités de la guerre ; quatorze questions... quatorze réponses, Paris 1930.

Consulter aussi les collections du *Volaire*, du *XIXe siècle*, de la *Gazette du Palais*, de la *Revue politique et littéraire*, du *Matin*, de l'*Illustration*, d'*Excelsior* et de la *Nacion* de Buenos-Ayres.

Pour les discours parlementaires, voir le *Journal Officiel* et pour les discours extra-parlementaires, le *Temps*.

II. — *PAPIERS ET CORRESPONDANCE*

Les documents politiques détenus par Poincaré ont été versés après sa mort aux archives des Affaires étrangères. Le reste de ses papiers a, en grande partie, été brûlé par sa veuve. Lui-même avait déjà détruit les notes ayant servi à la composition de ses *Souvenirs.*

Les quelques pages rédigées et les notes qui devaient être utilisées pour le XIe volume desdits *Souvenirs* (lequel n'a jamais paru) ont pourtant été conservées et remises par Mme R. Poincaré à la Bibliothèque nationale ainsi que beaucoup des discours manuscrits. Ces documents ne seront communicables qu'à partir de 1990.

Mmes Guionic et Tortat, nièces de Mme R. Poincaré, ont conservé une correspondance d'intérêt familial et psychologique. Les anciens collaborateurs et amis de Poincaré, ou leurs héritiers, possèdent de nombreuses lettres, fragments de *Journal* ou notes d'importance inégale. *L'Association des amis de Georges Mandel* détient plusieurs lettres adressées à Clemenceau.

M. Pourchet a publié dans *La Nef* (Paris, janvier 1947), les fragments d'un Cahier de pensées datant de 1877.

Enfin la Bibliothèque de l'Ordre des avocats parisiens possède le *Journal* enfantin de Poincaré, divers cahiers et essais de jeunesse et beaucoup de notes de plaidoiries.

III. — *OUVRAGES ET ETUDES SUR POINCARE*

BAINVILLE (J.) — *Discours de réception à l'Académie française*, Paris 1935.
BERT (C.) — *Raymond Poincaré* (La Nef, janvier 1947).
CHENU (Ch.) — *Raymond Poincaré*, 1913.
DUMESNIL (R.) — *Raymond Poincaré*, Paris 1934.
GIRARD (H.) — *Raymond Poincaré*, Paris 1914.
GROS (G.) — *M. Poincaré, mémorialiste, sa psychologie*, Paris 1930.
HANOTAUX (G.) — *Raymond Poincaré*, Paris 1934.
HUDDLESTIN (S.) — *Poincaré, a biographical portrait*, Londres 1924.
IGNOTUS — *M. R. Poincaré* (*Revue de Paris*), 1er février 1922.
LAVISSE (E.) — *Discours prononcé à l'Académie française*, Paris 1909.
LE ROUX (H.) — *Raymond Poincaré* (*Revue mondiale*), juillet 1919.
MARTIN (W.) —*Les hommes d'Etat pendant la guerre... M. Poincaré*, Paris 1929.
PAYEN (F.) — *Raymond Poincaré chez lui, au Parlement, au Palais*, Paris 1936.
RECLUS (M.) — *Raymond Poincaré* (*les Quarante fauteuils, XXIV*), Paris 1928.
SCHOLZER (H.) — *Raymond Poincaré, eine Skizze*, Zurich 1922.
SUAREZ (C.) — *De Poincaré à Poincaré*, Paris 1928.
THIBAUDET (A.) — *Les princes lorrains*, Paris 1929.

IV. — MEMOIRES CONTEMPORAINS

BETHMANN-HOLWEG (T. de) — *Considérations sur la guerre mondiale*, trad. franç., Paris 1923.
CAILLAUX (J.) — *Mes Mémoires*, 3 vol., Paris 1942-1947.
CLEMENCEAU (G.) — *Grandeurs et misères d'une victoire*, Paris 1930.
FOCH (Maréchal) — *Mémoires pour servir à l'histoire de la guerre*, 2 vol., Paris 1930.
GHEUSI (P. B.) — *Cinquante ans de Paris 1889-1938*, Paris 1939.
GREY OF FALLODON (vicomte) — *Mémoires*, 2 vol., trad. fr., Paris 1927.
JOFFRE (Maréchal) — *Mémoires*, 2 vol., Paris 1932.
LAROCHE (J.) — *Quinze ans à Rome, 1898-1913*, Paris 1948.
MESSIMY (Général) — *Mes souvenirs*, Paris 1937.
MORDACQ (Général) — *Le Ministère Clemenceau*, 4 vol., Paris 1928.
PALÉOLOGUE (M.) — *Journal, 1913-1914*, Paris 1947.
RIBOT (A.) — *Journal et correspondance inédite, 1914-1922*, Paris 1936.
STRESEMANN (G.) — *Les Papiers de*, 3 vol., trad. fr., Paris 1936.
SCHOEN (baron de) — *Mémoires (1900-1914)*, trad. fr., Paris 1926.
STEAD (W.) — *Trente années de ma vie politique en Europe*, 2 vol., trad. fr., Paris 1926.

V. — HISTOIRE GENERALE DE LA IIIe REPUBLIQUE

BAINVILLE (J.) — *La Troisième République*, Paris 1936.
DAVID (R.) — *La Troisième République, soixante ans de politique et d'histoire*, Paris 1934.
GOGUEL (F.) — *La politique des partis sous la IIIe République*, 2 vol., Paris 1946.
HALÉVY (D.) — *Pour l'étude de la IIIe République*, Paris 1937.
HÉRITIER (J.) — *La IIIe République*, Paris 1936.
RECLUS (M.) — *La Troisième République*, Paris 1945.
RENOUVIN, PRÉCLIN et HARDY. — *L'époque contemporaine* II (1871-1919) (collection « Clio »), Paris 1947.
SEIGNOBOS (Ch.) — *L'évolution de la IIIe République* (tome VIII de l'Histoire de la France de LAVISSE), Paris 1921.
— *Histoire politique de l'Europe contemporaine*, 2 vol., Paris 1924.
SIEGFRIED (A.) — *Tableau des partis en France*, Paris 1930.
SOULIER (A.) — *L'Instabilité ministérielle sous la Troisième République*, Paris 1939.
SUAREZ (C.) — *Briand*, 6 vol., Paris 1933-1942.
ZÉVAÈS (A.) — *Histoire de la IIIe République*, Paris 1926.
Et la collection des principaux journaux et périodiques. Aussi, pour la période s'étendant jusqu'à 1907, *l'Année Politique* de A. DANIEL.

VI. — QUESTIONS DIPLOMATIQUES

Documents diplomatiques français 1871-1914, *3e série* (1911-1914), Paris 1928 et s. s.
« *Livres jaunes* » publiés par le ministère français des Affaires étrangères sur les principales négociations.
BLOCH (C.) — *Les causes de la guerre mondiale*, Paris 1933.
CHARLES-ROUX (J.) — *La paix des Empires centraux*, Paris 1947.
CHASTENET (J.) — *Vingt ans d'histoire diplomatique* (1919-1939), Genève 1945.
HAUSER (H.) — *Histoire diplomatique de l'Europe*, 2 vol., Paris 1929.
JOUVENEL (B. de) — *La décomposition de l'Europe libérale*, Paris 1941.
LAPEYTRE (H.) — *Le retour à la paix*, Paris 1946.
RECOULY (R.) — *La Ruhr*, Paris 1923.
RENOUVIN (P.) — *Les origines immédiates de la guerre*, 2e éd., Paris 1927.
TARDIEU (A.) — *Le mystère d'Agadir*, Paris 1912.
— *La paix*, Paris 1920.
TEMPERLEY (H.) — *A history of the Peace Conference*, 6 vol., Londres 1920-21.
TIRARD (P.) — *La France sur le Rhin*, Paris 1930.

VII. — QUESTIONS MILITAIRES

BIDOU (H.) — *Histoire de la Grande Guerre*, Paris 1936.
DUFFOUR, DAILLE, HELLOT et TOURNÈS — *Histoire de la guerre mondiale*, 4 vol., Paris 1936.
IMANUEL (Colonel) — *La guerre des Balkans*, trad. fr., Paris 1914.
KUHL (général von) — *Der Weltkrieg*, 2 vol., Berlin 1929.
MORDACQ (général) — *Le Commandement unique. Comment il fut réalisé*, Paris 1929.

VIII. — QUESTIONS FINANCIERES

ANTONUCCI (A.) — *Le bilan des réparations*, Paris 1935.
CHAMINADE (M.) — *L'expérience financière de M. Poincaré*, Paris 1927.
DUBOIN (J.) — *La stabilisation du franc*, Paris 1927.
GERMAIN-MARTIN — *Une année de politique financière*, Paris 1927.
— *Le problême financier*, Paris 1936.
LACHAPELLE (G.) — *Les batailles du franc*, Paris 1928.
PHILIPPE (R.) — *Le Drame financier de 1924-1928*, Paris 1931.
POSE (A.) — *La monnaie et ses institutions*, 2 vol., Paris 1942.
SÉDILLOT (R.) — *Histoire du franc*, Paris 1939.

INDEX

INDEX DES NOMS DE PERSONNES

H

I

J

K

L

P

R

S

TABLE DES MATIERES

ACHEVÉ D'IMPRIMER SUR
LES PRESSES DE L'IMPRIMERIE
CLERC A SAINT-AMAND POUR
RENÉ JULLIARD, ÉDITEUR A PARIS, LE
20 AVRIL MIL NEUF CENT QUARANTE-HUIT

Dépôt légal 2e trimestre. — N° d'Editeur 363. — Imprimeur 213